L'AMOUR DE DIEU

LA GRÂCE ET LE LIBRE ARBITRE

ŒUVRES COMPLÈTES

XXIX

SOURCES CHRÉTIENNES

N° 393

BERNARD DE CLAIRVAUX

L'AMOUR DE DIEU

LA GRÂCE ET LE LIBRE ARBITRE

INTRODUCTIONS, TRADUCTIONS, NOTES ET INDEX

par

Françoise Callerot, o.c.s.o.
moniale de N.-D. des Gardes

Jean Christophe, o.c.s.o.
moine de Ste-Marie-du-Désert

Marie-Imelda Huille, o.c.s.o.
moniale de N.-D. d'Igny

Paul Verdeyen, s.j.
Centre Ruusbrœc, Université d'Anvers

Ouvrage publié avec le concours
du Centre National des Lettres

LES ÉDITIONS DU CERF, 29, Bd de Latour-Maubourg, PARIS 7e
1993

La publication de cet ouvrage a été préparée avec le concours de l'Institut des «Sources Chrétiennes» (U.R.A. 993 du Centre National de la Recherche Scientifique)

IMPRIMATUR
Lyon, 17.08.1993
J. Alberti, p.s.s.
Cens. dep.
Card. A. Decourtray

ISBN : 2-20404960-3
ISSN : 0750-1978

AVANT-PROPOS

Des deux traités de saint Bernard édités dans ce volume, le premier, *L'Amour de Dieu*, est dû, pour la traduction, au Frère Jean CHRISTOPHE, aidé de la Sœur Marie-Imelda HUILLE et du Père Paul VERDEYEN; l'introduction et l'annotation de cette œuvre reviennent au Père VERDEYEN ; les index ont été confectionnés par Sœur Françoise CALLEROT. Celle-ci s'est chargée entièrement du livre sur *La Grâce et le libre arbitre*. Comme dans les autres volumes des Œuvres complètes de saint Bernard, les apparats et les index bibliques, sur la base de ce qui est fourni par les *SBO*, ont été mis au point par M. Jean FIGUET et Sœur Marie-Imelda. Les annotations ont été complétées par MM. Jean FIGUET et Guy LOBRICHON. Ces additions sont signalées par un astérisque (= G. LOBRICHON) ou deux astérisques (= J. FIGUET). Enfin, cette édition a été grandement facilitée par le Père Polycarpo ZAKAR, Abbé Général du Saint Ordre Cistercien, et par le CETEDOC qui ont mis à notre disposition le texte des *SBO* sur disquette.

Sources Chrétiennes

NOTE SUR L'ÉDITION DES ŒUVRES COMPLÈTES DE BERNARD DE CLAIRVAUX

Mise en œuvre à la demande du Centre des Textes Cisterciens, qui dépend de la conférence des Pères abbés et Mères abbesses francophones de l'Ordre Cistercien de la Stricte Observance, la présente édition des Œuvres de saint Bernard, avec traduction française, est réalisée sur les bases suivantes.

Le texte original est repris de l'édition critique des *Sancti Bernardi Opera,* procurée par dom Jean Leclercq, assisté de MM. Henri-M. Rochais et Charles H. Talbot, et publiée en huit tomes par le Saint Ordre de Cîteaux, de 1957 à 1977, à Rome, aux Éditions Cisterciennes. A partir de ce volume – n° 393 –, le latin est imprimé sur la base de la saisie informatique réalisé par le Centre de Traitement Électronique des Documents (CETEDOC) de Louvain-la-Neuve.

Depuis sa parution, ce texte a bénéficié de corrections. Une première série d'errata, colligés par l'auteur lui-même, est à la disposition du public dans le tome 4 du *Recueil d'études sur saint Bernard et ses écrits* de dom Jean Leclercq (Rome, 1987, p. 409-418). Une seconde série, moins longue, a été établie par le CETEDOC en vue de préparer le *Thesaurus sancti Bernardi Claravallensis,* paru chez Brepols, à Turnhout, en 1987. Pour certaines œuvres, en particulier les traités, un dernier apport provient des notes critiques dues à dom Denis Farkasfalvy et parues pour la plupart dans le tome 1 de l'édition en langue allemande des *Œuvres complètes* de saint Bernard (Innsbruck 1990), en appendice de chaque œuvre publiée.

L'édition des Sources Chrétiennes profite de ces amendements. La pagination de l'édition critique est indiquée dans la marge du texte latin ; la linéation est nouvelle.

L'apparat critique n'est pas reproduit, les principes d'édition étant rappelés dans l'introduction à chacune des œuvres ; les variantes les plus intéressantes sont éventuellement indiquées dans l'annotation. En revanche, un apparat des citations scripturaires a été mis au point sur des bases nouvelles ; dans la mesure du possible, les sources des citations par rapport à la Vulgate, à la *Vetus Latina,* à la liturgie, à la *Règle* de saint Benoît ou aux Pères ont été précisées.

A la fin de chacune des œuvres sont donnés les index habituels : index des citations scripturaires, index des noms de personnes et de lieux, et index des mots ; celui-ci, étant donné le caractère exhaustif des relevés du *Thesaurus sancti Bernardi Claravallensis,* se limite à un choix de thèmes avec lemmes en français.

On trouvera sur la page ci-contre le plan d'édition des *Œuvres complètes* de saint Bernard aux *Sources chrétiennes.* Quelques modifications ne peuvent manquer de survenir d'année en année, concernant non seulement les œuvres éditées, mais aussi les prévisions. Les grandes lignes du programme demeurent, néanmoins, conformes à ce qui a été présenté dans les ouvrages précédemment parus.

Sources Chrétiennes.

LA SÉRIE BERNARDINE DANS LA COLLECTION «SOURCES CHRÉTIENNES»

N° SC	N° série bernardine	Ouvrages	Date envisagée	Paru
380	I	Introduction générale		1992
–	II-IX	Les lettres	1994-1999	–
–	X-XV	Sermons sur le Cantique	1995-1999	–
–	XVI-XIX	Sermons pour l'année	1994-1997	–
390	XX	A la louange de la Vierge Mère		1993
–	XXI	Aux clercs, sur la conversion. Le précepte et la dispense	1995	–
–	XXII-XXIV	Sermons divers	1999	–
–	XXV-XXVII	Sentences. Paraboles	1996-1998	–
–	XXVIII	Les degrés de l'humilité et de l'orgueil. Sermons variés	1994	–
393	XXIX	L'Amour de Dieu. La Grâce et le Libre Arbitre.		1993
–	XXX	L'Apologie. Office de saint Victor		
		Prologue de l'Antiphonaire	1994	–
367	XXXI	Éloge de la nouvelle chevalerie. Vie de saint Malachie		
		Épitaphe. Hymnes		1990
–	XXXII	La Considération	2000	–

SIGLES ET ABRÉVIATIONS

Œuvres de S. Bernard[1]

Abb	Sermon aux abbés (S. pour l'année)	*SBO* V
AdvA	Sermons pour l'Avent (S. pour l'année)	IV
AdvV	Sermon pour l'Avent (S. variés)	VI-1
Alt	Sermons pour l'élévation et l'abaissement du cœur (S. pour l'année)	V
AndN	Sermons pour la fête de saint André (S. pour l'année)	V
AndV	Sermon pour la vigile de saint André (S. pour l'année)	V
Ann	Sermons pour l'Annonciation (S. pour l'année) ...	V
Ant	Prologue à l'Antiphonaire	III
Apo	Apologie à l'abbé Guillaume	III
Asc	Sermons pour l'Ascension (S. pour l'année)	V
AssO	Sermon pour le dimanche après l'Assomption (S. pour l'année)	V
Assp	Sermons pour l'Assomption (S. pour l'année)	V
Ben	Sermon pour la fête de saint Benoît (S. pour l'année)	V
Circ	Sermons pour la Circoncision (S. pour l'année)	IV

1. En ce qui concerne les œuvres de saint Bernard, la présente liste reprend celle du *Thesaurus SBC*, p. XXIII, avec quelques minimes simplifications : suppression d'une abréviation spéciale pour les trois lettres 42, 77 et 190, suppression des astérisques marquant les différences avec la liste de Jean Leclercq, *Recueil*, t. 3, p. 9-10 ; en outre *Con+* et *Par+* ont été normalisés en *Conv** et *Par**.

Clem	Sermon pour la fête de saint Clément (S. pour l'année)	*SBO* V
Conv	Aux clercs sur la conversion	IV
*Conv**	Aux clercs sur la conversion (version courte)	IV
Csi	La Considération	III
Ded	Sermons pour la dédicace de l'église (S. pour l'année)	V
Dil	L'Amour de Dieu	III
Div	Sermons sur différents sujets	VI-1
Doni	Sermon sur les sept dons du Saint-Esprit (S. variés)	VI-1
Ep	Lettres	VII-VIII
EpiA	Sermons pour l'Épiphanie (S. pour l'année)	IV
EpiO	Sermon pour l'octave de l'Épiphanie (S. pour l'année)	IV
EpiP	Sermons pour le Ier dimanche après l'octave de l'Épiphanie (S. pour l'année)	IV
EpiV	Sermon pour l'Épiphanie (S. variés)	VI-1
Gra	La Grâce et le libre arbitre	III
HM4	Sermon pour le mercredi de la semaine sainte (S. pour l'année)	V
HM5	Sermon pour la Cène du Seigneur (S. pour l'année)	V
Hum	Les Degrés de l'humilité et de l'orgueil	III
Humb	Sermon pour la mort d'Humbert (S. pour l'année)	V
Inno	Sermon pour les fêtes de saint Étienne, de saint Jean et des saints Innocents (S. pour l'année)	IV
JB	Sermon pour la Nativité de saint Jean-Baptiste (S. pour l'année)	V
Lab	Sermons lors du travail de la moisson (S. pour l'année)	V

MalE	Épitaphe de saint Malachie	*SBO* III
MalH	Hymne de saint Malachie	III
MalS	Sermon sur saint Malachie (S. variés)	VI-1
MalT	Sermon lors de la mort de Malachie (S. pour l'année)	V
MalV	Vie de saint Malachie	III
Mart	Sermon pour la fête de saint Martin (S. pour l'année)	V
Mich	Sermons pour la commémoration de saint Michel (S. pour l'année)	V
Mise	Sermon sur les miséricordes du Seigneur (S. variés)	VI-1
Miss	A la louange de la Vierge Mère (H. sur « Missus est »)	IV
Nat	Sermons pour Noël (S. pour l'année)	IV
NatV	Sermons pour la vigile de Noël (S. pour l'année)	V
NBMV	Sermon pour la Nativité de la Bienheureuse Vierge Marie (S. pour l'année)	V
Nov1	Sermons pour le dimanche qui précède le 1er novembre (S. pour l'année)	V
OS	Sermons pour la Toussaint (S. pour l'année)	V
Palm	Sermons pour le dimanche des Rameaux (S. pour l'année)	V
Par	Paraboles	VI-2
*Par**	Paraboles (*ASOC* et *Cîteaux*)	
Pasc	Sermons pour la Résurrection du Seigneur (S. pour l'année)	V
PasO	Sermons pour l'octave de Pâques (S. pour l'année)	V
Pent	Sermons pour la Pentecôte (S. pour l'année)	V
PlA	Sermon pour la conversion de saint Paul (S. pour l'année)	IV

PlV	Sermon pour la conversion de saint Paul (S. variés)	*SBO* VI-1
PP	Sermons pour la fête des saints Pierre et Paul (S. pour l'année)	V
PPV	Sermon pour la vigile des saints Pierre et Paul (S. pour l'année)	V
pP4	Sermon pour le 4e dimanche après la Pentecôte (S. pour l'année)	V
pP6	Sermons pour le 6e dimanche après la Pentecôte (S. pour l'année)	V
Pre	Le Précepte et la dispense	III
Pur	Sermons pour la fête de la Purification de la bienheureuse Vierge Marie (S. pour l'année)	IV
QH	Sermons sur le psaume « Qui habite » (S. pour l'année)	IV
Quad	Sermons pour le Carême (S. pour l'année)	IV
Rog	Sermon pour les Rogations (S. pour l'année)	V
SCt	Sermons sur le Cantique des Cantiques	I-II
Sent	Sentences	VI-2
Sept	Sermons pour la Septuagésime (S. pour l'année)	IV
Tpl	Éloge de la Nouvelle Chevalerie	III
VicO	Office de saint Victor	III
VicS	Sermons pour la fête de saint Victor (S. variés)	VI-1
Vol	Sermon sur la volonté divine (S. variés)	VI-1

Ouvrages, revues, instruments plus fréquemment utilisés

AB	*Analecta Bollandiana*, Bruxelles
ACist	*Analecta Cisterciensia*, Rome, continuation de *ASOC*
AnMon	*Analecta Montserratensia*, Montserrat
ASOC	*Analecta Sacri Ordinis Cisterciensis*, Rome
ASS	*Acta Sanctorum*, Bruxelles
AUBERGER, *L'Unanimité*	J.-B. AUBERGER, *L'unanimité cistercienne primitive, mythe ou réalité ?*, Achel 1986
BdC	COLLOQUE DE LYON-CÎTEAUX-DIJON, *Bernard de Clairvaux : histoire, mentalités, spiritualité* (Sources Chrétiennes 380), Paris 1992
Bernard de Clairvaux	Commission d'Histoire de l'ordre de Cîteaux, *Bernard de Clairvaux*, Paris 1953
BOUTON-VAN DAMME	J. DE LA C. BOUTON et J. B. VAN DAMME, *Les plus anciens textes de Cîteaux*, Achel 1974
BREDERO, *Études*	*Études sur la Vita prima de saint Bernard*, Rome 1960 (nous suivons la pagination de ce volume et non celle des articles parus dans les *ASOC*)
CANIVEZ, *Statuta*	J.-M. CANIVEZ, *Statuta capitulorum generalium ordinis cisterciensis ab anno 1116 ad annum 1786*, 8 t., Louvain 1933-1941

CistC	*Cistercienser-Chronik*, Mehrerau
Cîteaux	*Cîteaux in de Nederlanden*, Achel, continué par *Cîteaux, Commentarii cistercienses*, Citeaux
COCR	*Collectanea Ordinis Cisterciensium Reformatorum*, Scourmont, continués sous le titre suivant
CollCist	*Collectanea Cisterciensia*, Mont-des-Cats
Gesta Friderici	OTTON DE FREISING, *Gesta Friderici I, Imperatoris* (éd. par F. J. Schmale, Ausgewählte Quellen zur deutschen Geschichte des Mittelalters, 17), Darmstadt 1974
JACQUELINE, *Épiscopat*	B. JACQUELINE, *Épiscopat et papauté chez saint Bernard de Clairvaux* (Atelier de reproduction des thèses), Lille 1975
LECLERCQ, *Recueil*	J. LECLERCQ, *Recueil d'études sur saint Bernard et ses écrits*, 5 t., Rome 1962-1992
Mélanges A. Dimier	*Mélanges à la mémoire du Père Anselme Dimier*, 3 t. de 2 vol., sous la direction de B. Chauvin, Pupillin 1982-1988
Opere di san Bernardo	SAN BERNARDO, *Opere*, sous la direction de F. Gastaldelli (Scriptorium claravallense), Milan ; t. 1, *Trattati*, 1984 ; t. 6/1 et 6/2 *Lettere*, 1986-1987
RB	Règle de saint Benoît (*SC* 181-182)

RHE	*Revue d'Histoire Ecclésiastique*, Louvain
Saint Bernard théologien	*Saint Bernard théologien* (Actes du Congrès de Dijon, 15-19 septembre 1953), in *ASOC*, 9 (1953)
SBO	*Sancti Bernardi Opera*, 8 t. (éd. par J. Leclercq, H.-M. Rochais et C. H. Talbot, Editiones Cistercienses), Rome 1957-1977
SC	Sources Chrétiennes
Thesaurus SBC	*Thesaurus Sancti Bernardi Claraevallensis* (Série A, Formae, CETEDOC, sous la direction de P. Tombeur), Turnhout 1987
VACANDARD, *Vie*	E. VACANDARD, *Vie de saint Bernard, abbé de Clairvaux*, 2 t., Paris 1895

Autres abréviations

BA	*Bibliothèque Augustinienne*, Paris
CCL	*Corpus Christianorum Series Latina*, Turnhout
CCM	*Corpus Christianorum Continuatio Medievalis*, Turnhout
CSEL	*Corpus Scriptorum Ecclesiasticorum Latinorum*, Vienne
DSp	*Dictionnaire de Spiritualité*, Paris

Jérôme, *Nom. hebr.*	Jérôme, *Liber Interpretationis Hebraicorum Nominum*, éd. P. de Lagarde, *CCL* 72 (1959), p. 57-161.
Lit.	Origine liturgique des citations bibliques
Patr.	Origine patristique des citations bibliques
PL	*Patrologie Latine*, Migne
RBén	*Revue Bénédictine*, Maredsous
Vg	Vulgate
Vl	Vieille latine
≠	Divergence entre Bernard et sa source

L'AMOUR DE DIEU

INTRODUCTION

I. Dédicace et date de composition

Le traité intitulé «Sur l'amour de Dieu» est dédié par saint Bernard à Aimeric, cardinal-diacre et chancelier de l'Église romaine. Aimeric est un personnage bien connu des historiens de l'Église. Donnons d'abord son portrait tel qu'il a été dessiné par dom Antoine de S. Gabriel, feuillant et excellent traducteur de S. Bernard: «Aimery estoit Bourguignon et cousin germain de Pierre le Chastre, archevesque de Bourges, de l'ancienne et illustre famille de la Chastre, dont nous avons eu deux mareschaux de France. Il fut premièrement chanoine régulier de Saint-Jean-de-Latran; puis l'an 1120 fut créé cardinal-diacre par Calixte second, et en suitte fut fait chancelier de l'Église romaine du vivant mesme de Chrysogone de Pise son prédécesseur[1].»

Aimeric commença à dater les bulles du pape le 18 mai 1123 et il conserva la fonction de chancelier jusqu'au jour de sa mort, le 28 mai 1141. C'est donc entre ces deux dates que Bernard lui a envoyé son traité. Nous essayerons plus loin de préciser davantage la date de cette composition.

1. Dom Antoine de S. Gabriel, Avertissement du *Traité de l'Amour de Dieu,* Paris 1667.

En effet, Aimeric a joué un rôle important dans l'histoire pontificale des années 1120-1140[2]. C'est grâce à ses agissements qu'Honorius II et Innocent II ont été successivement reconnus comme pape légitime. Mais l'élection d'Innocent II ne s'est pas faite sans difficultés. Elle a provoqué l'élection de l'antipape Anaclet II. Comme Aimeric et Bernard ont travaillé de concert pour faire reconnaître la légitimité d'Innocent II, résumons brièvement l'origine, la durée et la disparition du schisme d'Anaclet.

Sous les pontificats de Calixte II (1119-1124) et d'Honorius II (1124-1130), l'aristocratie romaine avait repris dans la ville une place importante. Deux familles, à savoir les Pierleoni et les Frangipani, voulaient influencer l'élection papale. Les premiers jours de 1130, Honorius II était tombé gravement malade. Alors qu'il agonisait dans le monastère de Saint-André, les cardinaux décidèrent que l'élection ne pourrait se faire avant les obsèques du pape. Ils spécifiaient de confier le choix du nouveau pape à une commission de huit cardinaux. Parmi ceux-ci il y avait cinq partisans des Frangipani et trois des Pierleoni. Cette procédure, imaginée par le cardinal Aimeric, était contraire aux dispositions du décret de Nicolas II à propos de l'élection papale.

Pendant que les cardinaux délibéraient, l'émeute commençait. Le bruit s'était répandu que le pape était mort et la foule se pressait autour du monastère de Saint-André, si bien que, pour démentir la fausse nouvelle, le pauvre Honorius II dut se montrer à l'une des fenêtres du couvent. Cela acheva de l'épuiser et il s'éteignit dans la nuit du 13 au 14 février. A l'aube du 14 février, le cardinal Aimeric fit ensevelir provisoirement le pape

2. Cf. A. Fliche *et alii, Histoire de l'Église,* t. 9, 1e partie, Paris 1948, p. 50-69.

défunt, pour ne pas violer l'accord intervenu au sein du Sacré Collège. Puis il fit élire par les cinq partisans des Frangipani Grégoire, cardinal de S. Angelo. Les autres cardinaux favorables aux Frangipani se réunirent dans l'église de S. André; ils ratifièrent le choix et Grégoire fut conduit au Latran, où sous le nom d'Innocent II il revêtit les insignes pontificaux.

Quelques heures plus tard, les cardinaux du parti Pierleoni, qui constituaient la majorité du Sacré Collège, se réunissaient dans l'église S. Marc. Ils apprenaient en même temps le décès d'Honorius II et l'élection d'Innocent II. Aussitôt le cardinal Pierleone dénonça les vices de forme et unanimement il fut désigné comme nouveau pape sous le nom d'Anaclet II. En moins de trois heures, Rome avait élu deux papes, qui, avec acharnement, huit ans durant, allaient se disputer la tiare.

Dès le lendemain Anaclet acquit à Rome une situation très forte. A ce moment précaire, Innocent II, inspiré sans doute par Aimeric, prit une résolution diplomatique et efficace. Il s'exila de Rome et partit pour la France où il espéra se faire reconnaître par le roi Louis le Gros et plus tard par les autres monarques de l'Europe. Le roi de France, ne sachant qui reconnaître, convoqua un concile à Étampes. Il y invita aussi l'abbé de Clairvaux. Bernard résume sa position dans sa *Lettre* 124 à Hildebert, archevêque de Tours: «Le choix des meilleurs, l'assentiment de beaucoup de cardinaux, et ce qui est encore plus important, le témoignage de ses mœurs recommandent Innocent et le désignent comme souverain pontife[3].»

Après le concile, Bernard accompagna le pape à Chartres, à Liège, à Rouen, à Clairvaux et à Reims. Entre

3. *SBO* VII, 306, l. 21-22.

1131 et 1133 il va défendre la cause d'Innocent en Aquitaine et en Italie. Mais le schisme d'Anaclet persistera jusqu'à la mort de l'antipape, le 25 janvier 1138.

Cette histoire du schisme nous permet d'affirmer que Bernard a rendu d'insignes services à Innocent II. Celui-ci ne s'est pas montré ingrat envers Clairvaux et l'ordre cistercien[4]. Par la bulle *Aequitatis ratio* de 1132, il donna d'importants privilèges à l'abbaye de Clairvaux. Le pape rappela que, pour le bien de l'Église, Bernard s'est dressé comme un mur inexpugnable contre le schisme. Déférant ensuite aux justes désirs exprimés par son défenseur, il plaça Clairvaux sous le patronage du Saint-Siège et il approuva toutes ses possessions. Il concéda en outre le privilège de ne pas devoir assister au synode diocésain. Ce qui incluait la dispense d'y apporter l'impôt *cathedraticum* et libérait d'avance l'abbé de toute accusation, reproche et injonction qu'éventuellement l'autorité diocésaine aurait pu formuler contre lui. La dernière concession d'Innocent II aux moines de Clairvaux est l'exemption de payer les dîmes de leurs travaux[5]. A la même époque, des concessions similaires furent envoyées à l'abbé de Cîteaux dans la bulle *Habitantes* et elles valaient pour toutes les abbayes de l'ordre[6].

Ces documents importants pour l'ordre naissant sont passés par les mains du chancelier Aimeric et ont été datés par lui. Nous pensons que Bernard y fait une discrète allusion dans la préface du traité *De diligendo Deo* : «Il me plaît pourtant, je l'avoue, que vous demandiez

4. Pour la suite, cf. J.-M. CANIVEZ, art. «Cîteaux», *DHGE* 12 (1953), col. 902-903.

5. Ph. JAFFÉ, *Regesta Pontificum Romanorum*, 2e éd. revue par G. WATTENBACH, Leipzig 1885, n° 7544.

6. Ph. JAFFÉ, *op. cit.*, n° 7537.

des écrits spirituels en récompense de services matériels[7].» Bernard savait depuis longtemps que «presque aucun bien ne se faisait sur terre, sans qu'il ne dût passer en quelque manière par les mains du chancelier romain[8]».

Si cette hypothèse est recevable, il est possible de préciser la date de composition du traité *De diligendo Deo.* En effet, la dédicace du traité à Aimeric s'explique plus facilement, s'il est écrit après l'élection d'Innocent II et l'intervention de Bernard au concile d'Étampes. C'est pendant la résistance au schisme d'Anaclet qu'Aimeric et Bernard sont devenus des compagnons de combat.

Si les «services matériels» d'Aimeric concernent les deux bulles papales de 1132, le traité a été rédigé entre 1132 et 1141, la dernière date étant celle de la mort d'Aimeric. Nous savons, par ailleurs, que Bernard a commencé la dictée de ses *Sermons sur le Cantique* en 1135[9]. Comme il est très probable que le traité *Dil* a été achevé avant que Bernard ne se mette à expliquer le Cantique, on pourrait dire que le traité *L'Amour de Dieu* a probablement été écrit entre 1132 et 1135.

II. La place de *Dil* parmi les œuvres de Bernard

Il est généralement admis que trois œuvres au moins précèdent le *Dil.* On pense alors aux quatre homélies connues sous le titre *A la louange de la Vierge Mère* (*SC* 390), à l'*Apologie* écrite sur les instances de Guillaume

7. *Dil,* Prol., *infra,* l. 9-10, p. 58.
8. *Ep* 311 (*SBO* VIII, 241, l. 4-5).
9. Cf. *SBO* I, p. XV-XVI.

de Saint-Thierry et au traité sur les *Degrés de l'humilité et de l'orgueil*. Ces trois textes sont apparus ou sont mentionnés vers 1125. Deux autres traités sont écrits entre 1128 et 1135. Il s'agit de l'*Éloge de la nouvelle chevalerie* (*SC* 367) et de *La grâce et le libre arbitre* (*infra*). Il n'est pas encore possible de vérifier si ces deux traités ont précédé ou ont suivi la rédaction de l'écrit *L'Amour de Dieu*.

Nous avons situé la rédaction de *Dil* entre 1132 et 1135. Le traité a été écrit à la demande expresse du chancelier Aimeric. Bernard ne pouvait guère lui refuser ce service. Mais l'introduction dit clairement que l'auteur ne peut pas répondre à toutes les requêtes. Cette phrase suggère que Bernard a choisi lui-même le sujet du traité parmi une liste de thèmes que le cardinal lui avait proposée.

Bernard tient à justifier son choix : « Voilà en effet le sujet le plus doux à goûter, le plus sûr à traiter et le plus utile à écouter. » Nous pensons que Bernard avait encore un autre motif pour s'expliquer à propos de l'amour de Dieu. Mais il ne le mentionne pas dans la dédicace à Aimeric.

Bernard a conçu et rédigé le *Dil* après une rencontre mémorable qui a marqué profondément sa doctrine spirituelle. Nous avons présenté ailleurs cette rencontre des deux abbés malades[10]. L'événement nous est raconté par Guillaume de Saint-Thierry dans sa *Vie de Bernard*. Nous pensons qu'il faut situer cette rencontre vers 1128. Relisons le récit de Guillaume :

> « Nous étions tous deux immobilisés et tout le jour se passait à nous entretenir de la nature spirituelle de l'âme

10. Cf. *SC* 380, p. 557-577.

et des remèdes qu'offrent les vertus contre les maladies des vices. C'est alors qu'il (Bernard) m'expliqua, autant du moins que le permit la durée de ma maladie, le Cantique des Cantiques[11].»

Guillaume exagère sans doute le rôle de Bernard et il minimise son apport personnel. Peu importe dans le présent contexte. Après cette rencontre, le Cantique devient leur livre préféré et ils ne cesseront de le commenter.

Voilà le motif secret et personnel qui a décidé Bernard à traiter de l'amour de Dieu.

Le dialogue avec Guillaume lui avait donné la clef de voûte de son édifice spirituel. Il était donc temps de présenter la structure de cet édifice, quitte à en montrer plus tard les différents ornements. Ce qu'il fera dans les quatre-vingt-six *Sermons sur le Cantique.*

Cette intention secrète de Bernard explique le plan du traité. L'auteur commence par répondre aux deux questions essentielles qui lui sont posées par le chancelier du pape. Sans doute Aimeric se serait-il contenté de cette première partie du traité (1-22)[12]. Bernard y ajoute une description des quatre degrés de l'amour ainsi que sa *Lettre aux Frères de Chartreuse.* «Quod abundat non vitiat.» Même un cardinal peut lire avec profit comment l'âme humaine découvre progressivement l'amour de Dieu. Bernard oublie le destinataire principal de son traité et s'adresse à son public habituel : aux moines de Clairvaux, à tous les cisterciens, chartreux et bénédictins et à tous les chercheurs de Dieu.

11. *PL* 185, 259 BC.

12. Dans la suite de l'introduction, les chiffres entre parenthèses désignent les paragraphes du *Dil* (de 1 à 40).

III. Plan du traité

1. Réponse au cardinal Aimeric
   - A. Pourquoi doit-on aimer Dieu?
     - – Situation des chrétiens (1)
     - – Situation des infidèles (2-6)
     - – L'amour de l'Église pour Jésus (7-15)
   - B. Dans quelle mesure faut-il aimer?
     - – Aimer Dieu sans mesure (16-17)
   - C. La récompense de l'amour
     - – Dieu est lui-même la récompense (17)
     - – L'insatiable convoitise humaine (18-20)
     - – Dieu seul peut combler le cœur humain (21-22)
2. Les quatre degrés de l'amour
   - A. L'homme s'aime lui-même pour lui-même. Amour de soi et amour du prochain (23-25)
   - B. L'homme aime Dieu pour soi (26)
   - C. L'homme aime Dieu pour Dieu (26)
   - D. L'homme s'aime lui-même pour Dieu. La déification et la résurrection des corps (27-33)
3. Lettre aux Frères de Chartreuse
   - A. Trois manières d'aimer : l'amour de l'esclave, du mercenaire, du fils (34)
   - B. La charité, loi du Seigneur (35)
   - C. La loi de l'esclave, du mercenaire et du fils (36-38)
   - D. Les quatre degrés de l'amour. La résurrection générale (39-40)

La troisième partie du traité reprend la *Lettre* 11, que Bernard a adressée aux frères de Chartreuse en 1124 ou 1125. Cette lettre distingue trois manières d'aimer : celle de l'esclave, celle du mercenaire et celle du fils. Cette lettre contient en germe la doctrine des quatre degrés de l'amour, que Bernard a longuement développée dans la seconde partie de son traité. Il faut avouer que, dans son nouveau cadre, ce texte plus ancien prend plutôt la figure d'un résumé récapitulatif.

IV. Les grands thèmes de la spiritualité bernardine

Saint Bernard est considéré généralement comme le dernier des Pères de l'Église. On pourrait le nommer aussi le premier des grands auteurs mystiques. Dans le traité *De diligendo Deo* et dans les *Sermons sur le Cantique,* Bernard développe surtout une doctrine de la vie spirituelle et mystique. Cette doctrine trouve son point de départ et son but ultime dans l'Amour de Dieu. Bernard considère aussi bien l'amour de Dieu pour nous (Dieu a été le premier à nous aimer) que notre réponse amoureuse à l'initiative divine. Dans notre traité, nous trouvons surtout le développement concret de l'histoire amoureuse entre Dieu et l'âme humaine, entre le Créateur et sa créature. De ce point de vue se profilent deux sections particulièrement importantes : Les quatre degrés de l'amour (23-28) et la distinction entre l'esclave, le mercenaire et le fils (34-37). Considérons maintenant quelques thèmes spécifiques de sa spiritualité.

1. Dieu nous aime le premier (1-16)

Dans la première partie de son traité, Bernard se demande pourquoi l'homme doit aimer Dieu. La réponse est simple : Dieu mérite d'être aimé parce qu'il nous a aimés le premier. Bernard reprend la même idée au paragraphe 16 : «Il nous a aimés le premier; lui si grand, il a aimé tellement, gratuitement des gens si petits et tels que nous[13].»

Pour élaborer cette thèse, Bernard adopte la forme de l'*Épître aux Romains* de S. Paul. L'apôtre des païens y présente plusieurs catégories alternatives, comme par exemple les païens et les juifs, la chair et l'Esprit, la loi et la liberté. De la même façon, Bernard examine comment les infidèles (qui ne connaissent pas Jésus Christ) sont invités à pratiquer l'amour de Dieu et de quelle autre manière cette invitation parvient aux fidèles chrétiens. Nous trouvons d'autres alternatives encore : celle de la gloriole et de la vraie gloire (présente aussi dans *Rom.*), de la mémoire et de la présence, de la création et de la rédemption, de la vie présente et de la gloire promise, de la nécessité et de la liberté.

L'auteur pense que les chrétiens comprennent facilement leur devoir d'aimer Dieu. Il en va autrement des infidèles, c'est-à-dire des juifs et des musulmans. Et pourtant, eux aussi, ils doivent aimer Dieu de tout leur cœur, de toute leur âme et de toutes leurs forces (6.15.29). Pour prouver que ce commandement concerne tous les hommes, Bernard commence une longue méditation concernant les biens intérieurs de l'âme humaine : la dignité, la science et la vertu. On retrouve ces trois éléments de l'anthropologie bernardine dans le traité *De gratia et libero arbitrio*. La dignité correspond au «liberum arbitrium», la science au «liberum consilium», la vertu au «liberum complacitum». A la fin, Bernard parvient à cette conclusion : «Il est donc clair que sans la science la dignité est tout à fait inutile et que la science sans la vertu est condamnable. Mais l'homme vertueux, en qui la science n'est pas condamnable, ni la dignité sans fruit,

13. *Dil* 16, *infra*, l. 3-4, p. 98.

crie vers Dieu : Non pas à nous, Seigneur, non pas à nous mais à ton nom donne la gloire[14]. »

Après avoir reconnu le devoir universel d'aimer Dieu, Bernard constate qu'il est difficile et qu'il est même impossible que l'homme parvienne par ses seules forces à viser en tout la seule gloire divine. Sans doute est-ce pour cette raison que les chrétiens savent parfaitement combien il leur est absolument nécessaire d'avoir Jésus, et Jésus crucifié : « En lui ils admirent et embrassent la charité qui surpasse la science, et ils sont remplis de honte de ne pas donner en retour de tant d'amour et d'égards, au moins le tout petit peu qu'ils sont[15]. »

Il est clair que Bernard quitte ici le terrain des grands principes et qu'il entre dans le domaine des relations personnelles. L'Église universelle regarde son Seigneur accablé par les coups et les crachats, elle regarde l'auteur de la vie fixé par des clous et percé par la lance... et elle parvient à languir d'amour (*Cant.* 2, 5). La relation amoureuse entre le chrétien et son Sauveur est évoquée avec les images et les sentiments du *Cantique des cantiques* (7-12). Nous pensons lire ici la première méditation de Bernard sur ce grand livre de l'amour, qu'il va expliquer et commenter à ses moines jusqu'à la fin de ses jours. Dans cette longue confrontation de l'Époux et de l'épouse (7-15), deux points retiennent particulièrement l'attention : le rôle de la mémoire et la dette de l'âme humaine gratifiée d'un tel amour.

De plusieurs manières, la mémoire est opposée à la présence directe du Bien-Aimé. La mémoire est le lot des générations qui se succèdent, la présence sera celui du Royaume des cieux. La mémoire réconforte les pèlerins pour lesquels la présence est le but ultime. La mémoire

14. *Dil* 5, *infra,* l. 10-14, p. 72.
15. *Dil* 7, *infra,* l. 3-5, p. 74.

de la Passion peut sembler trop lourde à porter, mais qu'en sera-t-il alors de la présence directe du Seigneur? Ceux qui ne ressentent pas en cette vie la douceur de la mémoire, ressentiront plus tard l'âpreté de la présence, quand le Christ apparaîtra comme juge des vivants et des morts. L'âme fidèle soupire après la présence et elle se repose avec douceur dans la mémoire.

Il est étonnant que Bernard n'évoque pas plus souvent l'absence de l'Époux, car l'âme aimante ne ressent pas toujours la présence du Bien-Aimé. Mais l'épouse délaissée se trouve consolée par la mémoire. «Tant qu'on voit durer ce monde visible, le réconfort de la mémoire ne manquera pas aux élus, auxquels n'est pas encore accordé le rassasiement complet de la présence[16].» La mémoire ne donne qu'un avant-goût, qui fait désirer davantage. La mémoire ne manquera pas, grâce à la parole révélée et grâce à l'eucharistie qui actualise le mystère de la Passion. Soulignons surtout le caractère eschatologique de la mémoire, qui nous fait attendre avec impatience la plénitude de la rencontre définitive.

Quant à la dette de l'amour, que l'âme aimante veut payer au Bien-Aimé, Bernard la décrit dans les paragraphes 13 à 16. Il insiste sur notre devoir d'aimer Dieu. Mais il ne faut pas prêter à Dieu un amour intéressé, comme s'il voulait obliger l'homme à le payer de retour. Dieu nous aime «sans pourquoi», mais il reste vrai que ce premier amour de Dieu cherche une réponse amoureuse. «Amor Dei amorem animae parit». «L'amour divin provoque l'amour de l'âme[17].» Dieu est vraiment la cause efficiente et la cause finale de notre amour[18].

16. *Dil* 10, *infra*, l. 15-19, p. 82 s.
17. *SCt* 69, 7 (*SBO* II, 206, l. 21-22).
18. Cf. *Dil* 22, *infra*, l. 1-2, p. 114.

Mais Bernard dit plus. Il constate que notre réponse amoureuse reste infiniment en-dessous de ce que nous devons. «En échange du si grand amour d'un si grand Amant, que peut offrir de valable un minime grain de poussière...[19]» Par cette phrase Bernard découvre un filon d'or dans le paysage de l'amour. La dette de l'amour n'exprime pas une obligation morale, mais un aspect typique de la réciprocité amoureuse. Toute personne aimante désire dépasser son bien-aimé dans un don total et généreux. Les auteurs de l'amour divin ne manqueront pas d'exploiter les trésors psychologiques que récèle l'aventure amoureuse entre des partenaires tellement inégaux.

2. La récompense de l'amour (17-21)

Bernard annonce qu'il va traiter de la récompense de l'amour. Mais en cours de route, son sujet devient plus vaste, car il embrasse tout le champ des aspirations humaines.

Nous avons signalé ailleurs[20] que la récompense de l'amour était un sujet d'actualité. Abélard avait évoqué cette question dès avant 1121, tandis que Bernard la mentionna pour la première fois dans sa *Lettre aux Frères de Chartreuse* vers 1125. Au cours des années sa pensée s'est précisée et le lecteur attentif se demande pourquoi la position équilibrée et sage de Bernard n'a pas mis fin à cette discussion pour les siècles à venir.

Voilà les éléments essentiels de sa position: «Ce n'est pas sans récompense qu'on aime Dieu, bien qu'on doive

19. *Dil* 13, *infra,* l. 17-19, p. 92.
20. Cf. *infra,* p. 102, n. 2.

se garder de l'aimer en vue d'une récompense. Car la véritable charité ne peut en être dépourvue et pourtant elle n'est pas mercenaire... L'âme qui aime Dieu ne recherche que Dieu en récompense de son amour. Et si elle recherche autre chose, sûrement ce n'est pas Dieu qu'elle aime[21]. »

Bernard reconnaît que la possession amoureuse de Dieu constitue le plus grand trésor imaginable. Et pourtant l'âme aimante doit chercher son Dieu « sans pourquoi ». Au niveau de la raison humaine, ces deux affirmations peuvent sembler contradictoires. Mais l'amour vrai reconnaît facilement cette loi foncière de son développement : la pureté de l'intention. Bernard exprime la même idée lorsqu'il parle de la chasteté de cet amour humain de Dieu. Sous sa plume, le mot « chaste » signifie toujours : dépourvu de tout retour sur soi.

Après avoir posé ce principe important, Bernard explique une vérité complémentaire. Le désir de l'homme raisonnable recherche toujours ce qui peut le combler le plus complètement et jamais il ne se sent satisfait par des biens secondaires. Les paragraphes 18 à 21 développent cette pensée de main de maître et ce maître est sans doute le premier grand moraliste de l'école française. Il décrit admirablement les chemins souvent sinueux du désir humain. Il explique pourquoi la convoitise doit se soumettre au jugement de la raison. Il affirme que l'esprit humain (*animus*) doit devancer les sens, pour que ces sens ne touchent à rien dont l'esprit n'ait auparavant vérifié l'utilité. Il conclut que le juste choisit la voie royale, c'est-à-dire la voie directe de l'amour de Dieu. Dieu seul peut combler le désir du cœur humain.

21. *Dil* 17, *infra,* l. 12, p. 102 – l. 35, p. 104.

3. Les quatre degrés de l'amour (23-33)

L'introduction à ce texte est d'une importance capitale, si on ne veut pas se méprendre sur le sens des quatre degrés. Bernard annonce qu'il veut décrire le point de départ de notre amour humain («unde inchoet amor noster»). L'amour est un sentiment naturel. «Or ce qui est naturel, il serait bien juste de le mettre en toute priorité au service de l'auteur de la nature» (23). C'est la réponse à la question de droit: «Qui mérite le plus notre amour?» ... Ensuite, Bernard répond à la question de fait: «Quel est de fait le premier amour de l'âme humaine?» Il ne saurait y avoir aucun doute: tout homme s'aime d'abord lui-même pour lui-même. C'est là une conséquence de la fragilité et de la faiblesse de notre nature («quia natura fragilior atque infirmior est»). Il est étonnant que Bernard ne mentionne pas ici sa doctrine de l'homme déchu ni de son exil dans la région de la dissimilitude. Il ne mentionne pas non plus l'ordination de la charité. La notion d'ordre n'apparaît qu'à la fin, dans la *Lettre aux Frères de Chartreuse* (36.39). Par contre, il insiste beaucoup sur la notion de nécessité. La nature est sujette au règne de la nécessité, tandis que la grâce nous introduit au règne de la liberté.

Donnons d'abord le plan que Bernard a suivi dans cette partie de son traité:

a) L'homme s'aime pour lui-même
b) L'homme aime Dieu pour soi
c) L'homme aime Dieu pour Dieu
d) L'homme s'aime pour Dieu

a) L'homme s'aime pour lui-même

Pour bien comprendre le premier degré, nous reprenons l'explication que nous lisons dans la thèse du Père Delfgaauw:

« Comment est-il donc possible qu'un amour égoïste puisse aboutir *recto ordine* à l'amour de Dieu? C'est là, pour les commentateurs de saint Bernard, la *crux interpretum.* » En 1928, P. Pourrat s'exprimait ainsi : « On reprochera avec raison à l'Abbé de Claivaux, de considérer, dans un traité de l'amour de Dieu, l'amour naturel, charnel, que l'homme a pour lui-même, comme un premier degré de l'amour. Une telle manière de s'exprimer peut engendrer de regrettables confusions et tendrait à obscurcir la distinction entre l'amour qu'engendre la nature et celui que produit la grâce ». Ainsi parlera, en effet, un esprit formé par la scolastique. Il importe cependant d'envisager les préscolastiques selon leurs concepts à eux. La question de la grâce s'y posait autrement. La distinction métaphysique entre nature et grâce, vertu naturelle et surnaturelle, n'est apparue qu'un siècle plus tard. Saint Bernard prend ainsi le mot « nature » en son sens concret et historique, y incluant nécessairement la grâce. Pour lui, la grâce est considérée avant tout du point de vue thérapeutique, destinée à rendre à la nature sa santé parfaite. Nature, ce n'est donc pas pour lui, nature « pure »; et *affectio naturalis* n'exclut pas l'amour surnaturel : dès qu'elle est sainement ordonnée, elle l'inclut au contraire; mais aussitôt qu'elle s'incurve vers la chair, elle se corrompt. Que cette *affectio* commence par la chair, n'est donc pas selon sa « nature », remarque Bernard, ni non plus selon la justice. Tout ce qui est naturel ne doit-il pas, avant tout, servir l'auteur de la nature? Aussi, le premier et le plus grand de tous les commandements est-il d'aimer Dieu de tout son cœur. Lui seul, en effet, doit être aimé *sine modo*, tous les autres êtres, nous-mêmes inclus, *cum modo*[22]. »

22. P. Delfgaauw, *Saint Bernard maître de l'amour divin,* Rome 1962, p. 170-171.

Qu'on nous permette de signaler deux avantages de la pensée préscolastique :

– Elle prend le mot «nature» dans son sens concret et historique. Ainsi cette pensée reste plus proche de l'expérience psychologique de chaque personne humaine, plus proche aussi de son évolution spirituelle.

– La pensée préscolastique ne voit pas de distinction entre la création et la rédemption, entre l'homme créé et l'homme régénéré. De cette manière, elle a une vision foncièrement optimiste de l'histoire humaine. Elle considère la création comme une première invitation à l'amour divin. La création se fait déjà sous l'emprise de la grâce. Cette grâce s'est concrétisée dans la vie et la prédication du Christ. Guillaume de Saint-Thierry a résumé cette conception dans une phrase concise : «Creatus spiritus in hoc ipsum creanti eum Spiritui totum se effundit.» L'esprit créé s'abandonne totalement à l'Esprit-Saint, qui le crée continuellement en vue de cet abandon amoureux[23]. Faut-il ajouter que cette doctrine est plus proche de la pensée des Pères grecs que de la tradition augustinienne?

Notons ensuite que Bernard n'idéalise aucunement l'amour de soi. Il en parle comme d'un amour animal, inhérent à la nature. Mais cet amour naturel a tendance à se gonfler comme les eaux d'une rivière et à déborder sur le champ de toutes les facultés humaines. Pour cette raison, Bernard fait intervenir le commandement de l'amour du prochain. Cet amour du prochain n'est pas pur en dehors de l'amour de Dieu. L'abbé de Clairvaux considère l'amour de soi comme un point de départ, comme un germe naturel qu'il faut éduquer pour qu'il se développe et parvienne ainsi à un stade plus adulte.

23. Cf. *SC* 82, p. 222.

L'amour de soi qui ne se développe pas est abominable et mène à la perte. Mais l'amour qui s'accroît et s'étend jusqu'au prochain, parviendra un jour à se diriger vers son Créateur et Seigneur.

b) L'homme aime Dieu pour soi

Bernard ne traite pas longuement du deuxième degré de l'amour. Un lecteur d'aujourd'hui poserait sans doute la question si ce deuxième degré n'est pas une forme plus subtile de l'amour de soi. Et pourtant Bernard parle de progrès et non pas de stagnation. « L'homme animal, qui ne savait aimer personne en dehors de lui commence à aimer Dieu pour soi[24]. » Bien sûr, l'intention est encore égoïste, mais grâce à cet égoïsme naturel, Dieu fait une fissure dans une carapace qui semblait imperméable. Et l'habitant de la carapace ne se sent ni blessé, ni menacé par cette fissure, mais plutôt aidé et protégé. Cette expérience de bien-être provoque une confiance grandissante, de sorte que la reconnaissance amollit l'homme si souvent aidé (et libéré de soi) et qu'il commence à aimer Dieu pour Dieu.

c) L'homme aime Dieu pour Dieu

Si, dans ce troisième degré, on parvient à aimer Dieu d'une façon désintéressée, ce progrès est plutôt le fruit d'une douceur ressentie et goûtée que d'un effort moral. C'est à ce stade que l'amant se convertit réellement et s'abandonne totalement à la volonté du Bien-Aimé. « Qui aime de la sorte, n'aime pas autrement qu'il est aimé. A son tour, il ne recherche pas son avantage, mais celui

24. *Dil* 25, *infra,* l. 18-20, p. 122.

de Jésus-Christ » (*infra*, p. 127). Toute conversion est une réponse à une grâce particulière. Aux yeux de saint Bernard, cette grâce particulière a un nom précis : l'expérience ou le goût de la douceur divine. «Cet homme s'adresse souvent à Dieu par des appels répétés ; en le faisant souvent, il goûte Dieu ; en le goûtant, il éprouve combien le Seigneur est doux» (*infra*, p. 125). Nous avons décrit ailleurs l'importance capitale de l'expérience personnelle dans la spiritualité bernardine[25]. Nous avons constaté que l'expérience personnelle de Bernard remonte à la vision de Noël du tout jeune Bernard qui devait encore être habillé par sa mère Aleth. Ce n'est que plus tard, lors d'une mémorable rencontre avec son ami Guillaume de Saint-Thierry, que l'abbé de Clairvaux a trouvé les mots et les images appropriées pour exprimer ce qu'il a ressenti au plus profond de son cœur. La description du troisième degré met en évidence que Bernard se rendait parfaitement compte du rôle que l'expérience personnelle joue dans le progrès de l'amour spirituel. Dans le cadre de ce traité, cette expérience est exprimée surtout par des citations de versets psalmiques (*Ps.* 33, 9 : «Voyez et goûtez combien le Seigneur est doux»). Mais déjà elle est assimilée aussi aux sentiments et à l'affection de l'épouse du Cantique.

d) L'homme s'aime pour Dieu.

La montée au quatrième degré se fait elle aussi grâce à une expérience exceptionnelle : «Quand font-ils l'expérience d'un attachement tellement fort...[26]» Si Bernard attribue une telle importance à des extases passagères, qui souvent ne durent que l'espace d'un instant, n'est-ce

25. Cf. *BdC, SC* 380, p. 557-577.
26. *Dil* 27, *infra*, l. 10, p. 128.

pas surtout pour souligner le caractère passif (mais non pas quiétiste) du suprême degré de l'amour de Dieu? De par son caractère extatique, cet amour ne semble pas convenir à la créature appesantie par son corps charnel et rappelée sur terre par le devoir de la charité fraternelle.

La doctrine de la déification de l'homme occupe une place centrale dans la théologie des Pères grecs[27]. Irénée de Lyon a été le premier à exprimer le lien entre l'Incarnation du Verbe et la déification de l'homme : «Le Verbe de Dieu s'est fait homme, pour que l'homme reçoive l'adoption et devienne fils de Dieu[28].» Mais les œuvres d'Irénée ont longtemps été oubliées par l'Église latine. Aux yeux de S. Ambroise, la divinisation des fidèles était suspecte, parce que cette élévation pouvait obscurcir la filiation divine du Christ. Au fond, c'est le danger de l'Arianisme qui rend suspecte toute participation directe des fidèles à la vie divine[29].

La déification des fidèles n'est pas absente des œuvres d'Augustin. Celui-ci emploie plusieurs fois les mots «deificare[30]» et «deificus[31]». Saint Augustin accentue lui aussi la différence entre la divinité substantielle du Fils unique et la déification par grâce des fidèles : «Il est clair qu'il donne aux hommes le nom *dieux*, parce qu'ils sont déifiés par grâce et non pas nés de la substance divine[32].»

Bernard emprunte le mot «deificare» à S. Augustin, mais il lui donne un autre sens. Notons d'abord qu'il réserve cette déification aux fidèles qui atteignent le quatrième degré de l'amour. Ensuite, la déification n'exprime

27. Cf. M. LOT-BORODINE, *La déification de l'homme,* p. 53.
28. IRÉNÉE DE LYON, *Adversus Haereses,* III, 19, 1 (*SC* 211, p. 370 s.).
29. Cf. AMBROISE, *De fide,* V, 1, 23 (*CSEL* 78, p. 224).
30. AUGUSTIN, *Enarrationes in Ps. 49,* 2, 8-12 (*CCL* 38, p. 575-576).
31. AUGUSTIN, *De patientia,* 17, 14 (*CSEL* 41, p. 679, l. 12).
32. AUGUSTIN, *Enarrationes in Ps. 49,* 2, 8-12 (*CCL* 38, p. 575-576).

pas chez lui la réalité de la grâce sanctifiante. Elle exprime plutôt la présence d'un amour saint et chaste, une touche divine exceptionnelle, une extase ravissante mais passagère. «Tout cela appartient à la condition de l'homme céleste et non plus à la sensibilité de l'homme terrestre[33].» Notre déification se manifestera pleinement dans la vie céleste, mais les épouses du Christ reçoivent un gage, un avant-goût de la vie éternelle. Les grâces mystiques préfigurent et annoncent la rencontre définitive avec le Bien-Aimé dans la vie céleste.

Pour décrire la déification de l'homme, Bernard fait appel à trois images qui sont d'origine grecque (Maxime le Confesseur). C'est par sa plume que ces images font leur apparition dans l'Église latine, où un grand avenir leur est promis. Il s'agit de la goutte d'eau qui se dilue dans le vin, du fer plongé dans le feu et de l'air inondé de lumière. Il faut nous demander de quelle manière ces trois images précisent l'idée de notre déification.

Certains critiques ont prêté à Bernard une vague tendance à concevoir cette déification comme un anéantissement de la personnalité humaine qui se dissoudrait alors en Dieu. É. Gilson fait remarquer à ce propos : «Prenons garde aux expressions dont Bernard use, car son ardeur même ne lui fait jamais perdre cette mesure qui est la règle d'or du vrai théologien. La goutte d'eau *semble* se perdre, mais nous savons bien que, même indéfiniment diluée, elle n'a pas cessé d'exister... S. Bernard n'a donc jamais parlé d'une annulation de la créature, mais d'une transformation[34].» Ce n'est pas la substance humaine qui est sacrifiée dans l'union amoureuse, mais tout amour propre, tout attachement à ce qui n'est pas Dieu.

33. *Dil* 27, *infra,* l. 20-21, p. 130.

34. É. GILSON, *La théologie mystique de S. Bernard,* Paris 1947, p. 144-146.

Les âmes parfaites sont des âmes anéanties. Cet anéantissement mystique, condition ou conséquence de l'union spirituelle, n'est pas une idée claire et distincte. Bernard s'aperçoit immédiatement que cet anéantissement doit s'accorder avec le dogme de la résurrection de la chair. Quelle part de l'homme peut-on sacrifier, si même nos corps ont une destinée éternelle? «Il n'est pas possible de recueillir parfaitement en Dieu cœur, âme et forces et de les placer devant sa face, aussi longtemps qu'attentifs à ce frêle corps et écartelés par lui, ils doivent assurer son service. Par conséquent, c'est dans un corps spirituel et immortel... que l'âme peut espérer saisir le quatrième degré de l'amour, ou plutôt être saisie en lui[35].» La fin de phrase rappelle la passivité et la gratuité de cet amour parfait, qualités qui avaient déjà été signalées à propos des extases passagères.

4. L'amour de l'esclave, du mercenaire et du fils (34-40)

L'exposé des quatre degrés de l'amour nous a montré la cohésion interne et le développement progressif de l'amour considéré comme une affection naturelle. Dans *la Lettre aux Frères de Chartreuse* (reprise à la fin du traité), Bernard distingue trois comportements possibles du fidèle par rapport à son Dieu. Ce fidèle peut craindre Dieu comme un esclave; il peut le servir comme un mercenaire; il peut l'aimer comme un fils. L'esclave craint pour soi; le mercenaire pense à soi; le fils rapporte tout à son Père. Il faut bien comprendre que tous les trois s'efforcent de collaborer à l'œuvre de Dieu. Mais l'intention de chacun est bien différente. L'esclave ne travaille pas

35. *Dil* 29, *infra,* l. 7-13, p. 134.

de plein gré ; le mercenaire est gouverné par la convoitise ; le fils seul, travaille de plein gré et gratuitement. La description du mercenaire est particulièrement réussie : « Or propriété implique singularité ; singularité implique recoin ; et recoin comporte obligatoirement saleté ou rouille[36]. »

Chaque être garde sa loi : l'esclave garde la peur qui l'enchaîne, le mercenaire garde la convoitise qui embarrasse. La loi sans tache du Seigneur, c'est la charité qui cherche non pas ce qui lui est utile, mais ce qui l'est au bien commun (34-35). Bernard marque bien la différence entre la loi égoïste de la créature déchue et la loi communicative du Seigneur. Mais est-il permis d'attribuer une loi au Seigneur? Oui, pour une double raison. Dieu lui-même vit la loi de charité. Et personne ne possède cette charité que par un don de Dieu.

Suit le développement de ces deux aspects de la charité divine. Bernard signale le lien direct entre la charité et la vie éternelle des trois Personnes dans la Trinité. Rappelons-nous que le Fils n'a aucune pensée égoïste, mais qu'Il rapporte tout au Père. Un tel comportement garde la Trinité dans l'unité et réunit les trois Personnes dans le lien de la paix.

Dieu étant charité de par sa nature divine, doit nécessairement communiquer cette loi de la charité à tout ce qu'il crée : « Voilà la loi éternelle qui crée et gouverne l'univers[37]. » Bernard ne reconnaît aucune suprématie aux forces vitales de la nature, ni aux facultés supérieures de l'âme humaine, car c'est la loi de la charité qui crée et gouverne l'univers. C'est la charité qui tient le sceptre de l'univers. Cette vision de S. Bernard a tellement frappé l'esprit de Dante qu'il l'a mise à la fin de la *Divine Comédie* : « L'amor che muove

36. *Dil* 34, *infra,* l. 35-38, p. 148.
37. *Dil* 35, *infra,* l. 21-22, p. 150.

il sole e l'altre stelle», «C'est l'amour qui fait tourner le soleil et les autres étoiles.»

Dans les paragraphes 36 à 38, Bernard examine de quelle manière les trois catégories de fidèles sont assujetties à la loi universelle de la charité. Les esclaves et les mercenaires se fabriquent leur propre loi par le fait qu'ils préfèrent leur propre volonté à la loi éternelle de Dieu. Mais ils ne parviennent pourtant pas à se soustraire à l'ordre immuable de la loi éternelle de la charité. Quiconque s'oppose à la douce conduite de Dieu subit le châtiment d'être livré au joug insupportable de sa propre volonté.

La charité des fils n'élimine pas la loi des esclaves, ni celle des mercenaires, mais elle les rend légères et supportables. La crainte et la convoitise sont constamment dépassées sans être jamais éliminées.

Ce dépassement progressif caractérise aussi les quatre degrés de l'amour. L'amour social se greffe sur la racine de l'amour de soi; l'amour de Dieu s'insinue dans les œuvres de l'amour social et cet amour de Dieu provoque l'éclosion d'un amour désintéressé et gratuit qui est vraiment spirituel. Ainsi nous constatons un enchaînement progressif, qui intègre les niveaux inférieurs du comportement humain. G. de Stexhe parle à cet égard d'une *transgression maintenante*: «Le désintéressement n'échappe à la perversion que s'il advient comme une transformation de l'intérêt, et non comme sa suppression. Il faut passer par la recherche de soi... Nous retrouvons la pédagogie de la loi qui servait à S. Paul à déchiffrer l'histoire du salut et à interpréter la loi comme médiation de la grâce. Bernard reprend cette perspective comme genèse de la gratuité à travers la dette et l'intérêt[38].»

38. Cf. G. DE STEXHE, «Entre le piège et l'abîme», dans *Qu'est-ce que Dieu?* (Hommage à l'abbé Daniel Coppieters de Gibson), Bruxelles 1958, p. 429.

V. L'ORIGINALITÉ DU TEXTE BERNARDIN

Avant saint Bernard, il n'y a pas eu de traité explicitement consacré à l'amour de Dieu. C'est sans doute pour cette raison que le cardinal Aimeric a demandé un tel exposé à l'abbé de Clairvaux. Par ailleurs, plusieurs Pères grecs et latins ont disserté sur le commandement le plus important de la vie chrétienne : l'amour de Dieu et du prochain. Les plus grands parmi eux, Origène et saint Augustin, ont surtout recherché l'ordre à établir entre les affections diverses que comporte la charité. D'une manière consciente ou inconsciente, ils prennent comme point de départ un verset du *Cantique des cantiques* : « Ordinate in me caritatem », « Ordonnez en moi la charité[39]. » L'ordre correct de la charité est une idée maîtresse dans les écrits des Pères comme dans le traité de Bernard. Cependant, l'expression « ordo caritatis » obtient chez Bernard un tout autre sens que dans le premier millénaire du Christianisme.

Comment Origène s'y prend-il pour enseigner la charité ordonnée? Il juxtapose trois commandements qu'il trouve dans l'Écriture :

1. – Tu aimeras le Seigneur ton Dieu de tout ton cœur, de toute ton âme, de tout ton esprit et de toute ta force (*Mc* 12, 30).

2. – Tu aimeras ton prochain comme toi-même (*Mc* 12, 31).

3. – Aimez vos ennemis (*Matth.* 5, 44).

Ces trois commandements font connaître la mesure de la charité que nous devons à Dieu, au prochain, aux ennemis[40]. Dans la description de l'amour du prochain

39. *Cant.* 2, 4 (Vulgate); cf. H. PÉTRÉ, « *Ordinata caritas.* Un enseignement d'Origène sur la charité », *RecSR* 42 (1954), p. 40-57.

40. ORIGENE, *Homélies sur les Nombres,* XI, 8 (*GCS* Origène VII, p. 90 s.; trad. *SC* 29, p. 227 s.).

et des ennemis, Origène attache une grande importance aux mérites des personnes qui ont droit à notre amour. On constate facilement que le bon ordre dépend essentiellement des objets de notre amour. C'est la qualité qui doit déterminer la mesure de l'amour. On parlera de charité ordonnée (*caritas ordinata*) lorsque celle-ci respecte scrupuleusement l'ordre qui lui est imposé par l'objet de son amour.

Bernard connaissait très bien cette doctrine patristique : «Malheur à moi, s'il arrive que mon ami m'aime mieux que je ne mérite, ou que je l'aime moins qu'il n'est aimable[41].» Et pourtant il a décrit dans son traité sur l'Amour de Dieu un autre ordre de l'amour ou de la charité[42]. Le traité de Bernard ne s'intéresse guère à l'ordre objectif imposé par les personnes aimées. Il décrit au contraire l'ordre subjectif de l'amour naissant, de l'amour progressant, de l'amour altruiste et de l'amour parfait. Il avait trouvé cette perspective psychologique à partir des années 1125-1126, car il la propose aux chartreux en parlant de l'esclave, du mercenaire et du fils. Les quatre degrés de l'amour de Dieu décrivent le même progrès de l'amour dans la personne aimante. C'est tellement vrai, que l'amour du prochain se trouve un peu coincé entre les différents niveaux de la vie amoureuse.

Il va de soi que l'intérêt psychologique de Bernard découvre le champ des expériences spirituelles et mystiques. On trouve dans son traité plusieurs expressions nouvelles qui seront reprises par les grands auteurs mystiques qui lui succèdent. Citons comme exemple :

– la dette d'amour[43];

– l'anéantissement de la personne aimante[44];

41. *Ep* 85, 3 (*SBO* VII, 222, l. 6-7).
42. *Dil* 39, *infra,* l. 2, p. 158 – l. 4, p. 160.
43. Cf. *Dil* 13, *infra,* l. 18-21, p. 92.
44. Cf. *Dil* 27, *infra,* l. 19-20, p. 130.

– la liquéfaction des sentiments humains[45].

Bernard donne un sens plus personnel et plus psychologique à des termes qu'il emprunte à la tradition patristique. C'est le cas pour :

– le ravissement[46];

– la blessure de l'amour[47];

– la sobre ivresse, qui ne provient pas d'un excès de vin mais qui brûle de l'amour de Dieu[48].

Quand Bernard parle de notre déification[49], il envisage moins la grâce sanctifiante du baptême, que la rencontre directe et personnelle de l'âme humaine avec son Créateur.

D'autre part ce même intérêt porté à l'expérience subjective explique le fait que Bernard s'est considéré comme un être divisé et même comme la chimère de son temps[50]. Ce monstre fabuleux avait un corps tenant moitié du lion, moitié de la chèvre et il avait la queue d'un dragon. Bernard explique l'image par ces phrases : «Je ne vis ni comme un clerc, ni comme un laïque. Je porte encore l'habit d'un moine, mais il y a longtemps que je ne mène plus la vie d'un moine. Vous savez bien au milieu de quels périls je me trouve, ou plutôt dans quel précipice j'ai été jeté[51].» Ces phrases disent bien la double vie qu'il est contraint de mener, comme abbé de sa communauté contemplative, d'une part, et comme personnalité politique impliquée dans les grandes affaires de son temps, d'autre part.

45. Cf. *Dil* 28, *infra,* l. 25, p. 132.
46. Cf. *Dil* 29, *infra,* l. 21-22, p. 134.
47. Cf. *Dil* 7, *infra,* l. 8-10, p. 76.
48. Cf. *Dil* 33, *infra,* l. 28-30, p. 144.
49. Cf. *Dil* 28, *infra,* l. 17, p. 132.
50. Cf. *Ep* 250, 4 (SBO VIII, 147, l. 2).
51. Cf. *Ep* 250, 4 (*SBO* VIII, 147, l. 2-5).

Le traité sur l'Amour de Dieu est aussi original que la vie de son auteur. Les premiers Pères de l'Église avaient la vocation de bien expliquer les vérités objectives de la révélation biblique et de les confronter à la philosophie païenne. Bernard a eu la vocation de décrire la vérité subjective d'une vie chrétienne intègre et son traité est un texte capital de la première renaissance de l'Europe chrétienne, la grande renaissance du XIIe siècle.

VI. Réception et influence

Le traité *De diligendo Deo* fait partie de presque toutes les grandes collections des œuvres bernardines constituées au douzième siècle. Nous pensons aux collections manuscrites d'Orval et d'Anchin, de la Grande Chartreuse, de Tegernsee et Windberg, de Durham et de Clairvaux.

Entre 1140 et 1150, Pierre Bérenger, disciple d'Abélard, attaqua violemment Bernard et se livra à une longue invective contre *Dil.* Citons ce bel exemple de désinvolture estudiantine :

« Un personnage gonflé par son col romain te demande ce qu'il doit aimer et comment. Tu lui réponds par ces mots : Cher Aimeric, tu avais l'habitude de me demander des prières et non des exposés. Et plus loin : Tu demandes ce qu'il faut aimer. Je réponds brièvement : Dieu... Cette créature romaine, un gros chameau, saute comme un bossu par-dessus les Alpes avec son fanion gallican, pour te demander ce qu'il faut aimer. C'est comme s'il n'avait personne dans son entourage pour l'éclairer à ce sujet. Notre philosophe lui prescrit qu'il ne doit pas aimer la vertu comme Chrysippe, ni la volupté comme Aristippe, mais Dieu comme un chrétien. Réponse bien subtile, ma foi, et digne d'un homme érudit. Mais quelle pauvre femmelette ignore cette réponse? Même le dernier idiot la sait par cœur... Le cardinal romain espérait apprendre quelque doctrine secrète, mais notre archimandrite entonne une mélodie que n'importe quel paysan aurait pu lui chanter[52]. »

Une telle invective contre Bernard est très exceptionnelle au moyen âge. L'auteur n'en a pas fait son profit. Il a dû s'expatrier et chercher refuge dans les Cévennes. Son premier compagnon des temps modernes semble bien être le poète allemand Friedrich von Schiller qui écrivait le 17 mars 1802 à son ami Goethe : « Je me suis occupé ces derniers jours de S. Bernard; il serait difficile de dénicher dans l'histoire un autre fripon religieux aussi habile que lui dans les affaires du monde[53]. »

Ce sont quelques voix discordantes dans un concert de louanges et d'admiration. Constatons d'abord que Bernard est devenu le guide spirituel de tous les cisterciens. A tel point que beaucoup de livres d'auteurs cisterciens se sont réclamés de sa paternité. Si la réforme de la Trappe a oublié la douceur divine ainsi que l'humanisme bernardin, il faut se réjouir que tout le mouvement cistercien soit retourné de nos jours à la spiritualité bernardine. Y a-t-il preuve plus sûre pour démontrer la richesse, la vitalité et la valeur permanente des écrits bernardins?

Mais l'influence de Bernard a beaucoup débordé sur les champs bénédictins et chartreux. Il faut simplement constater que tous les auteurs spirituels de l'Église latine qui lui succèdent en sont tributaires, de façon consciente ou insconciente. Bernard a profondément influencé les auteurs mystiques qui ont écrit dans leur langue mater-

52. *PL* 178, 1867 BD.

53. F. SCHILLER, *Der Briefwechsel zwischen Schiller und Goethe*, Munich 1948, p. 403.

nelle. Nous pensons particulièrement à Ruusbroec, à Tauler, à Suso et à Julienne de Norwich, à Thomas a Kempis, à Ignace de Loyola et à encore beaucoup d'autres.

Terminons par l'éloge sobre mais décisif que H. Bremond adresse incidemment au grand abbé de Clairvaux : « Saint Bernard, cet homme extraordinaire, de qui nous vivons encore au moins autant que de saint Augustin[54]. »

VII. Texte latin

Le texte latin est repris de l'édition critique des *SBO* III, 119-154. Ce volume a été préparé par dom Jean Leclercq, assisté de M. Henri-M. Rochais, et il a été publié par le Saint Ordre de Cîteaux en 1963. Depuis sa parution, ce texte a bénéficié de corrections. Une première série d'errata est à la disposition des lecteurs dans le tome 4 de Leclercq, *Recueil* (p. 413). Une seconde liste d'errata est proposée par Denis Farkasfalvy dans : *Bernhard von Clairvaux. Sämtliche Werke* I (Innsbruck 1990, p. 146)[55]. Dans la liste complète qui suit, nous marquerons les corrections de dom Jean Leclercq avec un astérisque.

§, ligne	au lieu de	leçon proposée
* 1, 35	summus ab infirmis	summus ab infimis, ab infirmis
* 4, 16-17	nobis esse	nobis, esse
* 7, 31-32	iungere, et	iungere et
* 14, 16	conversatione	conservatione
16, 4	tantillos, et	tantillos. En

54. H. Brémond, *Histoire littéraire du sentiment religieux en France*, t. 3, p. 26.

55. Toutes les corrections de D. Farkasfalvy sont fondées sur l'unanimité des mss. utilisés pour l'édition des *SBO* (cf. III, 112-118).

22, 4	speratur, amandus	speratur amandus
* 31, 17	secundo	secunda
* 32, 18	aperto	adepto
* 35, 25	tamem	tamen
36, 33	felicitate	felicitati
38, 21	animae	anima

La division en chapitres (chiffres romains) et en paragraphes (chiffres arabes) est l'œuvre du prédécesseur de Mabillon au XVIIe siècle, Jacques Merlo Horstius (première édition en 1641). Pour mieux rendre le mouvement de la pensée, nous avons ménagé des alinéas dans certains paragraphes de l'édition de Jean Leclercq. Horstius avait introduit de brefs résumés en tête des sections; ceux-ci ont été conservés par Mabillon et Migne. Dom Jean Leclercq les a remplacés par quelques rares titres trouvés dans un ancien manuscrit d'Oxford (Bibl. Bodléienne, *Laud. Misc.* 344), qui a appartenu au monastère bénédictin de Durham. Les titres et sous-titres de la traduction française reprennent les titres latins ou ont été ajoutés pour plus de clarté par les traducteurs.

Enfin, le traité a été souvent recopié au moyen âge. Il en existe 60 manuscrits anciens dont on trouve la liste dans *SBO* III, 112-115 et que nous rappelons ici :

Manuscrit de base

Ar Bruxelles, Museum Bollandianum, *671*

Autres manuscrits utilisés :

A Douai, *372*
Cr Grenoble, *121*
D Oxford, Bodleian Library, *Laud. Misc. 344*
H La Haye, Bibl. regiae, *72*
K Klosterneuburg, *805*
Mt Trier, Staatsbibliothek, *2398-2344*
R Vatican, *Reginensis lat., 172*
W Munich, *lat., 22 272*

Le traité a été imprimé pour la première fois à Cologne vers 1470. Mentionnons encore les traductions françaises de dom Antoine de S. Gabriel (1667), de l'abbé Charpentier (1866), de A. Ravelet (1870) et de A. Béguin (1953).

VIII. Bibliographie

F. Châtillon, «Notes pour l'interprétation de la préface du De diligendo Deo de S. Bernard», *Revue du Moyen Age Latin* 20 (1964), p. 98-112.

P. Delfgaauw, *Saint Bernard maître de l'amour divin,* Rome 1962.

M. Dumontier, *Saint Bernard et la Bible*, Bruges 1953.

É. Gilson, *La théologie mystique de saint Bernard*, Paris 1947.

V. Lossky, «Études sur la terminologie de saint Bernard», *Archivum latinitatis medii aevi*, 17 (1942), p. 87-90.

D. de Stexhe, «Entre le piège et l'abîme : l'ambiguïté du discours de l'amour», dans *Qu'est ce que Dieu?* (Hommage à l'abbé Daniel Coppieters de Gibson), Bruxelles 1958.

B. de Vregille, «L'attente des saints d'après saint Bernard», *NRTh* 70 (1948), p. 225-244.

TEXTE ET TRADUCTION

LIBER DE DILIGENDO DEO

SBO

Prologus

119 Viro illustri domino Aimerico, ecclesiae Romanae diacono cardinali et cancellario, Bernardus, abbas dictus de Claravalle: *Domino vivere et in Domino mori*[a].

Orationes a me, et non quaestiones, poscere solebatis:
5 et quidem ego ad neutrum idoneum me esse confido. Verum illud indicit professio, etsi non ita conversatio; ad hoc vero, ut verum fatear, ea mihi deesse video, quae maxime necessaria viderentur, diligentiam et ingenium. Placet tamen, fateor, quod *pro carnalibus spiritualia repe-*
10 *titis*[b], si sane apud locupletiorem id facere libuisset. Quia vero doctis et indoctis pariter in istiusmodi excusandi mos est, nec facile scitur, quae vere ex imperitia, quaeve ex

a. Rom. 14, 8 ≠ || b. I Cor. 9, 11 ≠

---

1. Bernard était vraiment abbé de Clairvaux, mais il emploie ici une formule de modestie. Par cette formule, l'auteur exprime sa conviction qu'aux yeux des chrétiens toute dignité ecclésiale a un caractère de suppléance. L'abbé est un remplaçant temporaire du Christ.

2. *Quaestio* signifie ici «sujet à traiter, exposé»; voir F. CHÂTILLON, «Notes pour l'interprétation de la préface du *Diligendo Deo* de saint Bernard», *Revue du Moyen Age latin*, 20 (1964), p. 98-105.

3. «Incapable»: Encore une formule de modestie, héritée des anciens (surtout de Cicéron). Voir E. R. CURTIUS, *Europäische Literatur und lateinisches Mittelalter*, Bern 1965, p. 93-95.

TRAITÉ DE L'AMOUR DE DIEU

Préface

A l'illustre seigneur Aimeric, cardinal-diacre et chancelier de l'Église romaine, Bernard, appelé abbé de Clairvaux[1], souhaite de «vivre pour le Seigneur et de mourir dans le Seigneur[a].»

La demande d'Aimeric

D'habitude vous me demandiez des prières et non pas des exposés[2]. Quant à moi, je me reconnais incapable[3] dans les deux cas. Cependant ces prières me sont prescrites par la profession monastique, même si ma conduite n'y correspond pas. Quant aux exposés, pour dire vrai, je me vois dépourvu de ce qui semblerait le plus nécessaire : la fervente application[4] et le talent. Il me plaît pourtant, je l'avoue, que vous demandiez «des écrits spirituels en récompense de services matériels[b]», si du moins vous aviez trouvé bon de vous adresser à quelqu'un de plus doué. Mais puisque savants et ignorants ont la même habitude de se récuser en de telles circonstances et que l'on ne sait pas facilement si l'excuse relève vraiment de l'incompétence ou de la modestie, à

4. «Diligentia» provient de la même racine que «diligere», tout comme «diligentioribus» (*Dil* Prol. l. 19).

verecundia excusatio prodeat, si non iniuncti operis oboeditio probat, accipite de mea paupertate quod habeo, ne
15 tacendo philosophus puter. Nec tamen ad omnia spondeo me responsurum : ad id solum quod de diligendo Deo quaeritis, respondebo quod ipse dabit. Hoc enim et sapit dulcius, et tractatur securius, et auditur utilius. Reliqua diligentioribus reservate.

I. 1. Vultis ergo a me audire quare et quo modo diligendus sit Deus. Et ego : Causa diligendi Deum, Deus est; modus, sine modo diligere. Estne hoc satis? Fortassis utique, sed sapienti. Ceterum si et *insipientibus debitor*
5 *sum*[c], ubi sat est dictum sapienti, etiam illis gerendus
120 mos est. Itaque propter tardiores idem profusius quam profundius repetere non gravabor. Ob duplicem ergo causam Deum dixerim propter seipsum diligendum : sive quia nihil iustius, sive quia nil diligi fructuosius potest.
10 Duplicem siquidem parit sensum, cum quaeritur de Deo, cur diligendus sit. Dubitari namque potest quid potissimum dubitetur : utrumnam quo suo merito Deus, aut certe quo nostro sit commodo diligendus. Sane ad

1. c. Rom. 1, 14

1. Bernard se souvient sans doute de la formule proverbiale : « Si tacuisses, philosophus fuisses », « Si tu avais gardé le silence, tu serais philosophe. » L'expression est tributaire de Boèce, *De consolatione philosophiae* 2, pr. 7 (*CSEL* 67, p. 42). Voir F. Châtillon, *ibid.*, p. 105-112.

2. = Titre : cf. Geoffroy d'Auxerre, *Vita Bernardi*, liber III, 8, 29 (*PL* 185, 320 BC).

3. Bernard est influencé ici par une expression de Sévère de Milève, ami de saint Augustin. Voir Augustin, *Ep.* 109, 2 (*CSEL* 34-2, p. 637) : « In quo (amore Dei) iam nullus nobis amandi modus imponitur, quando ipse ibi modus est sine modo amare », « Quand il s'agit de l'amour de Dieu, on ne nous prescrit aucune mesure, car la mesure qui y fait loi est d'aimer sans mesure ». C'est un thème cher à Bernard :

moins que la preuve n'en soit donnée par l'obéissance à faire le travail demandé, recevez ce que je trouve dans ma pauvreté, de peur que mon silence ne me fasse passer pour «philosophe[1]». Pourtant je ne m'engage pas à répondre à tout: c'est seulement à ce qui porte sur l'amour de Dieu[2] que je répondrai ce que Dieu même me donnera. Voilà en effet le sujet le plus doux à goûter, le plus sûr à traiter et le plus utile à écouter. Gardez le reste pour des personnes plus compétentes.

Le devoir d'aimer Dieu

I. 1. Vous voulez donc apprendre de moi pourquoi et dans quelle mesure il faut aimer Dieu. Je vous réponds: la cause de notre amour de Dieu, c'est Dieu même; la mesure, c'est de l'aimer sans mesure[3]. Est-ce suffisant[4]? Peut-être, mais pour une personne instruite. Cependant si «je suis redevable aussi aux ignorants[c]», la parole qui suffit à la personne instruite ne me dispense pas de me plier à leurs désirs. C'est pourquoi à cause de ceux qui sont plus lents à comprendre, il ne me sera pas à charge de reprendre le même sujet avec plus d'abondance sinon plus de profondeur. Je dirai donc qu'il y a deux raisons d'aimer Dieu pour lui-même: d'abord parce que l'on ne peut rien aimer avec plus de justice; ensuite parce que l'on ne peut rien aimer avec plus d'avantage. Car, lorsqu'il s'agit de Dieu, la question: «Pourquoi doit-on l'aimer?» revêt une double signification. On peut, de fait, hésiter sur le plus important: faut-il aimer Dieu en raison de son mérite propre ou pour l'avantage que nous en tirons? A coup sûr, je donnerai

SCt 11, 4 (*SBO* I, 57); *Sept* 1, 4 (*SBO* IV, 347); *Asc* 5, 2 (*SBO* V, 150); *Asc* 6, 4 (*SBO* V, 152).

4. ** Térence, *Phormio*, 3, 3, 541 (éd. Belles-lettres, Paris 1964, p. 157): «Dictum sapienti sat est.»

utrumque idem responderim, non plane aliam mihi dignam
15 occurrere causam diligendi ipsum, praeter ipsum. Et prius
de merito videamus.

Quo suo merito diligendus sit Deus

Multum quippe meruit de nobis, qui et immeritis *dedit seipsum nobis*[d]. Quid enim melius seipso poterat dare
20 vel ipse? Ergo si Dei meritum quaeritur, cum ipsum diligendi causa quaeritur, illud est praecipuum : quia *ipse prior dilexit nos*[e]. Dignus plane qui redametur, praesertim si advertatur quis, quos quantumque amaverit. Quis enim? Non is cui *omnis spiritus confitetur*[f] : *Deus meus es tu,*
25 *quoniam bonorum meorum non eges*[g]? Et vera huius caritas maiestatis, quippe *non quaerentis quae sua sunt*[h]. Quibus autem tanta puritas exhibetur? *Cum adhuc*, inquit, *inimici essemus, reconciliati sumus Deo*[i]. Dilexit ergo Deus, et gratis, et inimicos. Sed quantum? Quantum dicit
30 Ioannes : *Sic Deus dilexit mundum, ut unigenitum daret*[j]; et Paulus : *Qui proprio*, ait, *filio non pepercit, sed pro nobis tradidit illum*[k]; ipse quoque Filius pro se : *Maiorem*, inquit, *caritatem nemo habet, quam ut animam suam*

d. Gal. 1, 4 ≠ || e. I Jn 4, 10 ≠ || f. I Jn 4, 2 ≠ || g. Ps. 15, 2 ≠ || h. I Cor. 13, 5 (Patr.) || i. Rom. 5, 10 ≠ || j. Jn 3, 16 ≠ || k. Rom. 8, 32 (Patr., Lit.)

1. ** Ici et *infra* (§ 16), Bernard ajoute au texte biblique le mot *prior*. Il le fait constamment (13 fois), avec la Vulgate Clémentine, mais aussi avec de nombreux Pères.

2. ** Le simple mot *adhuc (inimici)*, «encore (ses ennemis)» que Bernard ajoute le plus souvent à ce v., se rencontre de même 25 fois dans Augustin.

dans les deux cas la même réponse : je ne trouve absolument aucune autre cause valable d'aimer Dieu sinon Dieu même. Mais commençons par traiter de son mérite.

Pour quel mérite de sa part faut-il aimer Dieu?

Situation des chrétiens

Il l'a certainement bien mérité de nous, lui qui « s'est donné à nous[d] » sans même que nous l'ayons mérité. Que pouvait-il, même lui, donner de meilleur que lui-même? Si donc, quand on cherche pourquoi aimer Dieu, on cherche son mérite, voilà le principal : « Il nous a aimés le premier[e1]. » Il est tout à fait digne d'être aimé en retour, surtout si l'on veut bien remarquer qui a aimé, ceux qu'il a aimés, et à quel point il a aimé. Qui, en effet, a aimé? N'est-ce pas celui à qui « tout esprit rend cet aveu[f] » : « C'est toi mon Dieu, car tu n'as pas besoin de mes biens[g] »? Et elle est véritable, la charité de cet être souverain puisqu'« il ne cherche pas son propre intérêt[h] ». Or à qui s'adresse une charité si pure? « Alors que nous étions encore[2] ses ennemis, dit l'Apôtre, nous avons été réconciliés avec Dieu[i]. » Dieu aime donc gratuitement; et ce sont des ennemis qu'il aime. Mais dans quelle mesure? Celle que Jean nous dit : « Dieu a tant aimé le monde qu'il lui a donné son Fils unique[j] »; et Paul affirme : « Il n'a pas épargné son propre Fils[3], mais l'a livré pour nous[k] » ; et le Fils lui aussi dit en son propre nom : « Personne ne saurait avoir de plus grand amour que celui

3. ** Bernard cite 4 fois ce v. et y fait 4 fois allusion en écrivant chaque fois *proprio Filio*. Quelques mss de la Vulgate, de nombreux Pères (dont Hilaire, qui a justifié en détail cette traduction : *De Trin.*, VI, 45; *CSEL* 72, Vienne 1980, p. 250-251) et deux pièces liturgiques du temps de la Passion ont ce *proprio*.

121 *ponat quis pro amicis suis*[1]. Sic meruit iustus ab impiis,
35 summus ab infimis, ab infirmis[m] omnipotens. Sed dicit aliquis : « Ita quidem ab hominibus ; sed ab angelis non ita ». Verum est, quia necesse non fuit. Ceterum qui hominibus subvenit in tali necessitate, servavit angelos a tali necessitate ; et qui, homines diligendo, tales fecit ne tales
40 remanerent, ipse aeque diligendo dedit et angelis, ne tales fierent.

II. 2. Quibus haec palam sunt, palam arbitror esse et cur Deus diligendus sit, hoc est unde diligi meruerit. Quod si infideles haec latent, Deo tamen in promptu est ingratos confundere super innumeris beneficiis suis,
5 humano nimirum et usui praestitis, et sensui manifestis. Nempe quis alius administrat cibum omni vescenti[a], cernenti lucem, spiranti flatum? Sed stultum est velle modo enumerare, quae innumera esse non longe ante praefatus sum : satis est ad exemplum praecipua protulisse,
10 panem, solem, et aerem. Praecipua dico, non quia excellentiora, sed quia necessariora ; sunt quippe corporis.

1. Jn 15, 13 (Patr., Lit.) || m. Cf. Rom. 5, 6-7 ||
2. a. Cf. II Cor. 9, 10

1. ** La vingtaine de citations et allusions de Bernard à ce v. présente un texte peu fixe, en particulier *agapè* est rendu tantôt par *dilectionem* (avec la Vulgate), tantôt par *caritatem*, comme ici et *infra*, § 7 et 13. Pour ce v. on trouve *caritas* chez de nombreux Pères – dont Augustin à 18 reprises contre 11 fois *dilectionem* (bien que *dilectio* traduise d'ordinaire chez lui *agapè*) – et dans la Liturgie : antienne de vêpres et de laudes du commun des Apôtres. – Au § 32 (*infra*, l. 3, p. 140), Bernard fait allusion à *Gal.* 5, 6 en employant aussi *dilectio* ; Il fait 11 allusions à ce v. (aucune citation), toutes avec *dilectio*, contre la Vulgate et avec Augustin.

2. « Summus ab infimis, ab infirmis » (Leclercq ; voir « introduction », p. 52) au lieu de « summus ab infirmis ».

qui donne sa vie pour ses amis[11].» Tel est le mérite que le Juste s'est acquis vis-à-vis des impies, le Très-Haut vis-à-vis d'êtres infimes[2], le Tout-Puissant vis-à-vis d'êtres faibles[m]. Quelqu'un pourrait dire : «C'est le cas assurément pour les hommes, mais non pour les anges.» C'est vrai, car ce ne fut pas nécessaire. Cependant celui qui secourut les hommes dans une telle nécessité, préserva les anges de cette même nécessité; et celui qui, dans son amour pour les hommes, les a traités ainsi pour qu'ils ne demeurent pas dans cette misère, c'est lui qui, par un amour égal, a donné aussi aux anges de ne pas devenir à ce point misérables.

Situation des infidèles

II. 2. Ceux qui voient clairement cela voient aussi, je pense, pourquoi il faut aimer Dieu, c'est-à-dire la raison de l'amour qu'il mérite. Si cela échappe aux infidèles[3], il est pourtant facile à Dieu de confondre leur ingratitude en raison des bienfaits innombrables, accordés aux hommes pour leur utilité et perceptibles à leurs sens. Qui d'autre, en effet, fournit les aliments à qui mange[a], la lumière à qui voit, le souffle à qui respire? Mais c'est sottise de vouloir seulement dénombrer les bienfaits que je viens de dire innombrables. Il suffit à titre d'exemple d'avoir cité les principaux : le pain, le soleil et l'air. Je dis les principaux, en raison non de leur supériorité, mais de leur nécessité; car ils concernent le corps.

---

3. Par le mot «infidèles», Bernard entend surtout les juifs et les musulmans. Quoique ces gens n'aient pas la foi chrétienne, ils croient pourtant en Dieu et ils acceptent la réalité de l'âme humaine. Ils doivent donc chercher les biens les plus hauts, nommés plus loin : la dignité, la science et la vertu. L'idéal qui leur est proposé pourrait être nommé un humanisme religieux.

Quaerat enim homo eminentiora bona sua in ea parte sui, qua praeeminet sibi, hoc est anima, quae sunt dignitas, scientia, virtus : dignitatem in homine liberum dico arbi-
15 trium, in quo ei nimirum datum est ceteris non solum praeeminere, sed et praesidere animantibus[b]; scientiam vero, qua eamdem in se dignitatem agnoscat, non a se tamen; porro virtutem, qua subinde ipsum a quo est, et inquirat non segniter, et teneat fortiter, cum invenerit.

3. Itaque geminum unumquodque trium horum apparet. Dignitatem siquidem demonstrat humanam non solum naturae praerogativa, sed et potentia dominatus, quod *terror hominis super cuncta animantia terrae*[c] imminere
5 decernitur. Scientia quoque duplex erit, si hanc ipsam dignitatem vel aliud quodque bonum in nobis, et nobis inesse, et a nobis non esse noverimus. Porro virtus et ipsa aeque bifaria cognoscetur, si auctorem consequenter inquirimus, inventoque inseparabiliter inhaeremus. Dignitas
10 ergo sine scientia non prodest; illa vero etiam obest, si virtus defuerit, quod utrumque ratio subiecta declarat.

Habere enim quod habere te nescias, quam gloriam habet? Porro nosse quod habeas, sed quia a te non habeas ignorare, *habet gloriam, sed non apud Deum*[d].
122
15 Apud se autem glorianti dicitur ab Apostolo : *Quid habes, quod non accepisti? Si autem accepisti, quid gloriaris, quasi non acceperis*[e]*?* Non ait simpliciter : *Quid gloriaris?*

b. Cf. Gen. 1, 26
3. c. Gen 9, 2 ≠ || d. Rom. 4, 2 || e. I Cor. 4, 7

1. *Dignitas, scientia, virtus* : voilà trois éléments importants de l'anthropologie bernardine. On les trouve exposés aussi dans le traité *De gratia et libero arbitrio.* La dignité de l'homme correspond au « liberum arbitrium », la science au « liberum consilium », la vertu au « liberum complacitum ».

Triple grandeur de l'homme

L'homme doit chercher ses biens les plus hauts en cette part de lui-même par laquelle l'homme dépasse l'homme, c'est-à-dire en son âme. Ces biens sont la dignité, la science, la vertu[14]. J'appelle dignité de l'homme le libre arbitre par lequel il lui est donné non seulement de dépasser tous les autres vivants, mais même de leur commander[b]. J'appelle science sa capacité de reconnaître cette dignité qui est en lui et qui pourtant ne vient pas de lui. Enfin j'appelle vertu le fait qu'il en vienne à rechercher sans paresse celui dont il tient son existence et à s'attacher fortement à lui après l'avoir trouvé.

3. Ainsi chacun de ces trois biens présente un double aspect. La dignité humaine se voit non seulement au privilège de sa nature, mais encore au pouvoir de sa domination, puisque, par décret divin, «la peur de l'homme» pèse «sur tous les animaux de la terre[c]». La science aussi sera double : dès lors qu'elle nous fait connaître que cette dignité, ainsi que tout autre bien, est en nous et pourtant ne provient pas de nous. Enfin, la vertu elle aussi se fera connaître d'une double façon par la recherche assidue de notre Créateur et, après l'avoir trouvé, par notre attachement indéfectible à son égard. Donc la dignité sans la science ne sert à rien; cette dernière à son tour est nuisible si la vertu fait défaut. Ces deux affirmations s'éclairent dans le raisonnement qui suit.

Grandeur reçue de Dieu

Quelle gloire y a-t-il, en effet, à posséder un bien sans savoir qu'on le possède? Par ailleurs savoir ce qu'on possède, mais ignorer qu'on ne le tient pas de soi, peut devenir «un sujet de gloire, mais pas devant Dieu[d].» Celui qui se glorifie lui-même s'entend dire par l'Apôtre : «Qu'as-tu que tu n'aies reçu? Si tu l'as reçu, pourquoi t'en glorifier comme si tu ne l'avais pas reçu[e]?» Il ne

sed addit : *quasi non acceperis*, ut asserat reprehensibilem, non qui in habitis, sed qui tamquam in non acceptis glo-
20 riatur. Merito vana gloria nuncupatur huiusmodi, veritatis nimirum solido carens fundamento. Veram enim gloriam ab hac ita discernit : *Qui gloriatur*, ait, *in domino glorietur*[f], hoc est in veritate. *Veritas* quippe *Dominus est*[g].

4. Utrumque ergo scias necesse est, et quid sis, et quod a teipso non sis, ne aut omnino videlicet non glorieris, aut inaniter glorieris. Denique *si non cognoveris*, inquit, *teipsam, egredere post greges sodalium tuorum*[h].
5 Revera ita fit : *homo factus in honore*, cum honorem ipsum *non intelligit*, talis suae ignorantiae merito *comparatur pecoribus*[i], velut quibusdam praesentis suae corruptionis et mortalitatis consortibus. Fit igitur ut sese non agnoscendo egregia rationis munere creatura, irrationabilium
10 gregibus incipiat aggregari, dum ignara propriae *gloriae, quae ab intus est*[j], conformanda foris rebus sensibilibus, sua ipsius curiositate abducitur, efficiturque una de ceteris, quod se prae ceteris nihil accepisse intelligat. Itaque valde

f. I Cor. 1, 31 || g. Jn 14, 6 ≠
4. h. Cant. 1, 6-7 (Patr.) || i. Ps. 48, 13 ≠ || j. Ps. 44, 14 ≠

---

1. Cette double connaissance de soi, l'Époux la recommande à l'épouse par le verset 1, 7 du *Cantique*. Guillaume de Saint-Thierry préfère la leçon de la Vulgate : «Si ignoras te, egredere» (*PL* 180, 493). Bernard et Guillaume se rattachent à la tradition des Pères, qui ont vu dans ce verset du *Cantique* l'équivalent du *gnothi séauton* inscrit sur le temple de Delphes. Voir GUILLAUME DE SAINT-THIERRY, *De natura corporis et animae* (*PL* 180, 695); É. GILSON, *La théologie mystique de saint Bernard*, Paris 1947, p. 220-223. – ** C'est ici l'unique citation, parmi 14 emplois de cette partie de v., où Bernard écrit «si non cognoveris teipsam», et non «si ignoras te», «si tu t'ignores toi-même». L'édition critique de la Vulgate signale deux mss anciens portant «nisi cognoveris»; chez les Pères, Jérôme et Grégoire le Grand ont parfois cette formulation; quant à Augustin, il écrit 21 fois «si non cognoveris», et aucun «ignoras». De plus, ici comme en 4 autres lieux, Bernard écrit «post greges sodalium tuorum», «ce qui semble être chez lui une contamination

dit pas simplement : «Pourquoi t'en glorifier?» mais il ajoute : «comme si tu ne l'avais pas reçu» pour souligner le tort non pas de celui qui se glorifie de son avoir, mais de celui qui le fait comme s'il ne l'avait pas reçu. C'est à bon droit que l'on qualifie de vaine une telle gloire : elle manque en effet du fondement solide de la vérité. L'Apôtre la distingue de la gloire véritable en disant : «Celui qui se glorifie, qu'il se glorifie dans le Seigneur[f]», c'est-à-dire dans la vérité. Car «le Seigneur est Vérité[g].»

Trois fautes à éviter

4. Il te faut donc savoir d'une part ce que tu es, et d'autre part que tu ne l'es pas par toi-même ; tu éviteras ainsi ou de ne pas te glorifier du tout, ou de te glorifier vainement. De fait il est dit : «Si tu ne te connais pas toi-même, sors derrière les troupeaux de tes compagnons[h1]» ! Ce qui arrive de cette façon : «l'homme est créé dans la dignité, mais quand il ne comprend pas la dignité de sa condition, une telle ignorance de sa part lui vaut d'être assimilé aux bêtes[i]» comme à des êtres participant à sa corruption et à sa mortalité actuelles. Ainsi il arrive que la créature qui se distingue par le don de la raison, demeure dans l'ignorance d'elle-même et se voit agrégée aux animaux privés de raison. Par ignorance de sa propre «gloire, qui vient de l'intérieur[j]», elle doit se conformer aux réalités extérieures sensibles ; elle se laisse entraîner par sa propre curiosité et se confond avec les autres créatures faute de comprendre qu'elle a reçu plus que toutes les autres. C'est pourquoi il faut éviter

issue du v. 6» (J. Leclercq). Pour les problèmes de texte du *Cantique*, voir LECLERCQ, *Recueil* I, 312-313 et A. WILMART, «L'ancienne version latine du *Cantique I-III*», *RBén* 28 (1911) p. 11-36 ; D. DE BRUYNE, «Les anciennes versions latines du *Cantique des Cantiques*», *RBén* 38 (1926), p. 97-115.

cavenda haec ignorantia, qua de nobis minus nobis forte
15 sentimus; sed non minus, immo et plus illa, qua plus
nobis tribuimus, quod fit si bonum quodcumque in nobis,
esse et a nobis, decepti putemus. At vero super utramque
ignorantiam declinanda et exsecranda illa praesumptio est,
qua sciens et prudens forte audeas de bonis non tuis
20 tuam quaerere gloriam, et quod certus es a te tibi non
esse, inde tamen alterius rapere non verearis honorem.
Prior equidem ignorantia *gloriam* non habet; posterior
vero *habet* quidem, *sed non apud Deum*[k]. Ceterum hoc
tertium malum, quod iam scienter committitur, usurpat et
25 contra Deum. In tantum denique ignorantia illa posteriore
haec arrogantia gravior ac periculosior apparet, quo per
illam quidem Deus nescitur, per istam et contemnitur; in
123 tantum et priore deterior ac detestabilior, ut cum per
illam pecoribus, per istam et daemonibus sociemur[l]. Est
30 quippe superbia et *delictum maximum*[m], uti datis
tamquam innatis, et in acceptis beneficiis gloriam usurpare
beneficii.

5. Quamobrem cum duabus istis, dignitate atque
scientia, opus est et virtute, quae utriusque fructus est,
per quam ille inquiritur ac tenetur, qui omnium auctor
et dator merito glorificetur de omnibus. Alioquin sciens
5 et non faciens digna, multis vapulabit[n]. Quare? Utique
quia *noluit intelligere ut bene ageret*[o]; magis autem *ini-*

k. Rom. 4, 2 ≠ || l. Cf. I Cor. 10, 20 || m. Ps. 18, 14 ≠
5. n. Lc 12, 47-48 (Patr.) || o. Ps. 35, 4

1. ** Cette allusion à *Luc* – parmi les 37 emplois de ce v. – comporte 4 particularités («sciens»; «non faciens digna» pour «non praeparavit ... eius»; «plagis» enlevé [cf. v. 48]; «multis vapulabit»] qui se retrouve constamment chez Bernard. Tout cela se rencontre, disséminé, chez plusieurs Pères, Ambroise («sciens») et surtout Augustin (13 fois l'ensemble avec des variations).

avec grand soin cette ignorance qui nous ravalerait à nos propres yeux; mais il faut se méfier tout autant, et même plus encore, de l'ignorance par laquelle nous nous surestimons. Cela arrive quand nous tombons dans l'illusion et pensons que tout bien en nous provient aussi de nous. Pourtant, plus que l'une et l'autre ignorance, il faut éviter et exécrer la présomption par laquelle, sciemment et de propos délibéré, on oserait rechercher sa propre gloire à partir de biens qui ne sont pas à soi : on a la certitude de n'en être pas l'auteur et on ne craindrait pas cependant d'en voler l'honneur à un autre! La première ignorance, assurément, ne comporte pas de «gloire»; la seconde «en comporte, c'est vrai, mais pas aux yeux de Dieu[k].» Quant au troisième mal, commis là sciemment, c'est une usurpation au détriment de Dieu. Finalement cette arrogance se révèle bien plus grave et plus dangereuse que la seconde ignorance : par l'ignorance on méconnaît Dieu, bien sûr, mais dans l'arrogance on y ajoute même le mépris. L'arrogance se révèle pire et plus détestable que la première ignorance à tel point que, si par l'ignorance nous nous agrégeons aux bêtes, par l'arrogance nous nous acoquinons avec les démons[l]. Car c'est orgueil, c'est «le péché le plus grave[m]», que d'utiliser des dons comme s'ils étaient des avantages innés et, pour les bienfaits reçus, de s'arroger la gloire du bienfaiteur.

A Dieu seul, la gloire

5. Tout ceci démontre qu'à ces deux qualités, la dignité et la science, il faut joindre la vertu qui est le fruit de l'une et de l'autre; par elle on recherche et on atteint celui qui, étant l'auteur et le dispensateur de tout, mérite d'en être glorifié. Sinon, celui qui a la connaissance et n'agit pas conformément, recevra un grand nombre de coups[n1]. Pourquoi? Précisément parce qu'il «a refusé de comprendre pour bien agir[o]»; plus même :

quitatem meditatus est in cubili suo[p], dum de bonis, quae a se non esse ex scientiae dono certissime comperit, boni Domini gloriam servus impius captare sibi, immo et raptare
10 molitur. Liquet igitur et absque scientia dignitatem esse omnino inutilem, et scientiam absque virtute damnabilem. Verum homo virtutis, cui nec damnosa scientia, nec infructuosa dignitas manet, clamat Deo et ingenue confitetur: *Non nobis*, inquiens, *Domine, non nobis, sed nomini tuo*
15 *da gloriam*[q]; hoc est: Nil nobis, o Domine, de scientia, nil nobis de dignitate tribuimus, sed tuo totum, a quo totum est, nomini deputamus.

6. Ceterum paene a proposito longe nimis digressi sumus, dum demonstrare satagimus, eos quoque qui Christum nesciunt, satis per legem naturalem ex perceptis bonis corporis animaeque moneri, quatenus Deum propter
5 Deum et ipsi diligere debeant. Nam ut breviter, quae super hoc dicta sunt, iterentur: quis vel infidelis ignoret, suo corpori non ab alio in hac mortali vita supradicta illa necessaria ministrari, unde videlicet subsistat, unde videat, unde spiret, quam ab illo, *qui dat escam omni*
10 *carni*[r], *qui solem suum oriri facit super bonos et malos, et pluit super iustos et iniustos*[s]? Quis item vel impius putet alium eius, quae in anima splendet, humanae dignitatis auctorem, praeter illum ipsum, qui in Genesi loquitur: *Faciamus hominem ad imaginem et similitudinem nos-*
15 *tram*[t]? Quis alium scientiae largitorem existimet, nisi aeque ipsum, *qui docet hominem scientiam*[u]? Quis rursum munus

p. Ps. 35, 5 || q. Ps. 113, 9
6. r. Ps. 135, 25 || s. Matth. 5, 45 || t. Gen. 1, 26 || u. Ps. 93, 10

1. Bernard fait-il ici une allusion polémique contre Abélard, entre autres? Voir aussi *SCt* 28, 9 (*SBO* I, 198).

«Il a médité l'injustice sur sa couche[p]», sachant pertinemment par le don de science que les biens qu'il a ne viennent pas de lui, il a tenté, tel un serviteur infidèle, d'accaparer et même d'usurper la gloire de son bon maître. Il est donc clair que sans la science la dignité est tout à fait inutile, et que la science sans la vertu est condamnable[1]. Mais l'homme vertueux, en qui la science n'est pas condamnable, ni la dignité sans fruit, crie à Dieu dans une confession sincère : «Non pas à nous, Seigneur, non pas à nous, mais à ton Nom donne la gloire[q].» Ce qui veut dire : Seigneur, nous ne nous attribuons aucune science, aucune dignité, mais nous rapportons tout à ton Nom de qui tout provient.

L'amour des infidèles pour Dieu

6. Mais nous nous sommes éloignés un peu trop de notre dessein en nous évertuant à démontrer que ceux-là même qui ignorent le Christ sont suffisamment avertis qu'ils doivent aimer Dieu pour lui-même, puisque la loi naturelle leur fait comprendre qu'ils ont reçu de lui les biens du corps et de l'âme. Car pour reprendre brièvement ce qui a été dit à ce sujet : quel homme, même sans la foi, peut ignorer que dans cette vie mortelle les biens susdits nécessaires à son corps pour subsister, pour voir et pour respirer, ne lui sont fournis que par celui «qui donne la nourriture à toute chair[r]», «celui qui fait lever son soleil sur les bons et sur les méchants, et qui fait pleuvoir sur les justes et les injustes[s]»? Pareillement quel homme, fût-il mécréant, peut penser que la dignité humaine qui brille dans l'âme a un autre auteur que celui-là même qui dit dans la *Genèse* : «Faisons l'homme à notre image et à notre ressemblance[t]»? Quel homme trouverait un autre donateur de la science, si ce n'est celui-là même «qui enseigne la science à l'homme[u]»? Et qui encore pen-

124 sibi aliunde virtutis aut putet datum, aut speret dandum, quam de manu itidem *Domini virtutum*[v]? Meretur ergo amari propter seipsum Deus, et ab infideli, qui etsi nesciat
20 Christum, scit tamen seipsum. Proinde *inexcusabilis* est *omnis*[w] etiam infidelis, si non *diligit Dominum Deum suum toto corde, tota anima, tota virtute sua*[x]. Clamat nempe intus ei innata, et non ignota rationi, iustitia, quia ex toto se illum diligere debeat, cui totum se debere non
25 ignorat. Verum id difficile, immo impossibile est, suis scilicet quempiam liberive arbitrii viribus semel accepta a Deo, ad Dei ex toto convertere voluntatem, et non magis ad propriam retorquere, eaque sibi tamquam propria retinere, sicut scriptum est : *Omnes quae sua sunt*
30 *quaerunt*[y], et item : *Proni sunt sensus et cogitationes hominis in malum*[z].

III. 7. Contra quod plane fideles norunt, quam omnino necessarium habeant *Iesum, et hunc crucifixum*[a] : dum admirantes et amplexantes *supereminentem scientiae caritatem*[b] in ipso, id vel tantillum quod sunt, in tantae dilec-
5 tionis et dignationis vicem non rependere confunduntur. Facile proinde plus diligunt, qui se amplius dilectos intel-

v. Ps. 23, 10 ≠ || w. Rom. 2, 1 ≠ || x. Matth. 22, 39 ≠ || y. Phil. 2, 21 ≠ || z. Gen. 8, 21 ≠
7. a. I Cor. 2, 2 ≠ || b. Éphés. 3, 19

---

1. Bernard développe ici l'idée de la connaissance naturelle de Dieu, que l'on trouve aussi bien chez les païens que chez les juifs. Il en résulte que tout homme doit aimer son Créateur et qu'il est inexcusable s'il ne le fait pas (*Rom.* 1, 21 et 2, 1).

2. ** On trouve 36 allusions à ce v. chez Bernard, et cette unique et brève citation. Elle suit la Vulgate Clémentine, quelques mss Vulgate et plusieurs Pères, contre l'édition critique (et les autres mss *Vg*), laquelle omet *quae* et *sunt*; les allusions de Bernard, elles aussi expriment ces deux mots. Par ailleurs, les 24 allusions qui utilisent la suite du v.

serait que le don de la vertu lui a été fait, ou qui espérerait le recevoir d'une autre main que de la main du même «Seigneur des vertus[v]»? Dieu mérite donc d'être aimé pour lui-même par l'infidèle lui aussi, car celui qui ignore le Christ peut tout de même se connaître soi-même. Il en résulte que «tous», même les infidèles, «sont inexcusables[w]» de ne pas «aimer le Seigneur leur Dieu de tout leur cœur, de toute leur âme, de toutes leurs forces[x1]». Car même au cœur de l'infidèle une justice innée, et qui n'est pas inconnue de la raison, crie qu'il doit aimer de tout son être celui envers qui il n'ignore pas tout devoir. Mais il est difficile, il est même impossible que l'homme parvienne, par ses seules forces ou par le moyen de son libre arbitre, à abandonner totalement à la volonté de Dieu ce qu'il a reçu, une fois pour toutes, de Dieu, et à ne rien détourner vers sa propre volonté, ni le garder pour soi comme un bien propre, ainsi qu'il est écrit : «Tous recherchent leur propre avantage[y2]» et de même : «Les sentiments et les pensées de l'homme sont enclins au mal[z3].»

L'amour de l'Église pour Jésus

III. 7. A l'inverse, les croyants savent parfaitement combien il leur est absolument nécessaire d'avoir «Jésus, et Jésus crucifié[a]». En lui ils admirent et embrassent «la charité qui surpasse la science[b],» et ils sont remplis de honte de ne pas donner en retour de tant d'amour et d'égards, au moins le tout petit peu qu'ils sont. Pour qui se sait davantage aimé, il est facile d'aimer

écrivent *Iesu Christi*, avec quelques mss *Vg* et la Vieille Latine, contre l'édition critique : *Christi Iesu*.

3. ** Bernard cite fréquemment ce texte sur la perversité humaine ; il le fait d'ordinaire sous cette forme, différente de la Vulgate et sans origine patristique connue. Ce pourrait être un texte qu'il s'est forgé. Cf. *infra* note 1 sur *Gra* 42, p. 336.

ligunt : *cui autem minus donatum est, minus diligit*[c]. Iudaeus sane, sive paganus, nequaquam talibus aculeis incitatur amoris, quales Ecclesia experitur, quae ait : *Vul-*
10 *nerata caritate ego sum*[d], et rursum : *Fulcite me floribus, stipate me malis, quia amore langueo*[e]. Cernit *regem Salomonem in diademate, quo coronavit eum mater sua*[f]; cernit Unicum Patris, *crucem sibi baiulantem*[g]; cernit caesum et consputum Dominum maiestatis[h]; cernit *auc-*
15 *torem vitae*[i] et *gloriae*[j] confixum clavis, percussum lancea[k], *opprobriis saturatum*[l], tandem *illam dilectam animam suam ponere pro amicis suis*[m]. Cernit haec, et *suam* magis *ipsius animam gladius amoris transverberat*[n], et dicit : *Fulcite me floribus, stipate me malis, quia amore langueo*[o].

Unde punica

125 20 Haec sunt quippe mala punica, quae *in hortum introducta dilecti sponsa*[p] *carpit ex ligno vitae*[q], a *caelesti pane*[r] proprium mutuata saporem, colorem a sanguine Christi. Videt deinde mortem mortuam, et mortis auctorem trium-

c. Lc 7, 47 ≠ || d. Cant. 2, 5 (Patr.) || e. Cant. 2, 5 || f. Cant. 3, 11 || g. Jn 19, 17 ≠ || h. Cf. Ps. 28, 3 || i. Act. 3, 15 || j. I Cor. 2, 8 ≠ || k. Cf. Jn 19, 34 || l. Lam. 3, 30 ≠ || m. Jér. 12, 7 ≠; Jn 15, 13 ≠ || n. Lc 2, 35 ≠ || o. Cant. 2, 5 || p. Cant. 6, 10 ≠ || q. Gen. 2, 9 ≠ || r. Jn 6, 32 ≠

---

1. L'épouse du *Cantique* représente aux yeux de Bernard aussi bien l'Église tout entière que l'âme de chaque fidèle. Cette dernière interprétation remonte à Origène. Sous la croix du Golgotha, Marie représente l'Église, Salomon préfigure le Christ, prince de la paix, et son diadème royal symbolise la couronne d'épines que le Christ portera pendant sa Passion.

2 ** Ici et en trois autres lieux, Bernard cite ce v. du *Cantique* selon une version souvent utilisée dans les commentaires des Pères : Ambroise, Jérôme, Paulin, Grégoire le Grand, l'Origène latin (cf. *supra*, p. 68, note 1). Cependant, six citations et quatre allusions proviennent, elles, de la Vulgate (*quia amore langueo*); l'une des citations se lit même dans la

davantage; «mais celui à qui on a moins donné aime moins[c].» Oui vraiment, le juif et le païen ne sont nullement stimulés par des aiguillons d'amour tels qu'en ressent l'Église[1] qui déclare: «Je suis blessée par la charité[d2]», et encore: «Soutenez-moi avec des fleurs, ranimez-moi avec des pommes, car je languis d'amour[e].» Elle regarde «le roi Salomon portant le diadème dont sa mère l'a couronné[f]»; elle regarde le Fils unique du Père «portant sa croix[g]»; elle regarde le Seigneur de majesté[h] sous les coups et les crachats; elle regarde «l'auteur de la vie[i]» et «de la gloire[j]» fixé par les clous, percé par la lance[k], «abreuvé d'outrages[l]», «donner finalement sa vie tant aimée pour ses amis[m].» Elle regarde cela, et «le glaive de l'amour transperce» davantage «son âme[n]», et elle dit: «Soutenez-moi avec des fleurs, ranimez-moi avec des pommes, car je languis d'amour[o3].»

Pourquoi le Cantique parle-t-il de grenades?

Fruits, symbole de la passion, et fleurs, symbole de la résurrection

En fait de pommes, ce sont des grenades[4] que «l'épouse[5], introduite dans le jardin de son bien-aimé[p]», «cueille sur l'arbre de vie[q]»: ces fruits empruntent leur propre saveur au «pain du ciel[r]», leur propre couleur au sang du Christ. Elle voit ensuite la mort morte, et

suite immédiate de notre texte. On peut se demander si Bernard a conscience de citer là deux versions d'un unique verset, puisqu'il les relie par «et encore».

3. «Fulcite me floribus...»: Bernard donne une autre interprétation de ce verset dans *SCt* 51, 4 (*SBO* II, 86, l. 17-27).

4. Le goût des grenades est très agréable et leur jus est rouge.

5. Dans les §§ 7 à 13, Bernard se plaît à citer souvent le *Cantique des Cantiques*. Il a découvert le sens spirituel de ce livre biblique pendant une période de convalescence qu'il a passée avec son ami Guillaume de Saint-Thierry à l'infirmerie de Clairvaux.

phatum. Videt de inferis ad terras, de terris ad superos
25 *captivam duci captivitatem*[s], *ut in nomine Iesu omne genu flectatur, caelestium, terrestrium et infernorum*[t]. Advertit terram, quae *spinas et tribulos sub antiquo maledicto produxerat*[u], ad novae benedictionis gratiam innovatam refloruisse[v]. Et in his omnibus, illius recordata versiculi : *Et*
30 *refloruit caro mea, et ex voluntate mea confitebor ei*[w], Passionis malis, quae de arbore crucis tulerat, cupit iungere et de floribus resurrectionis, quorum praesertim fragrantia sponsum ad se crebrius revisendam invitet.

8. Denique ait : *Ecce tu pulcher es, dilecte mi, et decorus; lectulus noster floridus*[x]. Quae lectulum monstrat, satis quid desideret aperit; et cum floridum nuntiat, satis indicat unde, quod desiderat, obtinere praesumat : non enim de
5 suis meritis, sed *de floribus agri, cui benedixit Dominus*[y]. Delectatur floribus Christus, qui in Nazareth et concipi voluit, et nutriri[z]. Gaudet sponsus caelestis talibus odoramentis, et cordis thalamum frequenter libenterque ingreditur, quod istiusmodi refertum fructibus, floribus
10 respersum invenerit : ubi suae videlicet aut Passionis gratiam, aut Resurrectionis gloriam sedula inspicit cogitatione versari, ibi profecto adest sedulus, adest libens. Monimenta siquidem Passionis, fructus agnosce anni quasi praeteriti, omnium utique retro temporum sub peccati
15 mortisque imperio[a] decursorum, tandem *in plenitudine*

s. Éphés. 4, 8 ≠ || t. Phil. 2, 10 ≠ || u. Gen. 3, 18 ≠; Hébr. 6, 8 ≠ || v. Cf. Ps. 27, 7 || w. Ps. 27, 7

8. x. Cant. 1, 15 || y. Gen. 27, 27 ≠ || z. Cf. Lc 1, 26 ss.; Lc 2, 39 || a. Hébr. 2, 14

1. Nazareth signifie «fleur» : Cf. Jérôme, *Nom. hebr.* (*CCL* 72, p. 137 et 142); *Epist.* 46 (*CSEL* 54, p. 329s.); Bernard, *SCt* 58, 8 (*SBO* II, 132, l. 19); *Tpl* 13 (*SBO* III, 225, l. 21); *Miss* 1, 3 (*SC* 390, p. 112, l. 3-4);

l'auteur de la mort traîné dans le cortège du triomphateur. Elle voit «la captivité emmenée captive[s]» des enfers sur la terre, de la terre aux cieux, «pour qu'au nom de Jésus tout genou fléchisse au ciel, sur terre et dans les enfers[t].» Elle s'aperçoit que la terre, qui «sous l'antique malédiction avait produit épines et chardons[u]», a refleuri, renouvelée sous la grâce d'une nouvelle bénédiction[v]. Et dans tout cela, au souvenir de ce verset : «Ma chair a refleuri, et de tout cœur je le célébrerai[w]», elle désire joindre aux grenades de la passion, qu'elle a cueillies à l'arbre de la croix, les fleurs de la Résurrection, surtout pour que leur parfum engage son époux à revenir la voir plus fréquemment.

8. Enfin elle déclare : «Que tu es beau, mon bien-aimé, que tu es gracieux! notre petit lit est couvert de fleurs[x].» En désignant le petit lit, elle fait voir assez ce qu'elle désire ; et quand elle l'annonce couvert de fleurs, elle indique suffisamment d'où elle prétend obtenir l'objet de son désir ; non pas, en effet, à cause de ses propres mérites, mais «des fleurs du champ béni par le Seigneur[y].» Le Christ prend plaisir à ces fleurs, lui qui a voulu être conçu et élevé à Nazareth[z1]. C'est une joie pour l'Époux céleste que de tels parfums, et il entre souvent et volontiers dans la chambre d'un cœur qu'il trouve rempli de tels fruits et jonché de telles fleurs. Il réside volontiers, il réside assidûment en un lieu où la grâce de sa passion et la gloire de sa résurrection sont l'objet d'une méditation assidue. Les souvenirs de la Passion, reconnais-les dans les fruits de l'année précédente, ou plutôt de tous les temps antérieurs qui se sont écoulés sous le règne du péché et de la mort[a], et ces

Adv 2, 2 (*SBO* IV, 172, l. 17) ; AELRED DE RIEVAULX, *Quand Jésus eut douze ans,* 20 (*SC* 60, p. 92, 20, 4) ; ADAM DE PERSEIGNE, *Lettres,* III, 34 (*SC* 66, p. 90).

126 *temporis*[b] apparentes. Porro autem Resurrectionis insignia, novos adverte flores sequentis temporis, in novam sub gratia revirescentis aestatem, quorum fructum generalis futura resurrectio in fine parturiet sine fine mansurum. 20 *Iam,* inquit, *hiems transiit, imber abiit et recessit, flores apparuerunt in terra nostra*[c], aestivum tempus advenisse cum illo significans, qui de mortis gelu in vernalem quamdam novae vitae temperiem resolutus : *Ecce,* ait, *nova facio omnia*[d] : cuius caro seminata est in morte, refloruit 25 in resurrectione[e], ad cuius mox odorem in campo convallis nostrae revirescunt arida, recalescunt frigida, mortua reviviscunt[f].

9. Horum ergo novitate florum ac fructuum, et pulchritudine agri suavissimum spirantis odorem, ipse quoque Pater in Filio innovante omnia delectatur, ita ut dicat : *Ecce odor filii mei, sicut odor agri pleni, cui benedixit Dominus*[g]. 5 Bene pleni, *de cuius plenitudine omnes accepimus*[h].

Sponsa tamen familiarius ex eo sibi, cum vult, flores legit, et carpit poma, quibus propriae aspergat intima conscientiae, et intranti sponso cordis lectulus suave redoleat. Oportet enim nos, si crebrum volumus habere 10 hospitem Christum, corda nostra semper habere munita fidelibus testimoniis[i], tam de misericordia scilicet morientis

b. Gal. 4, 4 ≠ || c. Cant. 2, 11-12 ≠ || d. Apoc. 21, 5 || e. Cf. I Cor. 15, 42 || f. Cf. Matth. 11, 5

9. g. Gen. 27, 27 (Lit.) || h. Jn 1, 16 ≠ || i. Cf. Éphés. 3, 17; cf. Ps. 92, 5

---

1. ** Bernard ajoute *nostra* à *terra* avec plusieurs mss tardifs de la Vulgate; il le fait constamment (7 fois).

2. ** Bernard ajoute, ici et dans 7 autres occurrences de ce v., *pleni* au mot *agri*, comme plusieurs mss de la Vulgate, et comme le répons *Ecce odor* du III[e] Dimanche de Carême. Voir *Tpl* 13 (*SC* 367, p. 86, note).

fruits apparaissent enfin «à la plénitude du temps[b]». Quant aux symboles de la Résurrection, il faut les voir dans les fleurs nouvelles du printemps qui suit : sous l'effet de la grâce celui-ci s'épanouit dans la verdure d'un nouvel été. A la fin des temps la résurrection générale future fera mûrir le fruit de ces fleurs, qui demeurera pour l'éternité. «Voilà l'hiver passé, dit le bien-aimé, les pluies ont cessé, elles s'en sont allées; les fleurs ont commencé de paraître sur notre terre[c1].» Il fait savoir que l'été est arrivé avec celui qui s'est délivré du froid glacial de la mort pour un printemps de vie nouvelle. «Voici, dit-il, que je fais toutes choses nouvelles[d].» Sa chair a été semée dans la mort; elle a refleuri dans la résurrection[e]; et voilà que grâce à son parfum répandu sur le champ de notre basse vallée, l'aridité se met à reverdir, le froid à se réchauffer, les morts à revivre[f].

9. Alors la nouveauté de ces fleurs et de ces fruits, et la beauté du champ qui dégage un parfum suave, font que le Père lui aussi se réjouit dans son Fils qui renouvelle tout, et en vient à dire : «Voici que le parfum de mon Fils ressemble à celui d'un champ comblé béni du Seigneur[g2].» Oui, comblé, car «de sa plénitude nous avons tous reçu[h].»

La mémoire du cœur

Cependant l'épouse, de par son état plus familière que les autres, y cueille quand il lui plaît fleurs et grenades pour en parfumer la chambre intime de sa conscience, afin qu'à l'entrée de son Époux le petit lit de son cœur exhale un suave parfum. Si pour notre part, nous voulons donner souvent l'hospitalité au Christ, nous devons toujours garder notre cœur intact grâce aux témoignages de foi[i], qui proviennent aussi bien de la miséricorde de celui qui meurt que de la puissance de celui

quam de potentia resurgentis, quomodo David aiebat : *Duo haec audivi, quia potestas Dei est, et tibi, Domine, misericordia*[j]. Siquidem utriusque rei *testimonia credibilia* 15 *facta sunt nimis*[k], *Christo* utique *moriente propter delicta nostra, et resurgente propter iustificationem nostram*[l], et ascendente ad protectionem nostram, et mittente Spiritum[m] *ad consolationem nostram*[n], et quandoque redituro[o] ad consummationem nostram. Nempe in morte misericordiam, 20 potentiam in resurrectione, utramque in singulis exhibuit reliquorum.

10. Haec mala, hi flores, quibus sponsa se interim stipari postulat et fulciri, credo sentiens facile vim in se amoris[p] posse tepescere et languescere quodammodo, si non talibus iugiter foveatur incentivis, donec *introducta* 5 quandoque *in cubiculum*[q], diu cupitis excipiatur amplexibus[r], et dicat : *Laeva eius sub capite meo, et dextera* 127 *eius amplexata est me*[s]. Sentiet quippe tunc et probabit universa dilectionis testimonia, quae in priori adventu, tamquam de sinistra dilecti, acceperat, prae *multitudine* 10 *dulcedinis*[t] amplexantis dexterae contemnenda, et omnino iam quasi subtus habenda. Sentiet quod audierat : *Caro non prodest quidquam ; spiritus est qui vivificat*[u]. Probabit quod legerat : *Spiritus meus super mel dulcis, et hereditas mea super mel et favum*[v]. Quod vero sequitur : *Memoria* 15 *mea in generatione saeculorum*[w], hoc dicit quia, quamdiu stare praesens cernitur saeculum, in quo *generatio advenit et generatio praeterit*[x], non deerit electis consolatio de memoria, quibus nondum de praesentia plena refectio

j. Ps. 61, 12-13 ≠ || k. Ps. 92, 5 ≠ || l. Rom. 4, 25 ≠ || m. Cf. Jn 16, 7 || n. Act. 9, 31 ≠ || o. Act. 1, 11

10. p. Cf. Cant. 2, 5 || q. Cant. 3, 4 ≠ || r. Prov. 7, 18 ≠ || s. Cant. 2, 6 ≠ || t. Ps. 30, 20 ≠ || u. Jn 6, 64 ≠ || v. Sir. 24, 27 ≠ || w. Sir. 24, 28 || x. Eccl. 1, 4 ≠

qui ressuscite, tout comme David déclarait : «J'ai appris ces deux certitudes : la puissance appartient à Dieu, et à toi, Seigneur, la miséricorde[j].» Car pour ces deux certitudes «les témoignages sont absolument dignes de foi[k]», puisque «le Christ meurt pour nos péchés, il ressuscite pour notre justification[l]», il monte au ciel pour notre protection, il envoie l'Esprit[m] «pour notre réconfort[n]», et il reviendra un jour[o] pour parachever notre salut. Dans sa mort, il a montré sa miséricorde ; dans sa résurrection, sa puissance ; et ces deux qualités dans chacun des autres événements.

Le réconfort de la mémoire

10. Voilà les fruits, voilà les fleurs, par lesquels l'épouse demande en cette vie à être soutenue et fortifiée. A mon avis, elle se rend compte que la force de l'amour[p] peut facilement s'attiédir et s'alanguir quelque peu en elle, à moins d'être réchauffée sans cesse par de telles braises, jusqu'à ce qu'enfin elle soit introduite «dans la chambre[q]», reçoive les étreintes longtemps désirées[r] et dise : «Sa main gauche est sous ma tête, et sa droite m'étreint[s].» Alors elle comprendra avec certitude que tous les témoignages d'amour qu'elle avait reçus lors du premier avènement, comme de la main gauche de son bien-aimé, sont infiniment au-dessous et n'ont rien de comparable «avec l'immense douceur[t]» de la droite qui l'étreint. Elle comprendra ce qu'elle avait entendu : «La chair ne sert de rien; c'est l'Esprit qui vivifie[u].» Elle aura la certitude de ce qu'elle avait lu : «Mon Esprit est plus doux que le miel, et mon héritage plus doux qu'un rayon de miel[v].» Quant à la suite : «On fera mémoire de moi dans les générations de tous les siècles[w]», cela signifie : tant qu'on voit durer ce monde visible où «les générations relaient les générations[x]», le réconfort de la mémoire ne manquera pas aux élus auxquels n'est pas

indulgetur. Unde scriptum est : *Memoriam abundantiae*
20 *suavitatis tuae eructabunt*[y], haud dubium, quin hi, quos paulo superius dixerat : *Generatio et generatio laudabit opera tua*[z]. *Memoria* ergo *in generatione saeculorum*[a], praesentia in regno caelorum : ex ista glorificatur iam assumpta electio, de illa interim peregrinans generatio
25 consolatur.

IV. 11. Sed interest, quaenam generatio ex Dei capiat recordatione solamen. Non enim *generatio prava et exasperans*[a], cui dicitur : *Vae vobis, divites, qui habetis consolationem vestram*[b], sed quae dicere veraciter potest :
5 *Renuit consolari anima mea*[c]. Huic plane et credimus, si secuta adiecerit : *Memor fui Dei, et delectatus sum*[d]. Iustum quippe est, ut quos praesentia non delectant, praesto eis sit memoria futurorum, et qui de rerum fluentium qualibet affluentia despiciunt consolari, recordatio illos delectet
10 aeternitatis. Et *haec est generatio quaerentium Dominum, quaerentium non quae sua sunt, sed faciem Dei Iacob*[e]. Dei ergo quaerentibus et suspirantibus praesentiam, praesto interim et dulcis memoria est, non tamen qua satientur, sed qua magis esuriant unde satientur[f]. Hoc
15 ipsum de se cibus ipse testatur, ita aiens : *Qui edit me,*

y. Ps. 144, 7 || z. Ps. 144, 4 || a. Sir. 24, 28 ≠
11. a. Ps. 77, 8 || b. Lc 6, 24 ≠ || c. Ps. 76, 3 || d. Ps. 76, 4 || e. Ps. 23, 6 ≠; Phil. 2, 21 ≠ || f. Cf. Matth. 5, 6

1. Les mots « mémoire » et « présence » vont jouer un grand rôle dans les pages qui suivent. La mémoire du Christ console au temps de la pérégrination terrestre, tandis que la présence (nommée plus loin « beata visio ») est réservée au ciel ; cf. *NBMV* 13 (*SBO* V, 283, l. 22 – 284, l. 6).

2. ** Bernard transforme constamment (7 fois) le *divitibus*, à peu près seul attesté, en *divites* : ce passage du datif au vocatif semble être de sa part une dramatisation.

encore accordé le rassasiement complet de la présence[1]. Ainsi le passage de l'Écriture : « De leur cœur débordera la mémoire de ta douceur surabondante[y] » s'applique-t-il sans doute à ceux dont elle avait dit un peu plus haut : « Les générations successives loueront tes œuvres[z]. » « La mémoire est donc le lot des générations qui se succèdent[a] » ; la présence, celui du Royaume des cieux. A cette présence, les élus, une fois élevés aux cieux, empruntent leur gloire ; en cette vie, c'est la mémoire qui réconforte la génération en marche.

IV. 11. Mais il importe de savoir quelle est la génération qui trouve son réconfort dans le souvenir de Dieu. Ce n'est pas « la génération perverse et exaspérante[a] » à qui il est dit : « Malheur à vous, les riches, vous avez votre réconfort[b2] », mais celle qui peut dire en toute vérité : « Mon âme a refusé tout réconfort[c]. » Nous la croyons aussi quand elle poursuit : « J'ai gardé la mémoire de Dieu et j'y ai trouvé ma joie[d]. » Car il est normal que ceux qui ne mettent pas leur joie dans les biens actuels s'appuient sur le rappel des biens à venir et que ceux qui méprisent le réconfort de toute abondance de biens passagers trouvent leur joie dans le souvenir de l'éternité. « Voilà la génération de ceux qui cherchent le Seigneur, qui cherchent non leur avantage, mais la face du Dieu de Jacob[e]. » Ainsi ceux qui cherchent la présence de Dieu et soupirent après elle ont à leur portée en cette vie sa douce mémoire[3], non pas cependant pour en être rassasiés, mais pour que soit aiguisé leur appétit de la nourriture qui peut les rassasier[f]. Celui qui est leur nourriture en témoigne précisément lui-même par ces paroles : « Qui

3. « Dulcis memoria » : les §§ 10 à 12 ont inspiré un cistercien anglais anonyme pour la composition du poème « Dulcis Iesu memoria ». Voir A. Wilmart, *Le « Jubilus » dit de saint Bernard,* Rome 1944, p. 146.

adhuc esuriet[g]. Et qui eo cibatus est : *Satiabor*, inquit, *cum apparuerit gloria tua*[h]. Beati tamen iam nunc quod
128 *esuriunt et sitiunt iustitiam*[i], quoniam quandoque *ipsi*, et non alii[j], *saturabuntur*[i]. Vae tibi, *generatio prava atque*
20 *perversa*! Vae tibi, *popule stulte et insipiens*[k], qui et memoriam fastidis, et praesentiam expavescis ! Merito quidem. Nec modo enim *liberari* vis *de laqueo venantium*[1] : siquidem *qui volunt divites fieri in hoc saeculo, incidunt in laqueum diaboli*[m] ; nec tunc *a verbo*
25 *aspero*[n] poteris. O verbum asperum, o *sermo durus*[o] : *Ite, maledicti, in ignem aeternum*[p]*!* Durior plane atque asperior illo, qui quotidie nobis de memoria Passionis in Ecclesia replicatur : *Qui manducat carnem meam et bibit sanguinem meum, habet vitam aeternam*[q]. Hoc est : qui
30 recolit mortem meam, et exemplo meo *mortificat membra sua quae sunt super terram*[r], *habet vitam aeternam*[s] ; hoc est : *si compatimini, et conregnabitis*[t]. Et tamen plerique ab hac voce *resilientes et abeuntes* hodieque *retrorsum*[u], respondent non verbo, sed facto[v] : *Durus est hic sermo;*
35 *quis potest eum audire*[w]*?* Itaque *generatio quae non direxit cor suum, et non est creditus cum Deo spiritus eius*[x], sed

g. Sir. 24, 29 ≠ || h. Ps. 16, 15 || i. Matth. 5, 6 ≠ || j. Cf. Job 19, 27 || k. Deut. 32, 5-6 || l. Ps. 90, 3 ≠ || m. I Tim. 6, 9 ≠; I Tim. 6, 17 ≠ || n. Ps. 90, 3 || o. Jn 6, 61 ≠ || p. Matth. 25, 41 (Patr.) || q. Jn 6, 55 ≠ || r. Col. 3, 5 ≠ || s. Jn 6, 55 || t. Rom. 8, 17 ≠; II Tim. 2, 12 ≠ || u. Jn 6, 67 ≠; Jn 18, 6 ≠ || v. Cf. I Jn 3, 18 || w. Jn 6, 61 || x. Ps. 77, 8

---

1. ** Bernard cite le plus souvent ce texte au singulier, sans source connue; cf. note 1 sur *Miss* 25, *SC* 390, p. 182.

2. ** Bernard cite 11 fois sur 11 ce v. avec *Ite*, «allez», et non le *Discedite*, «partez d'ici», de la Vulgate. Ce mot est peu attesté dans la tradition, à la notable exception d'Augustin : environ 125 fois (toutefois, Augustin omet *maledicti*).

3. «Memoria Passionis» : Cette page prouve que, pour Bernard, toute mémoire du Christ a une connotation eucharistique. Il ne cite pas le verset de *Luc* : «Hoc facite in meam commemorationem» (22, 19), mais

me mange aura encore faim[g1].» Et celui qui s'en est nourri déclare: «Je serai rassasié quand se manifestera ta gloire[h].» Heureux pourtant sont-ils dès maintenant d'avoir «faim et soif de la justice[i]», puisqu'alors ce sont «eux» et non pas d'autres[j] qui «seront rassasiés[i].» Malheur à toi, «génération mauvaise et perverse»! Malheur à toi, «peuple stupide et insensé[k]», toi qui n'as pas envie de la mémoire et redoutes la présence! A bon droit. Maintenant tu ne veux pas «être libéré du filet des chasseurs[l]»: oui, «ceux qui veulent devenir riches en ce siècle tombent dans le filet du diable[m].» Et alors tu ne pourras échapper «à la parole amère[n]». Ô parole amère, «ô langage dur[o]»: «Allez, maudits, au feu éternel[p2]!» Langage nettement plus dur et plus amer que celui qui, chaque jour, nous est adressé à l'église à propos de la mémoire de la passion: «Qui mange ma chair et boit mon sang a la vie éternelle[q3].» C'est-à-dire: celui qui se rappelle ma mort et, à mon exemple, «mortifie son corps terrestre[r]», «a la vie éternelle[s]»; ou encore: «si vous souffrez avec moi[4], vous régnerez aussi avec moi[t].» Et pourtant de nos jours aussi, beaucoup de gens «s'écartent vivement» de cette voix «et ils s'en retournent en arrière[u]»; ils répondent, non en paroles mais en acte[v]: «Ce langage est dur; qui peut l'écouter[w]?» C'est pourquoi «la génération qui a manqué de droiture de cœur et dont l'esprit infidèle à Dieu[x]» préfère placer «son espé-

L'aveuglement de la richesse

tout le contexte y fait penser. Comme toujours Bernard accentue surtout le fruit spirituel de l'eucharistie.

4. ** On peut penser que Bernard prend *compati* dans le texte Vulgate de *Romains* (qui y associe *conglorificare)* et *conregnare* dans *II Timothée* (qui y associe *sustinere*) La tradition patristique est aussi abondante que diverse. Remarquons que Bernard affectionne les composés de *cum*, et cette pensée paulinienne elle-même.

magis *sperans in incerto divitiarum*[y], *verbum modo crucis*[z] audire gravatur, ac memoriam Passionis sibi iudicat onerosam. Verum qualiter verbi illius pondus in praesentia
40 sustinebit : *Ite, maledicti, in ignem aeternum, qui paratus est diabolo et angelis eius*[a]? *Super quem* profecto *ceciderit lapis iste, conteret eum*[b]. At vero *generatio rectorum benedicetur*[c], qui utique cum Apostolo, *sive absentes, sive praesentes, contendunt placere Deo*[d]. Denique audient : *Venite,*
45 *benedicti patris mei, etc*[e]. Tunc illa *quae non direxit cor suum*[f], sero quidem experietur, quam, *in illius comparatione*[g] doloris, *iugum Christi suave et onus leve fuerit*[h], cui tamquam gravi et aspero *duram cervicem*[i] superbe subduxit. Non potestis, o miseri servi mammonae[j], simul *gloriari in cruce Domini nostri Iesu Christi*[k] et *sperare in*
129 *pecuniae thesauris, post aurum abire*[l] et probare *quam suavis est Dominus*[m]. Proinde quem suavem in memoria non sentitis, asperum procul dubio in praesentia sentietis.

12. Ceterum fidelis anima et suspirat praesentiam inhianter, et in memoria requiescit suaviter, et donec idonea sit *revelata facie speculari gloriam Dei*[n], crucis ignominia gloriatur[o]. Sic profecto, sic sponsa et columba[p]
5 Christi pausat sibi interim, et *dormit inter medios cleros*[q], sortita iam inpraesentiarum de *memoria abundantiae suavitatis tuae*[r], Domine Iesu, *pennas deargentatas*[s], inno-

y. I Tim. 6, 17 ≠ || z. I Cor. 1, 10 ≠ || a. Matth. 25, 41 (Patr.) || b. Matth. 21, 44 ≠ || c. Ps. 111, 2 || d. II Cor. 5, 9 ≠ || e. Matth 25, 34 || f. Ps. 77, 8 || g. Sag. 7, 9 ≠ || h. Matth. 11, 30 ≠ || i. Deut. 9, 13 ≠ || j. Cf. Matth. 6, 24 || k. Gal. 6, 14 ≠ || l. Sir. 31, 8 ≠ || m. Ps. 33, 9 ≠

12. n. II Cor. 3, 18 ≠ || o. Cf. Gal. 6, 14 || p. Cf. Cant. 5, 2 || q. Ps. 67, 14 ≠ || r. Ps. 144, 7 ≠ || s. Ps. 67, 14 ≠

rance dans les richesses incertaines[y]», ne supporte pas d'entendre «parler de croix[z]», et la mémoire de la passion lui semble trop lourde à porter. Mais comment supportera-t-elle en présence du Seigneur le poids de cette parole : «Allez, maudits, au feu éternel préparé pour le diable et ses anges[a]»? Assurément «celui sur qui tombera cette pierre en sera écrasé[b].» Quant à «la génération des hommes droits, elle sera bénie[c]», eux qui, avec l'Apôtre, «s'efforcent à tout prix de plaire à Dieu, qu'ils soient ou non en sa présence[d].» Ils finiront par entendre : «Venez, les bénis de mon Père, etc.[e]» Alors la génération qui «a manqué de droiture de cœur[f]» se rendra compte – mais trop tard – combien, «en comparaison de[g]» cette souffrance, «le joug du Christ était aisé et son fardeau léger[h]», alors que dans son orgueil elle en avait retiré «sa nuque raide[i]» comme s'il s'agissait d'un fardeau rude et pesant. Vous ne pouvez pas, misérables esclaves de Mammon[j], tout à la fois «vous glorifier dans la croix de notre Seigneur Jésus-Christ[k]» et «placer votre espérance dans l'accumulation des richesses, courir après l'or[l]» et éprouver «combien le Seigneur est doux[m].» Vous ne ressentez pas la douceur de sa mémoire, sans aucun doute vous ressentirez l'âpreté de sa présence.

Fidélité et bonheur de l'épouse du Christ

12. Cependant l'âme fidèle soupire avec ardeur après la présence et repose avec douceur dans la mémoire; jusqu'au moment où elle se trouve en état de «contempler à visage découvert la gloire de Dieu[n]», elle se glorifie de l'ignominie de la croix[o]. C'est vraiment ainsi que l'épouse du Christ, sa colombe[p], trouve pour elle en cette vie le repos, et «elle dort entre les deux héritages[q].» Par «la mémoire de ton immense douceur, Seigneur Jésus[r]», elle a obtenu pour la vie présente «des ailes argentées[s]», c'est-à-dire la blan-

centiae videlicet pudicitiaeque candorem, et sperans insuper *adimpleri laetitia cum vultu tuo*[t], ubi etiam *fiant*
10 *posteriora dorsi eius in pallore auri*[u], quando *in splendoribus sanctorum*[v] introducta cum gaudio, sapientiae fuerit plenius illustrata fulgoribus. Merito proinde iam nunc gloriatur et dicit : *Laeva eius sub capite meo, et dextera illius amplexabitur me*[w], in laeva reputans recordationem
15 *illius caritatis, qua nulla maior est, quod animam suam posuit pro amicis suis*[x], in dextera vero beatam visionem, quam promisit amicis suis, et gaudium de praesentia maiestatis. Merito illa Dei et deifica visio, illa divinae praesentiae inaestimabilis delectatio in dextera deputatur, de
20 qua et delectabiliter canitur : *Delectationes in dextera tua usque in finem*[y]. Merito in laeva admirabilis illa memorata et semper memoranda dilectio collocatur, quod, *donec transeat iniquitas*[z], super eam sponsa recumbat et requiescat.

13. Merito ergo laeva sponsi sub capite sponsae, super quam videlicet caput suum reclinata sustentet, hoc est mentis suae intentionem, ne incurvetur et inclinetur in carnalia et *saecularia desideria*[a], quia *corpus quod cor-*
5 *rumpitur, aggravat animam, et deprimit terrena inhabitatio sensum multa cogitantem*[b].

t. Ps. 15, 10 ≠ || u. Ps. 67, 14 || v. Ps. 109, 3 || w. Cant. 2, 6 || x. Jn 15, 13 ≠ || y. Ps. 15, 10 ≠ || z. Ps. 56, 2
13. a. Gal. 5, 16 ≠; Tite 2, 12 || b. Sag. 9, 15

1. En refusant le divin pour le terrestre, l'homme perd sa droiture, il se plie, il s'incurve, se détourne du ciel, vers lequel Dieu l'avait redressé. De « recta » qu'elle était, l'âme est devenue « curva », terme technique dont la fortune sera considérable. Le thème « anima curva » joue un rôle important dans la doctrine de saint Bonaventure. Voir *SCt* 24, 5-7 (*SBO* I, 156, l. 13; 159, l. 13). Cf. É. GILSON, *La théologie mystique de saint*

cheur éclatante de l'innocence et de la pureté. Elle espère en outre «être comblée de joie à la vue de ton visage[t]», lorsque «son dos se couvrira d'un pennage d'or[u]» et que, introduite avec joie «dans la splendeur des saints[v]», elle sera encore plus totalement illuminée de l'éclat de la sagesse. Elle a donc raison de s'en glorifier dès maintenant en disant: «Sa main gauche est sous ma tête, et sa droite m'étreindra[w].» Par la gauche elle comprend le rappel de «cette charité, la plus grande de toutes, qui lui a fait donner sa vie pour ses amis[x].» Par la droite, elle comprend la vision bienheureuse qu'il a promise à ses amis et la joie procurée par la présence de sa majesté. Avec raison, la vison de Dieu qui déifie, les délices sans prix de la présence divine, on les assigne à la main droite dont on chante aussi avec délices: «En ta droite délices éternelles[y]». Avec raison, on place dans la gauche sa charité digne d'admiration dont on fait et dont on doit toujours faire mémoire, car c'est sur cette mémoire que l'épouse s'appuie et se repose «aussi longtemps que dure l'iniquité[z]».

13. C'est donc avec raison que la main gauche de l'Époux est sous la tête de l'épouse. Ainsi, appuyée sur cette main, l'épouse peut soutenir sa tête, c'est-à-dire l'effort de son esprit, pour qu'il ne s'incurve pas[1] et ne s'abaisse pas aux «convoitises» charnelles «de ce monde[a]», car «le corps sujet à la corruption appesantit l'âme; la demeure d'argile pèse sur l'intelligence aux multiples pensées[b2].»

Bernard, Paris 1947 p. 71-72; P. DELFGAAUW, *Saint Bernard, maître de l'amour divin*, Rome 1952 p. 96-97.

2. ** Bernard, qui revient souvent à ce texte, suit ici comme d'ordinaire l'ordre de l'édition critique. Au § 27, on retrouve deux allusions: l'une, fort discrète (l. 9); l'autre (l. 24) où l'expression *corpus mortis* associe la *Sagesse* à *Rom.* 7, 24; cf *infra*, *Gra* 12 (p. 272, l. 28); 13 (p. 274, l. 13).

Quid namque aliud faciat considerata tanta et tam indebita miseratio, tam gratuita et sic probata dilectio, tam inopinata dignatio, tam invicta mansuetudo, tam stupenda dulcedo?
10 Quid, inquam, haec omnia faciant diligenter considerata,
130 nisi ut considerantis animum, ab omni penitus pravo vindicatum amore, ad se mirabiliter rapiant, vehementer afficiant, faciantque prae se contemnere, quidquid nisi in contemptu horum appeti non potest? Nimirum proinde *in*
15 *odore unguentorum horum sponsa currit*[c] alacriter, amat ardenter, et parum sibi amare sic amata videtur, etiam cum se totam in amore perstrinxerit. Nec immerito. Quid magnum enim tanto et tanti repensatur amori, si *pulvis exiguus*[d] totum se ad redamandum collegerit, quem illa
20 nimirum Maiestas in amore praeveniens, tota in opus salutis eius intensa conspicitur? Denique *sic Deus dilexit mundum, ut Unigenitum daret*[e], haud dubium quin de Patre dicat; item : *Tradidit in mortem animam suam*[f], nec dubium quod Filium loquatur. Ait et de Spiritu Sancto : *Spiritus Paraclitus,*
25 *quem mittet Pater in nomine meo, ille vos docebit omnia, et suggeret vobis omnia quaecumque dixero vobis*[g]. Amat ergo Deus, et ex se toto amat, quia tota Trinitas amat,

c. Cant. 1, 3 ≠ || d. Is. 40, 15 || e. Jn 3, 16 ≠ || f. Is. 53, 12 ≠ || g. Jn 14, 26 ≠

1. Les premiers cisterciens distinguent bien *anima* et *animus*. *Anima* signifie l'âme végétative et sensitive, principe de la vie du corps. *Animus* signifie l'âme rationnelle de l'être humain, principe des trois facultés supérieures : mémoire, intelligence et volonté. Il est synonyme de *mens humana*. Bernard emploie le mot *animus* dix fois dans ce traité (ici, 18, l. 5. 25; 20, l. 6. 7. 10; 21, l. 19; 27, l. 11; 30, l. 17; 34, l. 29.

2. La miséricorde de Dieu ouvre l'esprit humain à l'amour extatique. Bernard reprendra ce thème quand il décrira le quatrième degré de l'amour (§ 28).

Immensité de l'amour du Dieu-Trinité

Quel autre effet peut avoir la contemplation d'une miséricorde si grande et tellement imméritée, d'un amour si gratuit et prouvé de la sorte, d'une considération tellement inattendue, d'une bienveillance à ce point invincible, d'une douceur si étonnante? Quel autre effet, dis-je, peut avoir la contemplation attentive de tous ces bienfaits, sinon celui de dégager totalement de tout amour mauvais l'esprit[1] de celui qui contemple, puis de le ravir de façon merveilleuse[2], de le toucher avec violence et de lui inspirer le mépris de tout ce qui ne peut être convoité qu'au mépris de ces bienfaits? Rien d'étonnant donc qu'«à l'odeur de ces parfums l'épouse coure avec allégresse[c]», aime avec ardeur et, aimée de la sorte, trouve qu'elle aime trop peu, même quand elle s'est livrée totalement à l'étreinte de l'amour. Sentiment très juste en vérité. En échange du si grand amour d'un si grand amant[3], que peut offrir de valable «un minime grain de poussière[d]», quand même il se ramasserait tout entier pour aimer en retour la suprême Majesté qui a pris les devants et qui se montre tout entière attentive à l'œuvre de son salut? De fait, «Dieu a tant aimé le monde qu'il a donné son Fils unique[e]»: cette parole s'applique sans aucun doute au Père. «Il s'est livré lui-même à la mort[f]»: cette autre parole concerne sans aucun doute le Fils. Quant à l'Esprit-Saint il est dit: «L'Esprit Paraclet, que le Père enverra en mon nom, lui vous enseignera tout et vous rappellera tout ce que je vous ai dit[g].» Donc Dieu aime, et il aime de tout lui-même, car c'est toute la Trinité qui aime, si

3. *Repensatur*: «offrir en échange». Bernard exprime ici la dette de l'âme humaine pour l'amour d'un si grand amant (Voir aussi paragraphes 15-16). Thème repris et explicité par HADEWIJCH D'ANVERS (*Lettres* 16 et 30) et par Ruusbroec l'Admirable.

si tamen totum dici potest de infinito et incomprehensibili, aut certe de simplici.

V. 14. Intuens haec, credo, satis agnoscit, quare Deus diligendus sit, hoc est, unde diligi mereatur. Ceterum *infidelis non habens Filium*[a], nec Patrem perinde habet, nec Spiritum Sanctum. *Qui* enim *non honorificat Filium, non* 5 *honorificat Patrem qui misit illum*[b], sed nec Spiritum Sanctum quem misit ille[c]. Is itaque mirum non est, si quem minus agnoscit, minus et diligit[d]. Attamen et ipse totum ei sese debere non ignorat, quem sui totius non ignorat auctorem. Quid ergo ego, qui Deum meum teneo 10 vitae meae non solum gratuitum largitorem, largissimum administratorem, pium consolatorem, sollicitum gubernatorem, sed insuper etiam copiosissimum redemptorem[e], aeternum conservatorem, ditatorem, glorificatorem, sicut scriptum est : *Copiosa apud eum redemptio*[f]? Et item : 15 *Introivit semel in sancta, aeterna redemptione inventa*[g]. 131 Et de conservatione : *Non relinquet sanctos suos; in aeternum conservabuntur*[h]. Et de locupletatione : *Mensuram bonam, et confertam, et coagitatam, et supereffluentem dabunt in sinum vestrum*[i]; et rursum : *Nec oculus* 20 *vidit, nec auris audivit, nec in cor hominis ascendit, quae praeparavit Deus diligentibus se*[j]. Et de glorificatione : *Salvatorem exspectamus Dominum nostrum Iesum Christum,*

14. a. Jn 5, 12 ≠ || b. Jn 5, 23 || c. Cf. Jn 15, 26 || d. Cf. Lc 7, 47 || e. Cf. Ps. 129, 7 || f. Ps. 129, 7 || g. Hébr. 9, 12
h. Ps. 36, 28 ≠ || i. Lc 6, 38 ≠ || j. I Cor. 2, 9 ≠

---

1. «Conservatione» (Leclercq) au lieu de «conversatione».

2. * Les 29 emplois de ce v. ont une teneur fort disparate; ils s'apparentent assez nettement à *I Corinthiens*, et non à *Isaïe* 64, 4 (aucun *exspectantibus*; cependant 5 fois *absque te*). Douze fois, dont ici, le texte débute par *nec*; souvent Bernard adapte l'ordre des premiers mots à son contexte, il les change même; ici, la coupure de la citation avant

pourtant on peut parler de «tout» à propos d'un sujet infini, incompréhensible ou, de toute manière, simple.

Les bienfaits de Dieu, créateur et sauveur

V. 14. Celui qui considère cela perçoit suffisamment, je crois, pourquoi il faut aimer Dieu, c'est-à-dire pour quelle raison il mérite d'être aimé. Mais «celui qui n'a pas la foi est privé du Fils[a]», et pareillement du Père et de l'Esprit-Saint. En effet «celui qui n'honore pas le Fils, n'honore pas le Père qui l'a envoyé[b]», ni non plus l'Esprit-Saint envoyé par le Fils[c]. Il n'y a donc pas à s'étonner que l'incroyant, en raison d'une moindre connaissance de Dieu, lui montre moins d'amour[d]. Pourtant lui aussi n'est pas sans savoir qu'il se doit tout entier à ce Dieu qu'il reconnaît pour l'auteur de tout son être. Alors qu'en sera-t-il pour moi qui considère mon Dieu non seulement comme celui qui m'a donné gratuitement la vie, s'en occupe avec largesse, me réconforte avec bonté, me dirige avec sollicitude, mais de plus me rachète aussi avec surabondance[e], me sauve, me comble et me glorifie pour toujours, comme il est écrit : «Elle est abondante sa rédemption[f]»? et de même : «Il est entré une fois pour toutes dans le sanctuaire, ayant acquis une rédemption éternelle[g].» Et à propos de la permanence[1] du salut : «Il n'abandonnera pas ses saints; ils seront gardés pour l'éternité[h].» Et à propos de ses largesses : «On versera dans le pan de votre vêtement une bonne mesure, tassée, secouée, débordante[i].» Et encore : «L'œil n'a pas vu ni l'oreille entendu ni le cœur de l'homme pressenti ce que Dieu a préparé pour ceux qui l'aiment[j][2].» Quant à la glorification : «Nous attendons comme Sauveur notre Seigneur Jésus-Christ qui trans-

revelavit Deus amène la suppression de *quod*. Il serait vain de rechercher une source patristique individualisée.

qui reformabit corpus humilitatis nostrae, configuratum corpori claritatis suae[k]; et illud : *Non sunt condignae pas-* 25 *siones huius temporis ad futuram gloriam, quae revelabitur in nobis*[l]; et iterum : *Id quod in praesenti est momentaneum et leve tribulationis nostrae, supra modum in sublimitatem aeternum gloriae pondus operatur in nobis, non contemplantibus quae videntur, sed quae non videntur*[m].

15. *Quid retribuam Domino pro omnibus*[n] his? Illum ratio urget et iustitia naturalis totum se tradere illi, a quo se totum habet, et ex se toto debere diligere. Mihi profecto fides tanto plus indicit amandum, quanto et eum 5 me ipso pluris aestimandum intelligo, quippe qui illum non solum mei, sed sui quoque ipsius teneo largitorem. Denique nondum tempus fidei advenerat, nondum innotuerat in carne Deus, obierat in cruce, prodierat de sepulcro, redierat ad Patrem; nondum, inquam, *com-* 10 *mendaverat in nobis suam multam dilectionem*[o], illam de qua iam multa locuti sumus, cum iam mandatum est homini *diligere Dominum Deum suum toto corde, tota anima, tota virtute sua*[p], id est, ex omni quod est, quod scit, quod potest. *Nec* tamen *iniustus Deus*[q], suum sibi 15 vindicans opus et dona. Ut quid enim non amaret opus artificem, cum haberet unde id posset? Et cur non quantum omnino posset, cum nihil omnino nisi eius munere posset? Ad haec, quod de nihilo, quod gratis, quod in hac dignitate conditum est, et debitum dilectionis manifestius facit, et 132 20 exactum iustiorem ostendit. Ceterum quantum putamus

k. Phil. 3, 20-21 ≠ || l. Rom. 8, 18 || m. II Cor. 4, 17-18 ≠
15. n. Ps. 115, 12 || o. Rom. 5, 8 ≠ || p. Mc 12, 30 ≠ || q. Hébr. 6, 10 ≠

---

1. ** D'autres séries de citations se trouvent dans *Dil* (1. 10. 11. 21. 36. 37); toute l'œuvre de Bernard en contient çà et là. Utilisation de dossiers tout prêts? ou bien preuve de virtuosité, comme lorsqu'il cisèle un centon biblique ou peaufine une allusion-limite?

formera notre corps de misère pour le rendre conforme à son corps de gloire[k].» Et ailleurs: «Les souffrances de ce temps sont sans comparaison avec la gloire future qui se révélera en nous[l].» Et encore: «Notre épreuve actuelle est provisoire et légère: elle nous prépare, au-delà de toute mesure, un poids éternel de gloire, à nous qui considérons non pas les réalités visibles, mais les invisibles[m1].»

La reconnaissance de l'amour

15. «Que rendrai-je au Seigneur pour tous ces bienfaits[n]?» La raison et la justice naturelle incitent à se livrer entièrement à celui de qui on tient tout ce qu'on est, et insistent sur le devoir de l'aimer de tout soi-même. Mais vraiment la foi me prescrit d'autant plus l'obligation de l'aimer que je comprends mieux qu'il mérite d'être estimé plus que moi-même, car je considère que non seulement il m'a donné à moi-même, mais en plus il s'est donné aussi lui-même. De fait, le temps de la foi n'était pas encore arrivé; Dieu ne s'était pas encore fait connaître dans la chair, n'était pas encore mort en croix, sorti du tombeau, retourné au Père; il n'avait pas encore, dis-je, «prouvé son grand amour pour nous[o]», cet amour dont nous venons de parler longuement, que déjà l'homme avait reçu le commandement «d'aimer le Seigneur son Dieu de tout son cœur, de toute son âme, de toutes ses forces[p]», c'est-à-dire de tout son être, sa connaissance et son pouvoir. Cependant «Dieu n'est pas injuste[q]» de revendiquer son œuvre et ses dons. Pourquoi l'œuvre n'aimerait-elle pas son artisan, si elle a la faculté d'aimer? Et pourquoi pas de toutes ses forces, puisque sans sa faveur elle ne pourrait rien du tout? De plus le fait d'avoir été créé de rien, gratuitement, dans une telle dignité, manifeste davantage la dette de l'amour et la justice du remboursement. Et puis, à notre avis, que de bienfaits

adiectum beneficii, cum *homines et iumenta salvavit*, quemadmodum *multiplicavit misericordiam suam Deus*[r]! Nos dico, qui *mutavimus gloriam nostram in similitudinem vituli comedentis fenum*[s], peccando *comparati*
25 *iumentis insipientibus*[t]. Quod si totum me debeo pro me facto, quid addam iam et pro refecto, et refecto hoc modo? Nec enim tam facile refectus, quam factus. Siquidem non solum de me, sed de omni quoque quod factum est[u], scriptum est : *Dixit, et facta sunt*[v]. At vero
30 qui me tantum et semel dicendo[w] fecit, in reficiendo profecto et dixit multa, et gessit mira, et pertulit dura, nec tantum dura, sed et indigna. *Quid* ergo *retribuam Domino pro omnibus quae retribuit mihi?*[x] In primo opere me mihi dedit, in secundo se; et ubi se dedit, me mihi red-
35 didit. Datus ergo, et redditus, me pro me debeo, et bis debeo. Quid Deo retribuam pro se? Nam etiam si me millies rependere possem, quid sum ego ad Deum[y]?

Quo modo diligendus sit Deus

VI. 16. Hic primum vide, quo modo, immo quam sine modo a nobis Deus amari meruerit, qui, ut paucis quod dictum est repetam, *prior ipse dilexit nos*[a], tantus, et tantum, et gratis tantillos. En tales, et quod in principio
5 dixisse me memini, modum esse diligendi Deum, sine modo diligere. Denique cum dilectio quae tendit in Deum,

r. Ps. 35, 7-8 ≠ || s. Ps. 105, 20 ≠ || t. Ps. 48, 13.21 ≠ || u. Cf. Jn 1, 3 || v. Ps. 148, 5 || w. Cf. Gen. 1, 26-27 || x. Ps. 115, 12 || y. Cf. Job 9, 14
16. a. I Jn 4, 10 ≠

1. «Repetam»: cf. *Dil* 1, *supra*, l. 7, p. 60.
2. «Tantillos. En» (Fark.) au lieu de «tantillos, et» : *A*, *Cr*, *D*, *H*, *K*, *Mt*, *R*, *T*, *W*.

Dieu a-t-il ajoutés lorsqu'«il sauva les hommes et les bêtes»; à quel point «Dieu a-t-il multiplié alors sa miséricorde[r]»! Il s'agit de «nous qui avons échangé notre gloire pour la ressemblance du veau mangeur de foin[s]», nous que le péché a ravalés «au rang de bêtes sans raison[t]». Si je me dois tout entier pour le don de ma création, que pourrais-je donner de plus pour celui de ma re-création, et d'une telle re-création? C'est que ma re-création n'a pas été aussi facile que ma création. Il est écrit non seulement à mon sujet, mais aussi à propos de tout ce qui a été créé[u]: «Il a dit, et ce fut créé[v].» Mais celui qui m'a créé d'une simple et unique parole[w], voilà que, pour me recréer, il a dit bien des paroles, accompli des actes merveilleux et subi de dures peines; et pas seulement dures mais indignes de lui. «Que rendrai-je donc au Seigneur pour tous les bienfaits dont il m'a comblé[x]?» Dans son premier ouvrage, il m'a donné à moi-même, dans le second il s'est donné à moi; et en se donnant, il m'a rendu à moi-même. Donc donné, puis rendu, je me dois en échange de moi-même, et je me dois deux fois. Mais que rendrai-je à Dieu pour prix de lui-même? Quand je pourrais me donner mille fois en remboursement, que suis-je, moi, par rapport à Dieu[y]?

Dans quelle mesure faut-il aimer Dieu?

Aimer Dieu sans mesure

VI. 16. Considère d'abord dans quelle mesure Dieu a mérité notre amour, ou plutôt à quel point c'est sans mesure. Pour reprendre[1] en peu de mots ce qui a été dit, «il nous a aimés le premier[a]», lui si grand, il nous a aimés tellement, gratuitement, des gens si petits. Eh bien[2]! Pour de tels gens – ce que je me rappelle avoir dit au début – la mesure d'aimer Dieu, c'est de l'aimer sans mesure. Puisque l'amour qui s'adresse à Dieu

tendat in immensum, tendat in infinitum, – nam et infinitus Deus est et immensus –, quisnam, quaeso, debeat finis esse nostri vel modus amoris? Quid quod amor ipse 10 noster non iam gratuitus impenditur, sed rependitur debitus? Amat ergo immensitas, amat aeternitas, amat *supereminens scientiae caritas*[b]; amat Deus, *cuius magnitudinis non est finis*[c], *cuius sapientiae non est numerus*[d], 133 cuius *pax exsuperat omnem intellectum*[e] : et vicem repen- 15 dimus cum mensura? *Diligam te, Domine, fortitudo mea, firmamentum meum, et refugium meum, et liberator meus*[f], et meum denique quidquid optabile atque amabile dici potest. *Deus meus, adiutor meus*[g], diligam te pro dono tuo et modo meo, minus quidem iusto, sed plane non 20 posse meo, qui, etsi quantum debeo non possum, non possum tamen ultra quam possum. Potero vero plus, cum plus donare dignaberis, numquam tamen prout dignus haberis. *Imperfectum meum viderunt oculi tui*, sed tamen *in libro tuo omnes scribentur*[h], qui quod possunt faciunt, 25 etsi quod debent non possunt. Satis, quantum reor, apparet, et quonam modo Deus diligendus sit, et quo merito suo. Quo, inquam, merito suo : nam quanto, cui sane appareat? Quis dicat? Quis sapiat?

VII. 17. Nunc quo nostro commodo diligendus sit, videamus. Sed quantum est et in hoc videre nostrum ad id quod est? Nec tamen quod videtur tacendum est, etsi

b. Éphés. 3, 19 ≠ || c. Ps. 144, 3 ≠ || d. Ps. 146, 5 ≠ || e. Phil. 4, 7 (Patr.) || f. Ps. 17, 2-3 ≠ || g. Ps. 17, 3 || h. Ps. 138, 16

1. ** Parmi les 19 emplois que Bernard fait de cette partie de v. (2 citations, 17 allusions), trois allusions remplacent le *sensum* de la Vulgate par *intellectum* : ici ; *Csi* V, 8 (*SBO* III, 473, l. 13) ; *OS* 4, 3 (V, 357, l. 18). De plus, en *Ep* 64, 2 (VII, 158, l. 5), plusieurs mss ont *intellectum*, tandis que en *SCt* 8, 2 (I, 37, l. 2), Bernard surenchérit : *omnem, etiam angelicum, sensum*, « surpasse tout sens, même chez l'ange » – ce qu'expliquerait au mieux le souci d'exclure ici la possible traduction

s'adresse à l'immensité, à l'infinité – car Dieu est infini et immense –, quelle devrait donc être, je te le demande, la limite ou la mesure de notre amour? N'oublions pas que notre amour à nous n'est plus un versement gratuit mais le remboursement d'une dette. Nous sommes donc aimés par l'immensité, aimés par l'éternité, aimés par «la charité qui surpasse la science[b]»; aimés par Dieu «dont la grandeur est sans limite[c]», «dont la sagesse est sans mesure[d]», dont «la paix surpasse toute intelligence[e1]»; et en échange nous allons offrir un amour mesuré? «Je t'aimerai, Seigneur, ma force, mon soutien, mon refuge, mon libérateur[f]» et, finalement, tout ce qui peut se dire de désirable et d'aimable. «Mon Dieu, mon secours[g]», je t'aimerai pour le don que tu me fais, et à ma mesure, bien au-dessous de ce que je dois, mais non pas certes au-dessous de ce que je peux. Bien que je ne puisse donner autant que je dois, je ne saurais aller au-delà de ce que je peux. Je pourrai davantage quand tu voudras bien me donner plus, jamais cependant autant que tu en es digne. «Tes yeux ont vu mes limites»; pourtant ceux-là «seront inscrits dans ton livre[h]» qui font leur possible, même s'ils ne peuvent faire tout ce qu'ils doivent.

Il apparaît assez clairement, je pense, dans quelle mesure on doit aimer Dieu et pourquoi il le mérite. Je dis: pourquoi il le mérite, car pour la grandeur de ce mérite, qui peut bien le savoir? qui l'exprimer? qui le goûter?

Aimer Dieu à cause de lui ou pour nous?

VII. 17. Voyons maintenant pour quel avantage nous devons aimer Dieu. Mais quelle est la valeur de notre façon de voir en ce domaine par rapport à la vraie réalité? Pourtant il ne faut pas taire

«sensation» au profit de celle d'»intelligence». De nombreux Pères – Ambroise, surtout Augustin – avaient utilisé *intellectum*.

non omnino videtur ut est. Superius, cum propositum
5 esset, quare et quomodo diligendus sit Deus, duplicem
dixi parere intellectum id quod quaeritur : quare, ut aut
quo suo merito, aut quo nostro commodo diligendus sit,
utrumlibet quaeri posse perinde videatur. Dicto proinde
de merito Dei, non prout dignum ei, sed prout datum
10 mihi, superest ut de praemio, quod item dabitur, dicam.

Quod non sine praemio diligitur Deus

Non enim sine praemio diligitur Deus, etsi absque
praemii sit intuitu diligendus. Vacua namque vera caritas
esse non potest, nec tamen mercenaria est : quippe *non*
134 15 *quaerit quae sua sunt*[a]. Affectus est, non contractus : nec
acquiritur pacto, nec acquirit. Sponte afficit, et spontaneum
facit. Verus amor seipso contentus est. Habet praemium,
sed id quod amatur. Nam quidquid propter aliud amare
videaris, id plane amas, quo amoris finis pertendit, non
20 per quod tendit. Paulus non evangelizat ut comedat, sed

17. a. I Cor. 13, 5

1. *Superius* : cf. *Dil* 1, *supra,* l. 10, p. 60.

2. La récompense de l'amour : Il est remarquable que trois grands auteurs traitent de l'amour pur, probablement vers la même période. Abélard évoque la vraie et la fausse amitié dans sa *Theologia scholarium,* I, 4 (*CCM* 13, p. 319). Ce texte est écrit entre 1133 et 1137. Il reprend la même question dans son *Commentaire sur l'épître aux Romains,* III, Sur *Rom.*, 7, 13 (*CCM* 11, p. 200, l. 461 à 204, l. 594). Guillaume de Saint-Thierry semble réagir contre la pensée d'Abélard quand il écrit : « Quid autem est absurdius uniri Deo amore et non beatitudine? », « Mais quoi de plus absurde que d'être uni à Dieu par l'amour sans l'être par la béatitude? » (*De contemplando Deo,* 11, 66-67, *SC* 66bis, p. 102-103). Il nous semble que saint Bernard traite du même problème dans les termes d'Abélard, mais avec une vue très personnelle et originale. Voir É. Gilson, *La théologie mystique de saint Bernard,* Paris 1947, p. 183-192. La position claire et simple de saint

ce qui se voit, même si l'apparence ne correspond pas totalement à la réalité. Ci-dessus[1], à la question: «Pourquoi et dans quelle mesure faut-il aimer Dieu?», j'ai dit que cette question – pourquoi? – comportait deux interprétations et qu'il semblait possible de poser, au choix, l'une ou l'autre question: faut-il aimer Dieu en raison de son propre mérite? ou pour notre propre avantage? Ainsi, une fois exposé le mérite de Dieu, non pas d'une manière digne de lui, mais selon ce qui m'a été donné, il me reste à traiter de la récompense, et je le ferai aussi selon ce qui me sera donné.

Ce n'est pas sans récompense qu'on aime Dieu

La récompense de l'amour

En effet, ce n'est pas sans récompense qu'on aime Dieu, bien qu'on doive se garder de l'aimer en vue d'une récompense[2]. Car la véritable charité ne peut en être dépourvue, et pourtant elle n'est pas mercenaire: «Elle ne recherche pas son avantage[a].» Elle est un attachement, non un investissement[3]; ni l'acquisition de la charité ni ses gains ne dépendent d'une convention. Elle nous meut spontanément et nous rend spontanés. Le véritable amour se suffit à lui-même. Il a sa récompense, qui n'est autre que l'objet aimé. Car, quel que soit l'objet que l'on paraisse aimer, si on l'aime en vue d'un autre objet, celui-ci est en réalité le but où tend l'amour, et non pas le premier qui n'est que le chemin qui y mène. Paul n'évangélise pas pour manger, mais il mange pour

Bernard n'a pas empêché les querelles stériles à propos du pur amour et cela jusqu'au dix-septième siècle.

3. «non contractus»: Voir *SCt* 83, 3 (*SBO* II, 299, l. 28): «Parum dixi: contractus; complexus est», «C'est trop peu dire encore: il y a plus qu'un contrat, il y a une étreinte».

comedit ut evangelizet[b], eo quod amet, non cibum, sed Evangelium. Verus amor praemium non requirit, sed meretur. Praemium sane necdum amanti proponitur, amanti debetur, perseveranti redditur. Denique in rebus
25 inferioribus suadendis, invitos promissis vel praemiis invitamus, et non spontaneos. Quis enim munerandum hominem putet, ut faciat quod et sponte cupit? Nemo, verbi causa, conducit aut esurientem ut comedat, aut sitientem ut bibat, aut certe matrem ut parvulum allactet
30 filium uteri sui[c]. An vero quis putet prece vel pretio quempiam commonendum suam ipsius vel saepire vineam, vel arborem circumfodere, vel structuram propriae domus erigere? Quanto magis Deum amans anima, aliud praeter Deum sui amoris praemium non requirit; aut si aliud
35 requirit, illud pro certo, non Deum diligit.

18. Inest omni utenti ratione naturaliter pro sua semper aestimatione atque intentione appetere potiora, et nulla re esse contentum, cui quod deest, iudicet praeferendum. Nam et qui, verbi gratia, uxorem habet speciosam, petu-
5 lanti oculo vel animo respicit pulchriorem, et qui veste pretiosa indutus est, pretiosiorem affectat, et possidens multas divitias, invidet ditiori. Videas iam multis praediis et possessionibus ampliatos, adhuc tamen *in dies agrum agro copulare*[d], atque infinita cupiditate *dilatare terminos*
10 *suos*[e]. Videas et qui in regalibus domibus amplisque

b. Cf. I Cor. 9, 18 || c. Cf. Is. 49, 15
18. d. Is. 5, 8 ≠ || e. Ex. 34, 24 ≠; Amos 1, 13 ≠

évangéliser[b], parce qu'il aime non la nourriture mais l'Évangile. Le véritable amour ne recherche pas sa récompense, mais il la mérite. Oui, la récompense on la propose à qui n'aime pas encore, on la doit à qui aime, on l'accorde à qui persévère. Ainsi, quand il s'agit de persuader à propos d'affaires secondaires, c'est par des promesses ou des cadeaux que nous y invitons ceux qui n'y tiennent pas et n'acceptent pas spontanément. Qui, en effet, penserait devoir offrir un cadeau à un homme pour qu'il accomplisse son désir spontané? Personne, par exemple, ne donne un salaire à un affamé pour le faire manger, à un assoiffé pour le faire boire, ni bien sûr à une mère pour qu'elle allaite son petit, le fils de ses entrailles[c]. Est-ce que vraiment on estimerait indispensable de prier ou de payer quelqu'un pour lui recommander d'enclore sa propre vigne, de creuser un fossé autour de son arbre ou de construire sa propre maison? Combien plus l'âme qui aime Dieu ne recherche-t-elle que Dieu en récompense de son amour; et si elle cherche autre chose, sûrement ce n'est pas Dieu qu'elle aime.

L'insatiable convoitise humaine: le circuit des impies

18. Chez tous ceux qui usent de la raison, il est naturel de désirer toujours ce qu'ils estiment le meilleur et le plus conforme à leur vue, et de ne se contenter d'aucune chose si, à leur avis, on doit apprécier davantage une autre qui leur manque. Ainsi, par exemple, celui dont l'épouse est gracieuse, va en regarder une plus belle d'un œil et d'un cœur impudents; celui qui porte un vêtement de prix en recherche un plus précieux et l'homme très riche jalouse plus riche que lui. On peut voir les gens déjà pourvus de beaucoup de domaines et de propriétés continuer pourtant, «de jour en jour, à joindre champ à champ[d]» et, dans leur cupidité sans bornes, à «reculer leurs frontières[e]». On peut voir

habitant palatiis, nihilominus *quotidie coniungere domum ad domum*[f], et inquieta curiositate aedificare, diruere, mutare quadrata rotundis. Quid homines sublimatos honoribus? Annon insatiabili ambitione magis ac magis totis
15 viribus conari ad altiora videmus? Et horum omnium idcirco non est finis, quia nil in eis summum singulariter reperitur vel optimum. Et quid mirum si inferioribus et deterioribus contentum non sit, quod citra summum vel
135 optimum quiescere non potest? Sed hoc stultum et
20 extremae dementiae est, ea semper appetere, quae numquam, non dico satient, sed nec temperent appetitum, dum quidquid talium habueris, nihilominus non habita concupiscas, et ad quaeque defuerint, semper inquietus anheles. Ita enim fit ut, per varia et fallacia
25 mundi oblectamenta vagabundus animus inani labore discurrens, fatigetur, non satietur, dum quidquid famelicus inglutierit, parum reputet ad id quod superest devorandum, semperque non minus anxie cupiat quae desunt, quam quae adsunt laete possideat. Quis enim obtineat universa?
30 Quamquam et modicum id quod quisque cum labore obtinuerit, cum timore possederit, certus quidem non sit quando cum dolore amittat, certus autem quod quandoque amittat. Sic directo tramite voluntas perversa contendit ad optimum, festinat ad id unde possit impleri.
35 Immo vero his anfractibus ludit secum vanitas, *mentitur iniquitas sibi*[g]. Si ita vis adimplere quod vis, hoc est, si illud apprehendere vis, quo apprehenso nil iam amplius

f. Is. 5, 8 ≠ || g. Ps. 26, 12 ≠

1. ** Horace, *Ep.* I, I, 100 (éd. Belles-Lettres, Paris 1941, p. 41). Bernard met à l'infinitif et intervertit : *diruit, aedificat.* Seul autre emploi : *Conv* 16 (*SBO* IV, 90, l. 13).

2. Le libre arbitre marqué par le péché originel (et pour cette raison appelé : *voluntas perversa*) cherche à atteindre le meilleur, c'est-à-dire son Dieu. Mais le libre conseil (*liberum consilium*) trompé par la vanité et la malice choisit sans cesse des détours.

aussi les gens qui habitent des maisons royales et de vastes palais, «joindre» toutefois «chaque jour maison à maison[f]» et s'activer sans répit à bâtir, démolir et changer les carrés en ronds[1]. Que dire des hommes élevés aux postes les plus honorifiques? Ne les voyons-nous pas, dans leur ambition insatiable, s'efforcer, de plus en plus et de toutes leurs forces, d'atteindre un rang plus élevé encore? Et tous ces désirs sont sans fin pour la bonne raison qu'il ne s'y trouve rien qui soit absolument le plus haut ou le plus excellent. Et pourquoi s'étonner de l'insatisfaction causée par ce qui est bas et vil dès lors qu'on ne peut trouver l'apaisement en deçà de ce qui est le meilleur et le plus haut? Mais sottise il y a, et comble de folie, de toujours convoiter des choses qui ne sauraient, je ne dis pas rassasier, mais même apaiser le désir. Quelle que soit celle dont on s'assure la possession, on n'en continue pas moins à désirer celles qu'on n'a pas et à soupirer sans répit après celles qui manquent encore. Il arrive ainsi que l'esprit vagabond se fatigue vainement à courir çà et là à travers les amusements variés et mensongers du monde, et s'épuise sans se rassasier. Tout ce que son appétit famélique lui fait engloutir, il l'estime trop peu par rapport à ce qui lui reste encore à dévorer. Sans cesse il demeure plus tourmenté par le désir de ce qui lui échappe que satisfait et heureux de ce qu'il possède. Mais qui peut obtenir l'univers? Pourtant même le peu que chacun s'est acquis avec tant de peine et ne possède qu'avec crainte, il ne peut savoir avec certitude quand il aura le chagrin de le perdre, mais il a la certitude de le perdre un jour. C'est par ce chemin direct que la volonté perverse veut atteindre le plus grand bien; c'est par là qu'elle se hâte d'obtenir ce qui pourrait la combler. Non, au contraire, c'est par ces détours que la vanité se joue d'elle-même et que «la malice est sa propre dupe[g2]». Si tu veux contenter ainsi tous tes appétits, c'est-à-dire si tu veux mettre la main sur

velis, quid tentare opus est et cetera? Curris per devia, et longe ante morieris, quam hoc circuitu pervenias ad
40 optatum.

19. Hoc ergo *in circuitu impii ambulant*[h], naturaliter appetentes unde finiant appetitum, et insipienter respuentes unde propinquent fini : fini dico, non consumptioni, sed consummationi. Quamobrem non beato fine
5 consummari, sed consumi vacuo labore accelerant, qui rerum magis specie quam auctore delectati, prius universa percurrere et de singulis cupiunt experiri, quam ad ipsum curent universitatis Dominum pervenire. Et quidem pervenirent, si quandoque voti compotes effici possent, ut
10 omnia scilicet, praeter omnium principium, unus aliquis obtineret. Ea namque suae cupiditatis lege, qua in rebus ceteris non habita prae habitis esurire, et pro non habitis habita fastidire solebat, mox omnibus *quae in caelo et quae in terra sunt*[i] obtentis et contemptis, tandem ad
15 ipsum procul dubio curreret, qui solus deesset omnium Deus. Porro ibi quiesceret, quia sicut citra nulla revocat quies, sic nulla ultra iam inquietudo sollicitat. Diceret pro certo : *Mihi autem adhaerere Deo bonum est*[j]. Diceret :
136 *Quid enim mihi est in caelo, et a te quid volui super*
20 *terram?*[k] Et item : *Deus cordis mei, et pars mea Deus in aeternum*[l]. Sic ergo, ut dictum est, ad id quod optimum est, quivis cupidus perveniret, si quidem ante, quod citra cupit, assequi posset.

19. h. Ps. 11, 9 || i. Éphés. 1, 10 ≠ || j. Ps. 72, 28 || k. Ps. 72, 25 || l. Ps. 72, 26

un objet dont la possession te supprimerait tout autre désir, quel besoin y a-t-il de tâcher de gagner aussi tout le reste? Tu prends le mauvais chemin et tu mourras bien avant que cette marche en rond te mène au but souhaité.

Les créatures ou leur Créateur?

19. Voilà donc «la marche en rond des impies[h].» Il est naturel qu'ils recherchent de quoi apaiser leur désir, mais leur folie est de rejeter avec mépris ce qui les rapprocherait de leur fin: je parle de fin, non pas d'épuisement mais d'achèvement. C'est pourquoi ils se hâtent non pas vers l'achèvement d'une fin bienheureuse, mais vers l'épuisement d'une peine perdue, ceux qui, trouvant leurs délices dans l'apparence des créatures plus que dans leur Créateur, désirent parcourir d'abord l'univers et faire l'expérience de chaque être avant de se soucier de parvenir au Seigneur même de l'univers. Certainement ils y parviendraient, s'ils obtenaient un jour la satisfaction de tous leurs désirs et s'il se pouvait qu'un seul homme possédât la totalité des choses, hormis le Principe de tout. Car selon la loi de sa convoitise, qui lui a fait désirer sans cesse ce qui lui manquait encore, et se dégoûter aussitôt de ce qu'il possédait déjà, on le verrait de nouveau mépriser, à peine obtenu, tout «ce qui est au ciel et sur la terre[i]». Finalement cet homme courrait sans aucun doute vers celui qui seul entre tous lui manquerait: Dieu. Là enfin il se reposerait, car de même qu'en deçà nul repos ne le retient, de même au-delà aucun trouble ne l'agite plus. Il est certain qu'il dirait: «Il m'est bon de m'attacher à Dieu[j].» Il dirait aussi: «Qu'y a-t-il pour moi dans le ciel et qu'ai-je désiré sur la terre, sinon toi[k]?» Et encore: «Tu es le Dieu de mon cœur; ma part, c'est Dieu pour toujours[l].» Voilà donc, comme je l'ai dit plus haut, comment tout homme qui le désire parviendrait au bien suprême, s'il pouvait d'abord obtenir tout ce qu'il désire d'inférieur.

20. Verum quoniam id omnino impossibile praestruit et vita brevior, et virtus infirmior, et consors numerosior, longo profecto itinere et casso labore desudant, qui dum quaeque desiderant, attingere volunt, ad cunctorum desi-
5 derabilium nequeunt pertingere finem. Et utinam attingere universa animo, et non experimento, vellent! Hoc enim facile possent, et non incassum. Nam et animus sensu quidem carnali tanto velocior, quanto et perspicacior, ad hoc datus est, ut illum ad omnia praeveniat, nihilque
10 audeat contingere sensus, quod animus praecurrens ante utile non probaverit. Hinc enim arbitror dictum : *Omnia probate, quod bonum est tenete*[m], ut videlicet ille huic provideat, nec is suum votum, nisi ad illius iudicium consequatur. Alioquin non ascendes in montem Domini
15 nec stabis in loco sancto eius, pro eo quod *in vano acceperis animam tuam*[n], hoc est animam rationalem, dum instar pecoris sensum sequeris, ratione quidem otiosa et non resistente in aliquo. Quorum itaque ratio non praevenit gressus, currunt, sed extra viam, ac perinde, Apostoli
20 spreto consilio, *non sic currunt ut apprehendant*[o]. Quando etenim apprehendant, quem apprehendere nisi post omnia nolunt? Distortum iter et circuitus infinitus, cuncta primitus attentare velle.

20. m. I Thess. 5, 21 || n. Ps. 23, 3-4 ≠ || o. I Cor. 9, 24 ≠

1. «Si encore ils voulaient atteindre toutes choses par leur esprit, et non par l'expérience» : Cette phrase oppose l'homme usant de la raison (*Dil* 18, l. 1) aux bêtes dépourvues de raison qui doivent se laisser guider par l'expérience des sens.

Soumettre la convoitise au jugement de la raison

20. Mais cette possession universelle est d'avance rendue absolument impossible par la brièveté de la vie, la faiblesse des forces humaines et le nombre des partenaires. Ceux qui prétendent obtenir la jouissance de tout ce qu'ils désirent, parcourent un long chemin, se donnent beaucoup de peine, mais en vain, et ne peuvent jamais obtenir la satisfaction de toutes leurs prétentions. Et si encore c'était par leur esprit et non par l'expérience sensible qu'ils voulaient atteindre toutes choses[1] ! Cela, en effet, ils le pourraient facilement et ils ne le feraient pas en vain. Car par rapport à la sensation corporelle, l'esprit est d'autant plus rapide qu'il est aussi plus pénétrant ; il a été donné dans le but de devancer les sens en tous domaines et pour que les sens ne touchent à rien dont l'esprit qui les devance n'ait auparavant vérifié l'utilité. C'est de là que vient, à mon avis, cette parole : « Vérifiez tout ; ce qui est bon, retenez-le[m] », c'est-à-dire : que l'esprit veille sur la sensation et que celle-ci ne suive son propre désir que conformément au jugement de l'esprit. Sinon tu ne graviras pas la montagne du Seigneur et tu ne te tiendras pas dans son lieu saint. Parce que « c'est en vain que tu aurais reçu ton âme[n] », c'est-à-dire ton âme raisonnable, en suivant ta sensation à la ressemblance des bêtes, ta raison demeurant alors inactive et sans aucune résistance. Ainsi ceux dont la raison ne précède pas la marche, courent sans doute, mais en dehors de la route et par suite, au mépris du conseil de l'Apôtre, «ils ne courent pas de manière à atteindre le but[o].» Et de fait, quand atteindraient-ils celui qu'ils ne veulent atteindre qu'après s'être emparés de tout le reste? Prétendre d'abord à cette possession universelle, c'est un long détour, un circuit sans fin.

21. Iustus autem non ita. *Audiens nempe vituperationem multorum commorantium in circuitu*[p] – *multi enim sunt viam latam pergentes, quae ducit ad mortem*[q] –, ipse sibi *regiam eligit viam, non declinans ad dexteram vel ad*
5 *sinistram*[r]. Denique, attestante Propheta, *semita iusti recta est, rectus callis iusti ad ambulandum*[s]. Hi sunt, qui salubri compendio cauti sunt molestum hunc et infructuosum vitare circuitum, *verbum abbreviatum*[t] et abbrevians eligentes, non
137 cupere quaecumque vident, sed *vendere* magis *quae pos-*
10 *sident et dare pauperibus*[u]. *Beati* plane *pauperes, quoniam ipsorum est regnum caelorum*[v]. *Omnes quidem currunt*[w], sed inter currentes discernitur. Denique *novit Dominus viam iustorum, et iter impiorum peribit*[x]. Ideo autem *melius est modicum iusto super divitias peccatorum multas*[y], quoniam
15 quidem – ut Sapiens loquitur et insipiens experitur –, *qui diligit pecuniam, non saturabitur pecunia*[z]; *qui* autem *esuriunt et sitiunt iustitiam, ipsi saturabuntur*[a]. Iustitia siquidem ratione utentis spiritus cibus est vitalis et natu-

21. p. Ps. 30, 14 ≠ || q. Matth. 7, 13 (Patr.) || r. Nombr. 20, 17 ≠; Nombr. 21, 22 ≠ || s. Is. 26, 7 || t. Rom. 9, 28 ≠ || u. Matth. 19, 21 ≠ || v. Matth. 5, 3 ≠ || w. I Cor. 9, 24 || x. Ps. 1, 6 || y. Ps. 36, 16 || z. Eccl. 5, 9 (Patr.) || a. Matth. 5, 6 ≠

1. ** Ici, comme dans trois autres allusions et dans une citation, Bernard emploie *ad mortem*, avec de rares Pères ; il n'emploie ni *perditionem* (Vulgate, Pères), ni *interitum* (Pères).

2. «Verbum abbreviatum et abbrevians» : Ces mots reçoivent dans le vocabulaire mystique de Bernard un sens nouveau. Appliqués à Dieu le Verbe, ils servent à désigner l'abaissement, le dépouillement, l'humiliation volontaire du Fils de Dieu devenu homme. Voir V. LOSSKY, «Études sur la terminologie de saint Bernard.» *Archivum latinitatis medii aevi*, 17 (1942), p. 87-90. – ** Les dix emplois de ce texte – tous des allusions – comportent *abbrevians* et *abbreviatum*, comme la famille de mss Φ («la Bible d'Alcuin») et la Vulgate Clémentine, et non *brevians* et *breviatum*, comme l'édition critique et plusieurs Pères (Jérôme, Augustin).

Dieu seul peut combler le cœur de l'homme

21. Tel n'est pas le cas du juste. «Il entend, en effet, les reproches adressés à tant de gens qui s'attardent en ce circuit[p]», car «ils sont nombreux ceux qui suivent la route large qui mène à la mort[q][1]», mais lui, «il choisit la voie royale sans dévier à droite ni à gauche[r].» Bref, d'après le témoignage du prophète, «le sentier du juste est droit, tout droit le sentier du juste pour y marcher[s].» Il s'agit de ceux qui, par un raccourci salutaire, ont pris soin d'éviter ce circuit pénible et stérile. En choisissant le «Verbe abrégé[t]» et abrégeant[2], ils ne désirent pas tout ce qu'ils voient, mais ils préfèrent «vendre leurs possessions et les donner aux pauvres[u].» Oui, «heureux les pauvres, car le Royaume des cieux est à eux [v].» «Certes tous courent[w]», mais il y a une différence à faire entre les coureurs. En effet, «le Seigneur connaît le chemin des justes, mais le chemin des impies se perdra[x].» Ainsi «mieux vaut peu pour le juste que la grande fortune des pécheurs[y].» Selon la parole du Sage et l'expérience de l'insensé, «qui aime l'argent n'en sera pas rassasié[z][3]»; mais «ceux qui ont faim et soif de la justice, eux seront rassasiés[a].» Car pour qui use de la raison, la justice est l'aliment vital et naturel de l'esprit, tandis que l'argent

3. ** Dans cette citation comme dans deux allusions (*Conv* 26, *SBO* IV, 101, l. 2; *NatV* 5, 2, *SBO* IV, 230, l. 12), Bernard s'éloigne tant de la Vulgate que l'on pourrait se demander si c'est bien ce texte biblique qui est en jeu. Ambroise cite deux fois un texte proche de celui de Bernard: «Qui diligit argentum, non satiabitur argento» (*De Cain* 1, 5, *CSEL* 32/1, Vienne 1896, p. 358; *De Nabuthae* 6, *CSEL* 32/2, Vienne 1897, p. 483). Quant à Jérôme, il a aussi un texte très proche: «Qui diligit pecuniam, non implebitur pecunia» (*Comm. Is.* 1, 1, 23; *CSEL* 73, Vienne 1963, p. 22) ainsi qu'un autre à mi-chemin entre la Vulgate et Bernard: «Qui diligit argentum, non implebitur argento, et qui diligit divitias, non fruetur eis.» (*Comm. Eccl.* 5, 9; *CSEL* 72, Vienne 1969, p. 294).

ralis; pecunia vero sic non minuit animi famem, quomodo
20 nec corporis ventus. Denique si famelicum hominem apertis faucibus vento, inflatis haurire buccis aerem cernas, quo quasi consulat fami, nonne credas insanire? Sic non minoris insaniae est, si spiritum rationalem rebus putes quibuscumque corporalibus non magis inflari quam satiari.
25 Quid namque de corporibus ad spiritus? Nec illa sane spiritualibus, nec isti e regione refici corporalibus queunt. *Benedic, anima mea, Domino, qui replet in bonis desiderium tuum*[b]. Replet in bonis, excitat ad bonum, tenet in bono; praevenit, sustinet, implet. Ipse facit ut desi-
30 deres, ipse est quod desideras.

22. Dixi supra : causa diligendi Deum, Deus est. Verum dixi, nam et efficiens, et finalis. Ipse dat occasionem, ipse creat affectionem, desiderium ipse consummat. Ipse fecit, vel potius factus est, ut amaretur; ipse speratur amandus
5 felicius, ne in vacuum sit amatus. Eius amor nostrum et praeparat, et remunerat. Praecedit benignior, rependitur iustior, exspectatur suavior. *Dives est omnibus qui invocant eum*[c], nec tamen habet quidquam seipso melius. Se dedit in meritum, se servat in praemium, se apponit *in refec-*
10 *tione animarum sanctarum*[d], se in redemptione distrahit

b. Ps. 102, 1.5
22. c. Rom. 10, 12 ≠ || d. Sag. 3, 13 ≠

1. Cette phrase prépare la pensée de Pascal sur l'ordre des corps, l'ordre des esprits et l'ordre de la charité. Voir PASCAL, *Pensées* 829 (*Œuvres complètes*, éd. J. Chevalier, Paris 1954, p. 1341-1342).

2. «Se dedit in meritum, se servat in praemium» : voir THOMAS D'AQUIN, [Verbum Supernum] : «Se nascens dedit socium, convescens in edulium, se moriens in pretium, se regnans dat in praemium», «Par sa naissance, il se donna comme compagnon; en partageant notre table, il se donne comme aliment; en mourant (sur la croix), il se donne comme rançon; en régnant (au ciel), il se donne comme récompense».

n'apaise pas mieux la faim de l'esprit que le vent ne rassasie la faim du corps. En effet, si l'on voyait un affamé ouvrir la bouche au vent et aspirer de l'air avec ses joues gonflées comme pour remédier à sa faim, ne le jugerait-on pas en état de folie? De même, il n'y a pas moins de folie à croire que les choses corporelles, quelles qu'elles soient, rassasient l'esprit raisonnable, alors qu'elles ne font que l'enfler. Quel rapport, en effet, entre corps et esprits? Ni les corps ne peuvent être restaurés par des réalités spirituelles, ni inversement l'esprit ne peut se nourrir de choses corporelles[1]. «Mon âme, bénis le Seigneur, qui comble de biens ton désir[b].» Il comble de biens, il incite au bien, il garde dans le bien; il prévient, il soutient, il comble. C'est lui le principe de ton désir, c'est lui l'objet de ton désir.

Dieu, cause efficiente et cause finale de notre amour

22. J'ai dit plus haut: la cause de notre amour de Dieu, c'est Dieu. J'ai dit vrai, car il en est la cause efficiente et la cause finale. C'est lui qui donne l'occasion, lui qui crée l'attachement, lui qui mène le désir à son achèvement. Il a fait qu'on l'aime; ou plutôt il s'est fait homme pour être aimé. Afin qu'on ne l'ait pas aimé en vain, nous espérons pouvoir l'aimer un jour avec plus de bonheur encore. Son amour prépare et récompense le nôtre. Il prévient avec plus de bonté; il est payé de retour avec plus de droit; il est attendu avec plus de douceur. «Il est riche pour tous ceux qui l'invoquent[c]», et pourtant il n'a rien de meilleur que lui-même. Il s'est donné pour mériter notre amour, il se réserve pour être notre récompense[2], il se constitue «le réconfort des âmes saintes[d3]»,

3. ** Le texte biblique latin que suit Bernard est corrompu. Cf. *Tpl* 12 (*SC* 367, 82, note).

captivarum. *Bonus es, Domine, animae quaerenti te*[e]. Quid ergo invenienti? Sed enim in hoc est mirum, quod nemo
138 quaerere te valet, nisi qui prius invenerit. Vis igitur inveniri ut quaeraris, quaeri ut inveniaris. Potes quidem quaeri et
15 inveniri, non tamen praeveniri.

Nam etsi dicimus : *Mane oratio mea praeveniet te*[f], non dubium tamen quod tepida sit omnis oratio, quam non praevenerit inspiratio. Dicendum iam unde inchoet amor noster, quoniam ubi consummetur dictum est.

VIII. 23. Amor est affectio naturalis una de quatuor. Notae sunt : non opus est nominare. Quod ergo naturale est, iustum quidem foret primo omnium auctori deservire naturae. Unde et dictum est primum et maximum man-
5 datum : *Diliges Dominum Deum tuum, etc.*[a]

e. Lam. 3, 25 ≠ || f. Ps. 87, 14
23. a. Matth. 22, 37

---

1. ** Bernard cite 4 fois ce texte à la 3e personne, en suivant à peu près la Vulgate, et 8 fois, comme ici, en le mettant au vocatif, avec un texte bien plus fixe. Veut-il dramatiser? Ou suivrait-il un lectionnaire ainsi rédigé? Pensée et formulation lui sont chères.

2. Voir A. Wilmart, *Le «Jubilus» dit de saint Bernard*, p. 147 : «Quam bonus Te quaerentibus, sed quid invenientibus?»

3. «Nemo quaerere te valet, nisi qui prius invenerit» : voir Pascal, *Pensées* 736 (*Œuvres complètes*, éd. J. Chevalier, Paris 1954, p. 1313), «Console-toi, tu ne me chercherais pas, si tu ne m'avais trouvé».

4. Voir Augustin, *Trin.* XV, 2, 2 (*CCL* 50A, p. 461, l. 22-23) : «Nam et quaeritur ut inveniatur dulcius, et invenitur ut quaeratur avidius», «Car on le cherche pour le trouver d'une façon plus douce, et on le trouve pour le chercher avec plus d'avidité encore.»

5. La grâce prévenante deviendra un terme classique de la théologie scolastique.

il se livre en rançon pour les âmes captives. «Tu es bon, Seigneur, pour l'âme qui te cherche[e][1].» Que sera-ce donc pour celle qui te trouve[5]? Car voici la merveille : personne n'est capable de te chercher s'il ne t'a d'abord trouvé[3]. Tu veux donc être trouvé pour être cherché, être cherché pour être trouvé[4]. Certes on peut te chercher et te trouver, mais non te prévenir. Car, bien que nous disions : «Au matin, ma prière te préviendra[f]», on ne peut pourtant mettre en doute la tiédeur de toute prière que n'aura pas prévenue ton inspiration[5].

Les degrés de l'amour

Il faut dire maintenant le point de départ de notre amour tout comme on a dit où se trouve son achèvement.

VIII. 23. L'amour est l'un des quatre sentiments naturels. On les connaît : il n'est pas nécessaire de les nommer[6]. Ce qui est naturel, il serait bien juste de le mettre en toute priorité au service de l'auteur de la nature[7]. De là vient l'énoncé du premier, du plus grand commandement : «Tu aimeras le Seigneur ton Dieu etc.[a]»

6. «Notae sunt» : Voici le quatuor le plus connu : *amor* et *laetitia, timor* et *tristitia, Div* 50, 2 (*SBO* VI-1, 271, l. 17); *Div* 72, 4 (*SBO*, VI-1, 310, l. 15). Bernard mentionne au moins quatre autres séries. Voir P. Delfgaauw, *Saint Bernard maître de l'amour divin*, Rome 1952, p. 70.

7. «Auctori naturae» : même idée chez Guillaume de Saint-Thierry, *Epistola ad Fratres de Monte Dei*, 50, 4 (*SC* 223, p. 184).

Primus gradus amoris, cum homo diligit se propter se

Sed quoniam natura fragilior atque infirmior est, ipsi primum, imperante necessitate, compellitur inservire. Et 10 est amor carnalis, quo ante omnia homo diligit seipsum propter seipsum. Nondum quippe sapit nisi seipsum, sicut scriptum est : *Prius quod animale, deinde quod spirituale*[b]. Nec praecepto indicitur, sed naturae inseritur. *Quis nempe carnem suam odio habuit*[c]*?* At vero si coeperit amor 15 idem, ut assolet, esse profusior sive proclivior et, necessitatis alveo minime contentus, campos etiam voluptatis exundans latius visus fuerit occupare, statim superfluitas obviante mandato cohibetur, cum dicitur : *Diliges proximum tuum sicut teipsum*[d].

20 Iustissime quidem, ut consors naturae[e] non sit exsors et gratiae, illius praesertim gratiae, quae naturae insita est. Quod si gravatur homo fraternis, non dico necessitatibus subvenire, sed et voluptatibus deservire, castiget ipse suas, 139 si non vult esse transgressor. Quantum vult, sibi indulgeat, 25 dum aeque et proximo tantumdem meminerit exhibendum. Frenum tibi temperantiae imponitur, o homo, *ex lege vitae et disciplinae*[f], *ne post concupiscentias tuas eas*[g] et pereas,

b. I Cor. 15, 46 ≠ || c. Éphés. 5, 29 ≠ || d. Matth. 22, 39 || e. Cf. II Pierre 1, 4 || f. Sir. 45, 6 ≠ || g. Sir. 18, 30 ≠

---

1. Les quatre degrés de l'amour sont admirablement décrits et expliqués dans la thèse de P. DELFGAAUW, *Saint Bernard, maître de l'amour divin*, Rome 1952, p. 169-188.

2. Voir introduction p. 38-39.

3. Voir AUGUSTIN, *Serm.* 368, IV, 4 (*PL* 36, 1654) : « Ergo dilectio unicuique a se incipit et non potest nisi a se incipere, et nemo monetur ut se diligat », « Pour tout homme, l'amour commence par l'amour de soi, et il ne peut commencer que par cet amour de soi. Il ne faut rappeler à personne qu'il doit s'aimer. »

Premier degré de l'amour: l'homme s'aime pour lui-même[1]

Amour de soi

Mais puisque la nature est trop fragile et trop faible, la nécessité lui commande de se mettre d'abord au service d'elle-même. C'est l'amour charnel, par lequel, avant tout, l'homme s'aime lui-même pour lui-même[2]. Car il n'a encore d'attrait que pour lui-même, comme dit l'Écriture: «Ce qui est animal vient d'abord, ensuite ce qui est spirituel[b].» L'Apôtre ne parle pas d'un commandement qui est donné, mais il signale un fait inhérent à la nature. En effet, «qui a jamais haï sa propre chair?[c]» Mais si cet amour naturel se met, à son habitude, à se répandre (comme une rivière) et à se déverser avec excès et, sans se contenter du lit de la nécessité, semble dans son débordement démesuré s'étaler jusque dans les plaines de la volupté, aussitôt l'opposition d'un commandement réprime cet excès en disant: «Tu aimeras ton prochain comme toi-même[d3].»

Amour du prochain[4]

Oui, c'est toute justice que celui qui participe à la nature[e] ne soit pas exclu de la grâce, surtout de cette grâce qui se trouve inhérente à la nature. S'il est à charge à l'homme, je ne dis pas de subvenir aux besoins de ses frères, mais aussi de veiller à leurs plaisirs, qu'il réprime les siens s'il ne veut être transgresseur de la loi. Qu'il se permette tout ce qu'il veut, à condition de se souvenir de l'obligation d'en accorder tout autant à son prochain. «La loi de la vie et de la discipline[f]» t'impose, ô homme, le frein de la modération, «pour que tu n'ailles pas à ta perte en suivant tes convoitises[g]», pour que tu

4. C'est par l'amour du prochain et par les épreuves de la vie (§ 25) que l'amour de soi s'ouvre à l'amour de Dieu.

ne de bonis naturae hosti servias animae, hoc est libidini. Quam iustius atque honestius communicas illa consorti, 30 quam hosti, id est proximo? Et quidem si ex Sapientis consilio *a voluptatibus tuis averteris*[h] et, iuxta doctrinam Apostoli, *victu vestituque contentus*[i], paulisper suspendere non gravaris amorem tuum *a carnalibus desideriis, quae militant adversus animam*[j], sane quod subtrahis hosti 35 animae tuae, consorti naturae[k] puto non gravaberis impertiri. Tunc amor tuus et temperans erit, et iustus, si quod propriis subtrahitur voluptatibus, fratris necessitatibus non negetur. Sic amor carnalis efficitur et socialis, cum in commune protrahitur.

24. Si autem dum communicas proximo, forte tibi defuerint et necessaria, quid facies? Quid enim, nisi ut *cum omni fiducia*[l] postules *ab eo qui dat omnibus affluenter et non improperat*[m], qui *aperit manum suam* 5 *et implet omne animal benedictione*[n]? Dubium siquidem non est, quod adsit libenter in necessariis, qui plerisque et in superfluis non deest. Denique ait : *Primum quaerite regnum Dei et iustitiam eius, et haec omnia adicientur vobis*[o]. Sponte daturum se pollicetur necessaria, superflua 10 restringenti et proximum diligenti. Hoc quippe est *quaerere regnum Dei*[p] et adversus peccati implorare tyrannidem,

h. Sir. 18, 30 (RB) || i. I Tim. 6, 8 (Patr.) || j. I Pierre 2, 11 || k. Cf. II Pierre 1, 4

24. l. Act. 4, 29 || m. Jac. 1, 5 ≠ || n. Ps. 144, 16 ≠ || o. Lc 12, 31 ≠ || p. Lc 12, 31 ≠

---

1. ** Bernard, chaque fois qu'il utilise la 2e partie de ce v. (5 fois), use du pluriel, comme le fait la RÈGLE (7, 19). Les mss de Bernard hésitent plusieurs fois entre *voluntatibus* et *voluptatibus*, comme le font beaucoup de mss médiévaux pour ces deux mots, per ex. ceux qui ont été collationnés au long de *l'editio major* de la Vulgate : l'orthographe était incertaine, mais la différenciation entre le «désir» et la «volonté» à laquelle il aboutit n'était pas non plus toujours claire.

2. ** Ici, Bernard attribue à Paul ces trois mots d'apparence banale,

ne te mettes pas au moyen des biens de la nature sous l'esclavage de l'ennemie de l'âme, c'est-à-dire la passion. Quoi de plus juste et de plus honorable que de partager ces biens avec ton compagnon, c'est-à-dire ton prochain, plutôt qu'avec cette ennemie! Certes si tu suis le conseil du Sage et «te détournes de tes plaisirs[h1]», si – selon l'enseignement de l'Apôtre – «tu te contentes de la nourriture et du vêtement[i2]», tu n'auras pas grand mal à soustraire un peu ton amour «aux désirs de la chair qui font la guerre à l'âme[j].» A coup sûr, ce que tu retranches à l'ennemie de ton âme, tu le communiqueras sans peine, à mon avis, à celui qui partage ta nature[k]. Alors ton amour sera à la fois équilibré et juste, si ce qui est retranché à tes propres plaisirs n'est pas refusé aux besoins de ton frère. C'est ainsi que l'amour charnel devient aussi social, quand il s'élargit en vue du bien commun.

24. Au moment où tu partages avec ton prochain, il peut t'arriver de manquer même du nécessaire, alors que feras-tu? Quoi, sinon demander «en toute confiance[l]» «à celui qui donne à tous en abondance et sans reproche[m]», qui «ouvre la main et comble de bénédictions tout ce qui vit[n]»? Aucun doute, en effet, qu'il ne soit présent volontiers dans les nécessités celui qui, la plupart du temps, ne refuse même pas le superflu. D'ailleurs il dit: «Cherchez d'abord le Royaume de Dieu et sa justice, et tout cela vous sera donné par surcroît[o3].» De lui-même il promet de donner le nécessaire à celui qui restreint son superflu par amour du prochain. C'est cela «chercher le Royaume de Dieu[p]» et demander avec larmes son aide

auxquels il fait souvent allusion sous cette forme *Vieille Latine*.

3. ** Cette citation, unique chez Bernard, est conforme à la Vulgate Clémentine, contre l'édition critique, sur deux points, les ajouts de *primum* et de *et iustitiam eius*.

pudicitiae potius ac sobrietatis subire iugum, quam *regnare peccatum in tuo mortali corpore*[q] patiaris. Porro autem et hoc iustitiae est, cum quo tibi est natura communis, 15 naturae quoque cum eo munus non habere divisum.

25. Ut tamen perfecta iustitia sit diligere proximum, Deum in causa haberi necesse est[r]. Alioquin proximum pure diligere quomodo potest, qui in Deo non diligit? Porro in Deo diligere non potest, qui Deum non diligit. 5 Oportet ergo Deum diligi prius, ut in Deo diligi possit 140 et proximus[s]. Facit ergo etiam se diligi Deus, qui et cetera bona facit. Facit autem sic : qui naturam condidit, ipse et protegit. Nam et ita condita fuit, ut habeat iugiter necessarium protectorem, quem habuit et conditorem, ut quae 10 nisi per ipsum non valuit esse, nec sine ipso valeat omnino subsistere. Quod ne sane de se creatura ignoret, ac perinde sibi, quod absit, superbe arroget beneficia creatoris, vult hominem idem conditor, alto quidem salubrique consilio, tribulationibus exerceri, ut cum defecerit 15 homo et subvenerit Deus, dum homo liberatur a Deo, Deus ab homine, ut dignum est, honoretur. Hoc enim dicit : *Invoca me in die tribulationis : eruam te, et honorificabis me*[t]. Fit itaque hoc tali modo, ut homo animalis[u] et carnalis, qui praeter se neminem diligere noverat, etiam 20 Deum vel propter se amare incipiat, quod in ipso nimirum, ut saepe expertus est, omnia possit[v], quae posse tamen prosit, et *sine ipso possit nihil*[w].

q. Rom. 6, 12 ≠
25. r. Cf. Mc 12, 30-31 || s. Cf. Mc 12, 30-31 || t. Ps. 49, 15 ≠ || u. Cf. I Cor. 2, 14 || v. Cf. Phil. 4, 13 || w. Jn 15, 5 ≠

contre la tyrannie du péché. C'est cela prendre sur toi le joug de la pureté et de la tempérance au lieu d'accepter «en ton corps mortel le règne du péché[q]». De plus il est juste que celui qui partage ta nature ne soit pas exclu de ce qu'offre cette nature.

Aimer son prochain pour Dieu

25. Toutefois pour que l'amour du prochain réalise parfaitement la justice, il faut nécessairement que Dieu en soit la cause[r]. Sinon comment peut-il aimer son prochain de façon désintéressée, celui qui ne l'aime pas en Dieu? Or il ne peut aimer en Dieu, celui qui n'aime pas Dieu. Il faut donc d'abord aimer Dieu pour pouvoir aussi aimer en Dieu le prochain[s]. Or Dieu qui est l'auteur de tout bien, fait aussi que nous puissions l'aimer. Il le fait ainsi : lui qui a créé la nature, c'est lui aussi qui la protège. Car elle a été créée de manière à avoir toujours nécessairement comme protecteur celui qu'elle a eu pour créateur. Sans lui elle n'aurait pu exister; sans lui non plus, elle ne pourrait aucunement subsister. Pour que la créature n'ignore vraiment pas cette vérité qui la concerne et par suite ne s'arroge avec orgueil – à Dieu ne plaise! – les bienfaits du créateur, ce créateur, assurément dans un profond dessein de salut, veut que l'homme passe par des épreuves. Ainsi la défaillance de l'homme et le secours de Dieu feront qu'au moment où l'homme est libéré par Dieu, Dieu soit, comme il convient, honoré par l'homme. Il le dit : «Invoque-moi au jour de l'épreuve; je te délivrerai et tu m'honoreras[t].» Cela se fait donc de telle sorte que l'homme animal[u] et charnel, qui ne savait aimer personne en dehors de lui, commence aussi d'aimer Dieu pour soi parce que, comme il en a fait souvent l'expérience, c'est bien en Dieu qu'il peut tout[v] – du moins ce qu'il lui est utile de pouvoir – et que «sans Dieu il ne peut rien[w].»

Secundus gradus amoris, cum homo diligit Deum propter se

IX. 26. Amat ergo iam Deum, sed propter se interim, adhuc non propter ipsum. Est tamen quaedam prudentia scire quid ex te, quid ex Dei adiutorio possis, et ipsi te servare infensum, qui te tibi servat illaesum. At si fre-
5 quens ingruerit tribulatio, ob quam et frequens ad Deum conversio fiat, et a Deo aeque frequens liberatio consequatur, nonne, etsi fuerit ferreum pectus vel *cor lapideum*[a] toties liberati, emolliri necesse est ad gratiam liberantis, quatenus Deum homo diligat, non propter se tantum, sed
10 et propter ipsum?

Tertius gradus amoris, cum homo diligit Deum propter ipsum

141 Ex occasione quippe frequentium necessitatum crebris necesse est interpellationibus Deum ab homine frequentari,
15 frequentando gustari, gustando probari *quam suavis est Dominus*[b]. Ita fit, ut ad diligendum pure Deum plus iam ipsius alliciat gustata suavitas quam urgeat nostra necessitas, ita ut exemplo Samaritanorum, dicentium mulieri quae adesse Dominum nuntiaverat : *Iam non propter tuam*
20 *loquelam credimus; ipsi enim audivimus, et scimus quia ipse est vere Salvator mundi*[c], ita, inquam, et nos illorum exemplo carnem nostram alloquentes, dicamus merito : «Iam non propter tuam necessitatem Deum diligimus ; ipsi

26. a. Éz. 11, 19; Éz. 36, 26 || b. Ps. 33, 9 ≠ || c. Jn 4, 42 ≠

---

1. Grâce aux multiples expériences de la miséricorde divine, l'âme est tellement fascinée par Dieu qu'elle en vient à s'oublier elle-même.
2. P. Delfgaauw a raison de parler ici de conversion. Mais cette conversion n'est pas tant une décision de la volonté humaine, qu'une réponse à la douceur du Seigneur qui amollit la dureté du cœur humain. Voir *Div.* 3, 1 (*SBO* VI-1, 87, l. 4-8).

Deuxième degré de l'amour : l'homme aime Dieu pour soi

IX. 26. Il aime donc Dieu maintenant, mais pour le moment c'est pour soi, pas encore pour Dieu. Il y a pourtant une sorte de sagesse à distinguer ce que l'on peut par soi-même et ce que l'on peut avec l'aide de Dieu, et à se garder de s'opposer à celui qui nous garde de tout mal. Mais si les épreuves s'abattent et se multiplient de manière à provoquer de fréquents retours à Dieu et à obtenir de lui une libération aussi fréquente[1], ne faut-il pas que cet homme si souvent libéré s'amollisse de reconnaissance pour son libérateur, quand bien même il aurait une poitrine d'airain et « un cœur de pierre[a] », de sorte qu'il en aime Dieu, non plus seulement pour soi-même mais aussi pour Dieu ?

Troisième degré de l'amour : l'homme aime Dieu pour Dieu

Oui, à l'occasion de ses fréquentes nécessités, inévitablement l'homme s'adresse souvent à Dieu par des appels répétés ; en le faisant souvent, il goûte Dieu ; en le goûtant, il éprouve « combien le Seigneur est doux[b2]. » De ce fait, pour aimer Dieu de façon désintéressée, le goût de sa douceur constitue désormais un attrait plus fort que la nécessité de son aide. A l'exemple des Samaritains disant à la femme qui avait annoncé la présence du Seigneur : « Ce n'est plus sur ta parole que nous croyons ; nous-mêmes nous l'avons entendu et nous savons que c'est vraiment lui le sauveur du monde[c] », ainsi, dis-je, nous aussi à leur exemple nous nous adressons à notre chair et lui disons à juste titre : « Ce n'est plus à cause de ta nécessité que nous aimons Dieu ; nous-mêmes avons goûté

enim gustavimus et scimus *quoniam suavis est Dominus*[d].»
25 Est enim carnis quaedam loquela necessitas, et beneficia quae experiendo probat, gestiendo renuntiat. Itaque sic affecto, iam de diligendo proximo implere mandatum[e] non erit difficile. Amat quippe veraciter Deum, ac per hoc quae Dei sunt. Amat caste, et casto non gravatur
30 oboedire mandato, *castificans* magis *cor suum*, ut scriptum est, *in oboedientia caritatis*[f]. Amat iuste, et mandatum iustum libenter amplectitur. Amor iste merito gratus, quia gratuitus. Castus est, quia *non impenditur verbo neque lingua, sed opere et veritate*[g]. Iustus est, quoniam qualis
35 suscipitur, talis et redditur. Qui enim sic amat, haud secus profecto quam amatus est, amat, *quaerens* et ipse vicissim *non quae sua sunt, sed quae Iesu Christi*[h], quemadmodum ille nostra, vel potius nos[i], et non sua quaesivit. Sic amat qui dicit: *Confitemini Domino quoniam bonus*[j]. Qui
40 Domino confitetur, non quoniam sibi bonus est, sed quoniam bonus est, hic vere diligit Deum propter Deum, et non propter seipsum. Non sic amat de quo dicitur: *Confitebitur tibi cum benefeceris ei*[k]. Iste est tertius amoris gradus, quo iam propter seipsum Deus diligitur.

d. Ps. 33, 9 || e. Cf. Mc 12, 31 || f. I Pierre 1, 22 ≠ || g. I Jn 3, 18 ≠ || h. Phil. 2, 21 ≠ || i. Cf. II Cor. 12, 14 || j. Ps. 117, 1 || k. Ps. 48, 19

1. Chaste : «dépouillé de tout retour sur soi».

et nous savons «que le Seigneur est doux[d].» En effet, la nécessité est comme un langage de la chair; et les bienfaits qu'elle éprouve par expérience, elle les fait connaître par ses tressaillements. Pour quelqu'un qui est animé d'un tel sentiment, il ne sera plus difficile d'observer le commandement de l'amour du prochain[e]. Car il aime Dieu véritablement et il aime en conséquence tout ce qui est à Dieu. Son amour est chaste[1] et il se plie sans difficulté au chaste commandement de «rendre son cœur» toujours plus «chaste dans l'obéissance de la charité[f 2]», comme le dit l'Écriture. Son amour est juste et il embrasse volontiers un commandement juste. Cet amour est agréable parce qu'il est gratuit. Il est chaste parce «qu'il ne s'exprime pas de langue ni de bouche, mais en acte et en vérité[g].» Il est juste parce que tel on le reçoit, tel aussi on le rend. En effet, qui aime de la sorte n'aime sûrement pas autrement qu'il est aimé. A son tour lui aussi «recherche non son avantage mais celui de Jésus-Christ[h]»; de même que celui-ci a recherché notre avantage – ou plutôt nous-mêmes[i] – et non pas le sien. Il aime de la sorte celui qui dit: «Rendez grâce au Seigneur, car il est bon[j].» Celui qui rend grâce au Seigneur non parce qu'il est bon pour lui, mais parce qu'il est bon, celui-là aime vraiment Dieu pour Dieu et non pour soi-même. Tel n'est pas l'amour de celui dont on dit: «Il te rendra grâce pour tes bienfaits envers lui[k].» Voilà le troisième degré de l'amour où désormais on aime Dieu pour Dieu même.

2. ** Au sujet de l'emploi inexpliqué de «cœur» au lieu de «âme», voir *Pre* 27 (*SBO* III, 262, l. 3, note).

Quartus gradus amoris, cum homo diligit se propter Deum

142 **X. 27.** Felix qui meruit ad quartum usque pertingere, quatenus nec seipsum diligat homo nisi propter Deum. *Iustitia tua, Deus, sicut montes Dei*[a]. Amor iste mons est, et mons Dei excelsus. Revera *mons coagulatus, mons*
5 *pinguis*[b]. *Quis ascendet in montem Domini*[c]*? Quis dabit mihi pennas sicut columbae, et volabo et requiescam*[d]*? Factus est in pace locus iste, et habitatio haec in Sion*[e]. *Heu mihi, quia incolatus meus prolongatus est*[f]*!* Caro et sanguis[g], vas luteum, terrena inhabitatio[h] quando capit
10 hoc? Quando huiuscemodi experitur affectum, ut divino debriatus amore animus, *oblitus sui, factusque sibi ipsi tamquam vas perditum*[i], totus pergat in Deum et, *adhaerens Deo, unus cum eo spiritus fiat*[j] et dicat : *Defecit caro mea et cor meum; Deus cordis mei, et pars mea Deus*
15 *in aeternum*[k]? Beatum dixerim et sanctum, cui tale aliquid in hac mortali vita raro interdum, aut vel semel, et hoc ipsum raptim atque unius vix momenti spatio, experiri donatum est. Te enim quodammodo perdere, tamquam

27. a. Ps. 35, 7 ≠ || b. Ps. 67, 16 ||c. Ps. 23, 3 ≠ || d. Ps. 54, 7 || e. Ps. 75, 3 ≠ || f. Ps. 119, 5 || g. Cf. Matth. 16, 17 || h. Cf. Sag. 9, 15 || i. Ps. 30, 13 ≠ || j. I Cor. 6, 17 (Patr.) || k. Ps. 72, 26

---

1. Quand on compare ce degré aux antérieurs, c'est la disparition de tout «proprium», de tout faux moi charnel qui assure la consommation de l'amour divin en nous. (P. Delfgaauw, *Saint Bernard, maître de l'amour divin*, p. 178) : «O pura et defaecata intentio voluntatis, eo ... purior, quo in ea de *proprio* nil iam admixtum relinquitur» (*Dil* 28, l. 13-16). A partir d'ici l'usage de «proprium» et de «proprietas» devient très fréquent. Ces mots ont une connotation péjorative chez Bernard (§ 6). On trouve la même signification négative dans les œuvres de Ruusbroec (*Écrits* I, éd. A. Louf, Bellefontaine 1990, p. 66-69).

2. ** Dans cette allusion, le mot *Deus* à la place de *Dominus* renvoie à une tradition Vieille Latine. *Cum eo* est un ajout patristique; *pergat*, «se dirigera», est associé 4 fois par Bernard à ce texte paulinien; voir *MalS* 6 (*SC* 367, p. 420, note 4).

Quatrième degré de l'amour : l'homme s'aime pour Dieu

X. 27. Heureux qui a mérité d'atteindre le quatrième degré où l'homme ne s'aime plus que pour Dieu[1]. «Ta justice, Seigneur, ressemble aux montagnes de Dieu[a].» Cet amour est une montagne, et une haute montagne de Dieu. C'est bien «une montagne solide, une montagne fertile[b]. Qui gravira la montagne du Seigneur[c]? Qui me donnera des ailes de colombe? je m'envolerai et me reposerai[d].» «Ce lieu a été établi dans la paix, et cette demeure se trouve en Sion[e].» «Malheur à moi! mon temps d'exil s'est prolongé[f]!» La chair et le sang[g], ce vase d'argile, cette maison de terre[h], quand comprennent-ils cela? Quand font-

L'extase

ils l'expérience d'un attachement tellement fort que l'âme s'enivre totalement de l'amour divin, «s'oublie elle-même et devient pour elle-même comme un vase mis au rebut[i]»? Quand cette âme se dirigera-t-elle tout entière vers Dieu pour «s'attacher à Dieu et devenir avec lui un seul esprit[j][2]»? Alors elle pourra dire : «Ma chair et mon cœur ont défailli; le Dieu de mon cœur et ma part, c'est Dieu pour toujours[k].» Je proclamerai saint et bienheureux celui à qui il a été donné de faire l'expérience d'une telle faveur en cette vie mortelle à de rares moments, ou même une seule fois, et cela en passant et à peine l'espace d'un instant[3]. En effet, se perdre en quelque sorte comme si

3. «In hac mortali vita raro interdum, aut vel semel, et hoc ipsum raptim atque unius vix momenti spatio» : Cette affirmation semble en contradiction avec le § 39, qui se trouve à la fin de la *Lettre aux Frères de Chartreuse*; cette lettre ayant été écrite plusieurs années avant le traité, Bernard a-t-il changé d'avis parce qu'il a été favorisé de grâces mystiques? Voilà ce qui est possible, mais difficile à prouver. Dans le § 39, il dit littéralement : «On demeure longtemps au troisième degré

qui non sis, et omnino non sentire teipsum, et a *teme-*
20 *tipso exinaniri*[1], et paene annullari, caelestis est conver-
sationis, non humanae affectionis. Et si quidem e mor-
talibus quispiam ad illud raptim interdum, ut dictum est,
et ad momentum admittitur, subito invidet *saeculum*
nequam[m], perturbat *diei malitia*[n], corpus mortis[p]
25 aggravat[o], sollicitat carnis necessitas, defectus corruptionis
non sustinet, quodque his violentius est, fraterna revocat
143 caritas. Heu! Redire in se, recidere in sua compellitur, et
miserabiliter exclamare : *Domine, vim patior; responde pro*
me[q], et illud : *Infelix ego homo, quis me liberabit de*
30 *corpore mortis huius*[r]?

28. Quoniam tamen Scriptura loquitur, *Deum omnia*
fecisse propter semetipsum[s], erit profecto ut factura sese
quandoque conformet et concordet Auctori. Oportet
proinde in eumdem nos affectum quandocumque transire,
5 ut quomodo Deus omnia esse voluit propter semetipsum,
sic nos quoque nec nosipsos, nec aliud aliquid fuisse vel
esse velimus, nisi aeque propter ipsum, ob solam ipsius
videlicet voluntatem, non nostram voluptatem. Delectabit
sane non tam nostra vel sopita necessitas, vel sortita feli-
10 citas, quam quod eius in nobis et de nobis voluntas adim-
pleta videbitur, quod et quotidie postulamus in oratione,
cum dicimus : *Fiat voluntas tua, sicut in caelo, et in terra*[t].
O amor sanctus et castus! O dulcis et suavis affectio! O

l. Phil. 2, 7 ≠ || m. Gal. 1, 4 ≠ || n. Matth. 6, 34 ≠ || o. Cf. Sag. 9, 15 || p. Cf. Rom. 7, 24 || q. Is. 38, 14 ≠ || r. Rom. 7, 24
28. s. Prov. 16, 4 ≠ || t. Matth. 6, 10

---

et je ne sais si quelqu'un peut atteindre *parfaitement* en cette vie le quatrième» (*Dil* 39, p. 160, l. 19-20). Le mot «parfaitement» est susceptible de beaucoup d'interprétations. Mais il est évident que Bernard décrit le quatrième degré comme une grâce mystique passagère.

1. «A temetipso exinaniri et paene annullari» : probablement la pre-

l'on n'existait pas, ne plus avoir aucune conscience de soi-même, «être arraché à soi-même[l]» et presque réduit à rien[1], tout cela appartient à la condition de l'homme céleste et non plus à la sensibilité de l'homme terrestre. Et si, d'aventure, un mortel est admis à cette faveur en passant et par moments, comme on l'a dit, et pour un instant, le voilà aussitôt jalousé par «la méchanceté du monde[m]», profondément troublé par «la malice du jour[n]», appesanti[o] par son corps mortel[p], importuné par les nécessités de la chair, accablé par le délabrement de sa santé et, ce qui est encore plus contraignant, rappelé par la charité fraternelle. Hélas! Le voilà obligé de revenir à lui, de retomber dans ses soucis et de s'exclamer à en faire pitié: «Seigneur, je souffre violence; interviens en ma faveur[q]»; et aussi: «Malheureux homme que je suis! Qui me délivrera de ce corps qui me voue à la mort?[r]»

L'amour exclusif de Dieu

28. Toutefois, puisque l'Écriture dit que «Dieu a tout fait pour lui-même[s]», il arrivera assurément qu'un jour l'œuvre se conforme à son auteur et s'accorde à lui. Il faut donc qu'un jour ou l'autre nous entrions dans son sentiment: comme Dieu a voulu que tout existât pour lui, ainsi faut-il que nous aussi nous voulions que ni nous-mêmes ni rien au monde n'ait existé ou n'existe que pour lui, c'est-à-dire pour sa seule volonté, non pour notre plaisir. Notre joie ne sera pas tant d'apaiser nos besoins ni d'assurer notre bonheur que de voir l'accomplissement de sa volonté en nous et par nous. C'est ce que nous demandons chaque jour dans la prière quand nous disons: «Que ta volonté soit faite sur la terre comme au ciel[t].» O amour saint et chaste! O attachement d'ex-

mière mention de l'anéantissement mystique; voir R. DAESCHLER, *DSp* 1 (1937), col. 560-565.

pura et defaecata intentio voluntatis, eo certe defaecatior
15 et purior, quo in ea de proprio nil iam admixtum relinquitur, eo suavior et dulcior, quo totum divinum est quod sentitur! Sic affici, deificari est. Quomodo stilla aquae modica, multo infusa vino, deficere a se tota videtur, dum et saporem vini induit et colorem, et quomodo ferrum
20 ignitum et candens igni simillimum fit, pristina propriaque exutum forma, et quomodo solis luce perfusus aer in eamdem transformatur luminis claritatem[u], adeo ut non tam illuminatus quam ipsum lumen esse videatur, sic omnem tunc in sanctis humanam affectionem quodam
25 ineffabili modo necesse erit a semetipsa liquescere, atque in Dei penitus transfundi voluntatem. Alioquin quomodo *omnia in omnibus erit Deus*[v], si in homine de homine quidquam supererit? Manebit quidem substantia, sed in alia forma, alia gloria[w] aliaque potentia. Quando hoc erit?

u. Cf. II Cor. 3, 18 || v. I Cor. 15, 28 ≠ || w. Cf. I Cor. 15, 40

1. «Sic affici, *deificari* est» : Bernard emploie très peu le mot «déification» (Seul autre texte : *AssptO* I, *SBO* V, 262, l. 16 : «affectio deificata»). L'expression courante pour exprimer l'unité spirituelle entre l'homme et Dieu est la même pour Bernard et Guillaume de Saint-Thierry : «unus cum Deo esse spiritus» (*I Cor.*, 6, 17). Voir *Dil* 27, l. 13. «La déification ... n'est rien de moins, mais rien de plus, que l'accord parfait entre la volonté de la substance humaine et celle de la substance divine, dans une distinction stricte des substances et des volontés». Cette explication du professeur É. GILSON (*o.c.*, p. 148) nous semble trop scolastique et trop moralisante. Nous lui préférons la conclusion de A. FRACHEBOUD : «Dans la divinisation Bernard envisage moins la phase initiale, l'aspect statique, ce que nous appellerions l'élévation à l'ordre surnaturel, que sa réalisation suprême, sa consommation dans l'union transformante par la charité» (art. «Divinisation», *DSp* 3 (1957), col. 1405-1407). Signalons que l'idée de notre déification (ou divinisation) dans le Christ est dans la ligne de la tradition origénienne ; voir M. LOT-BORODINE, *La déification de l'homme selon la doctrine des Pères grecs*, p. 93, note 26.

2. Ces trois comparaisons sont traditionnelles dans la littérature patristique et spirituelle. Voir : MAXIME LE CONFESSEUR, *Ambigua ad Iohannem*

quise douceur! O intention qui se veut pure et clarifiée, d'autant plus clarifiée et pure qu'il ne s'y mêle plus rien qui nous soit propre; d'autant plus exquise et douce que tout ce qu'on ressent est divin! Être ainsi touché, c'est être déifié[1]. De même qu'une petite goutte d'eau versée dans beaucoup de vin semble s'y perdre totalement en prenant le goût et la couleur du vin; de même que le fer plongé dans le feu devient incandescent et se confond avec le feu, dépouillé de la forme antérieure qui lui était propre; et de même que l'air inondé de la lumière du soleil se transforme lui-même en clarté[u], si bien qu'on le croirait être la lumière plutôt qu'être illuminé[2], ainsi sera-t-il nécessaire que chez les saints tout attachement humain se liquéfie[3] d'une façon indicible, et se déverse totalement dans la volonté de Dieu. Sinon comment «Dieu sera-t-il tout en tous[v]», s'il reste dans l'homme quelque chose de l'homme? Bien sûr, la substance persistera, mais sous une autre forme, dans une autre gloire[w] et une autre puissance. Quand cela aura-t-il lieu? Qui le verra? Qui le pos-

La déification

(*CCSG* 18, p. 25, l. 125-126); JEAN SCOT ÉRIGÈNE, *De divisione naturae* 1, 10 (*PL* 122, 450-451); RICHARD DE SAINT-VICTOR, *De gradibus caritatis 4*, (*PL* 196, 1205 D); *De quatuor gradibus violentae caritatis* (*PL* 196, 1221 B); J. RUUSBROEC, *Livre des Éclaircissements* (éd. A. Louf, Bellefontaine 1990, p. 253-254); *De septem custodiis* (*Opera omnia* 2, *CCM* 102, p. 173, l. 631-635); H. HERP, *Directorium contemplativorum* (éd. L. Verschueren, t. II, p. 190-194); J. GERSON, *De theologia mystica* 41 (*Œuvres complètes*, éd. Mgr. Glorieux, III, p. 286-287). Voir aussi: É. GILSON, «Maxime, Érigène, S. Bernard» dans *Aus der Geisteswelt des Mittelalters* (Festschrift M. Grabmann, Münster 1935, p. 188-195); J. PÉPIN, «Stilla aquae modica multo infusa vino, ferrum ignitum, luce perfusus aer. L'origine des trois comparaisons familières à la théologie mystique médiévale» dans *Miscellanea A. Combes*, T. I, Rome 1967, p. 331-375.

3. Les verbes *liquescere* et *liquefacere* appartiennent au vocabulaire affectif de Bernard. Voir aussi: RICHARD DE SAINT-VICTOR, *De gradibus caritatis*, 4 (*PL* 196, 1205 B).

30 Quis hoc videbit? Quis possidebit? *Quando veniam, et apparebo ante faciem Dei*[x]*?* Domine Deus meus, *tibi dixit cor meum : exquisivit te facies mea; faciem tuam, Domine, requiram*[y]. *Putas videbo templum sanctum tuum*[z]*?*

29. Ego puto non ante sane perfecte impletum iri : *Diliges Dominum Deum tuum ex toto corde tuo, et ex tota* 144 *anima tua, et ex tota virtute tua*[a], quousque ipsum cor cogitare iam non cogatur de corpore, et anima eidem in 5 hoc statu vivificando et sensificando intendere desinat, et virtus eiusdem relevata molestiis, in Dei potentia roboretur. Impossibile namque est tota haec ex toto ad Deum colligere, et divino infigere vultui, quamdiu ea huic fragili et aerumnoso corpori intenta et distenta necesse est sub-10 servire. Itaque in corpore spirituali et immortali, in corpore integro, placido placitoque et per omnia subiecto spiritui, speret se anima quartum apprehendere amoris gradum, vel potius in ipso apprehendi, quippe quod Dei potentiae est dare cui vult, non humanae industriae assequi. Tunc, 15 inquam, summum obtinebit facile gradum, cum *in gaudium Domini*[b] sui promptissime et avidissime festinantem nulla iam retardabit carnis illecebra, nulla molestia conturbabit.

Putamusne tamen hanc gratiam vel ex parte sanctos 20 Martyres assecutos, in illis adhuc victoriosis corporibus constitutos? Magna vis prorsus amoris illas animas introrsum rapuerat, quae ita sua corpora foris exponere et tormenta contemnere valuerunt. At profecto doloris

x. Ps. 41, 3 ≠ || y. Ps. 26, 8 || z. Jonas 2, 5 (Lit.)
29. a. Mc 12, 30 ≠ || b. Matth. 25, 21 ≠; Matth. 25, 23 ≠

1. L'opposition *introrsum – foris* vient peut-être d'un sermon de saint Léon sur le martyr saint Laurent : « Flammis tuis superari caritatis Christi flamma non potuit, et segnior fuit ignis qui foris ussit quam qui intus accendit », « La flamme de la charité du Christ était plus forte que les flammes du gril et le feu extérieur était moins puissant que le feu qui illuminait intérieurement » (*PL* 54, 436 C – 437 A). Ce texte se trouvait jadis dans le Bréviaire cistercien à la fête de saint Laurent.

sédera? «Quand viendrai-je me présenter devant la face de Dieu[x]?» Seigneur mon Dieu, «mon cœur t'a dit: Ma face t'a cherché; Seigneur, je rechercherai ta face[y].» «Crois-tu que je verrai ton temple saint[z]?»

Le poids du corps

29. Je crois, pour ma part, qu'on n'observera en toute perfection le commandement: «Tu aimeras le Seigneur ton Dieu de tout ton cœur, de toute ton âme et de toutes tes forces[a]» qu'au moment où le cœur lui-même ne sera plus contraint de penser au corps, où l'âme cessera de lui donner la vie et la sensation de son état actuel et où la force, soulagée des peines inhérentes à ce corps, sera affermie par la puissance de Dieu. La raison en est qu'il n'est pas possible de recueillir parfaitement en Dieu cœur, âme et forces et de les placer devant sa face, aussi longtemps qu'attentifs à ce frêle corps accablé de misères et écartelés par lui, ils doivent assurer son service. Par conséquent, c'est dans un corps spirituel et immortel, dans un corps intègre, paisible, pacifié et soumis en tout à l'esprit, que l'âme peut espérer saisir le quatrième degré de l'amour, ou plutôt être saisie en lui, car c'est à la puissance de Dieu de donner ce corps à qui il veut, et non au zèle de l'homme de l'obtenir. Alors, dis-je, elle obtiendra facilement le suprême degré quand elle s'élancera dans une course rapide et fervente vers «la joie de son Seigneur[b]», sans qu'aucune séduction charnelle ne la retarde ni qu'aucune importunité ne l'inquiète.

Ne pensons-nous pas pourtant que cette grâce a été obtenue, au moins en partie, par les saints martyrs alors qu'ils se trouvaient encore dans leur corps victorieux? C'est que leur âme était intérieurement ravie par une grande force d'amour qui leur permit extérieurement[1] d'exposer leur corps et de mépriser la torture. La sensation d'une douleur très aiguë a sûrement troublé leur

acerrimi sensus non potuit nisi turbare serenum, etsi non
25 perturbare.

XI. 30. Quid autem iam solutas corporibus? Immersas ex toto credimus immenso illi pelago aeterni luminis et luminosae aeternitatis.

Quod nec ante resurrectionem possint

5 Sed si, quod non negatur, velint sua corpora recepisse, aut certe recipere desiderent et sperent, liquet procul dubio necdum a seipsis penitus immutatas, quibus constat necdum penitus deesse de proprio, quo vel modice intentio reflectatur. Donec ergo *absorpta sit mors in vic-*
145 10 *toria*[a], et noctis undique terminos lux perennis invadat et occupet usquequaque, quatenus et in corporibus gloria caelestis effulgeat, non possunt ex toto animae seipsas exponere et transire in Deum, nimirum ligatae corporibus etiam tunc, etsi non vita vel sensu, certe affectu naturali,
15 ita ut absque his nec velint, nec valeant consummari. Itaque ante restaurationem corporum non erit ille defectus animorum, qui perfectus et summus est ipsorum status, ne carnis iam sane consortium spiritus non requireret, si absque illa consummaretur.

30. a. I Cor. 15, 54 ≠

1. L'attente de la résurrection des corps : Bernard a voulu réconcilier ici la doctrine d'Ambroise et d'Augustin avec celle, plus évoluée, de Grégoire le Grand. Bernard a repris les mêmes idées dans les *Sermons* 2, 3 et 4 *pour la Toussaint* (*SBO* V, 342-360). Le pape Benoît XII a condamné son effort de synthèse par la Constitution *Benedictus Deus* (DENZ.-SCHOENM., § 1000). Voir B. DE VREGILLE, « L'attente des saints d'après saint Bernard », *NRTh* 70 (1948), p. 225-244 ; X. LE BACHELET, art. « Benoît XII », *DTC* 2 (1910), col. 659-661.

sérénité, même si elle n'a pas été capable de la bouleverser en profondeur.

L'attente de la résurrection des corps[1]

XI. 30 Qu'advient-il cependant des âmes une fois libérées de leur corps? Nous croyons qu'elles sont totalement immergées dans l'immense mer de la lumière éternelle et de l'éternité de la lumière.

Pas de béatitude parfaite avant la résurrection

Mais si ces âmes, comme personne ne le nie, veulent déjà se voir réunies à leur corps, ou si elles en conservent toujours le désir et l'espoir, c'est une preuve manifeste qu'elles ne sont pas encore entièrement transformées et différentes de ce qu'elles étaient, puisqu'il est clair qu'elles ne sont pas tout à fait dépouillées de l'amour propre qui fait dévier tant soit peu la droiture de leur intention. Donc jusqu'au moment où enfin «la mort sera engloutie dans la victoire[a]» et où la lumière éternelle envahira de partout le domaine de la nuit et s'en emparera sans restriction, au point de faire resplendir la gloire céleste jusque dans les corps, les âmes ne peuvent pas s'abandonner totalement et passer en Dieu. De fait, elles sont encore liées aux corps – même si ce n'est pas par la vie ou la sensation, du moins par un attachement naturel –, au point de ne vouloir ni pouvoir parvenir sans ce corps à leur achèvement. C'est pourquoi ce ne sera pas avant la restauration des corps que se produira pour les esprits cet abandon qui est leur suprême état de perfection. Car l'esprit ne désirerait plus retrouver la compagnie de la chair s'il lui était possible d'atteindre sans elle son achèvement.

20 Enimvero absque profectu animae nec ponitur corpus, nec resumitur. Denique *pretiosa in conspectu Domini mors sanctorum eius*[b]. Quod si mors pretiosa, quid vita, et illa vita? Nec mirum si corpus iam gloriae conferre videtur spiritui, quod et infirmum et mortale constat ipsi non 25 mediocriter valuisse. O quam verum locutus est qui dixit *diligentibus Deum omnia cooperari in bonum*[c]! Valet Deum diligenti animae corpus suum infirmum, valet et mortuum, valet et resuscitatum : primo quidem ad fructum paenitentiae[d], secundo ad requiem, postremo ad consum-30 mationem. Merito sine illo perfici non vult, quod in omni statu in bonum sibi subservire persentit.

31. Bonus plane fidusque comes caro spiritui bono, quae ipsum aut, si onerat, iuvat, aut, si non iuvat, exonerat, aut certe iuvat, et minime onerat. Primus status laboriosus, sed fructuosus; secundus otiosus, sed minime 5 fastidiosus; tertius et gloriosus. Audi et sponsum in Canticis ad profectum hunc trimodum invitantem : *Comedite,* inquit, *amici, et bibite, et inebriamini carissimi*[e]. Laborantes in corpore vocat ad cibum; iam posito corpore quiescentes ad potum invitat; resumentes corpora, etiam 10 ut inebrientur impellit, quos et vocat carissimos, nimirum caritate plenissimos. Nam et in ceteris, quos non carissimos, sed amicos appellat, differentia est, ut hi quidem *qui in carne adhuc gravati gemunt*[f], cari habeantur pro

b. Ps. 115, 15 || c. Rom. 8, 28 ≠ || d. Cf. Matth. 3, 8
31. e. Cant. 5, 1 ≠ || f. II Cor. 5, 4 ≠

L'importance du corps

Oui, ce n'est pas sans profit pour l'âme que le corps est déposé et repris. Car «la mort de ses saints est précieuse aux yeux du Seigneur[b].» Si la mort est précieuse, combien plus la vie, et une telle vie! Et il n'est pas étonnant que le corps qui est dans la gloire soit profitable à l'esprit, puisqu'il lui apportait un secours appréciable quand il était encore faible et mortel. Qu'il a dit vrai, celui qui a déclaré: «Tout concourt au bien de ceux qui aiment Dieu[c]»! Pour l'âme qui aime Dieu, son corps a de la valeur dans sa faiblesse, il en a après sa mort, il en a après sa résurrection. Dans le premier cas il contribue au fruit de la pénitence[d]; dans le second au repos; dans le dernier à son achèvement. C'est à bon droit que cette âme ne veut pas trouver sa perfection sans le corps, car elle comprend qu'en chacun de ces états il est à son service pour le bien.

31. Pour un esprit qui est bon lui-même, la chair est vraiment une compagne bonne et fidèle. Si elle est ressentie comme un poids, elle est aussi un secours. Quand elle cesse d'aider l'esprit, elle cesse de lui peser. Et enfin elle lui devient un grand secours sans lui peser. Le premier état est pénible mais profitable; le second a le loisir sans l'ennui; quant au troisième, il est glorieux. Écoute aussi l'Époux qui, dans le *Cantique*, invite à ce triple progrès: «Mangez, mes amis, buvez! Enivrez-vous, mes très chers![e]» Ceux qui peinent dans leur corps, il les invite à manger; ceux qui reposent après avoir déposé leur corps, il les invite à boire; ceux qui reprennent leur corps, il les incite même à s'enivrer et les appelle «très chers», c'est-à-dire tout remplis de charité. Il y a d'ailleurs une différence parmi ceux qu'il appelle seulement «amis» et non pas «très chers». Ceux «qui sont encore sous le poids de la chair et en gémissent[f]», sont considérés

caritate quam habent, qui vero iam soluti carnis compede
15 sunt, eo sint cariores, quo et promptiores atque expeditiores facti ad amandum. Porro prae utrisque merito *nominantur et sunt*[g] carissimi, qui, recepta iam secunda stola[h],
146 in corporibus utique cum gloria resumptis, tanto in Dei feruntur amorem liberiores et alacriores, quanto et de
20 proprio nil iam residuum est, quod eos aliquatenus sollicitet vel retardet. Quod quidem neuter sibi reliquorum statuum vindicat, cum et in priori corpus cum labore portetur, et in secundo quoque non sine aliqua proprietate desiderii exspectetur.

32. Primo ergo fidelis anima *comedit panem suum*, sed, heu! *in sudore vultus sui*[i]. *In carne* quippe *manens adhuc ambulat per fidem*[j], quam sane *operari per dilectionem*[k] necesse est, quia, *si non operatur, mortua est*[l]. Porro ipsum
5 opus cibus est, dicente Domino : *Meus cibus est, ut faciam voluntatem Patris mei*[m]. Dehinc, carne exuta, iam *pane doloris non cibatur*[n], sed vinum amoris, tamquam post cibum, plenius haurire permittitur, non purum tamen, sed quomodo sub sponsae nomine ipsa dicit in Canticis : *Bibi*
10 *vinum meum cum lacte meo*[o]. Vino enim divini amoris

g. I Jn 3, 1 ≠ || h. Cf. Apoc. 6, 11
32. i. Gen. 3, 19 (Patr.) || j. II Cor. 5, 6-7 ≠ || k. Gal. 5, 6 ≠ || l. Jac. 2, 20 ≠ || m. Jn 4, 34 ≠ || n. Ps. 126, 2 ≠ || o. Cant. 5, 1 ≠

1. «recepta iam secunda stola» : voir Pseudo-Rémi d'Auxerre, *Enar. in Psalmum* 5 (*PL* 131, 170) : «Et fideles prius laetantur de resurrectione animae, quae est prima stola, et post plenarie gaudent de resurrectione corporis, quae est secunda stola», «Les fidèles se réjouissent d'abord de la résurrection de leur âme, ce qui est la première robe. Plus tard, ils trouvent la joie complète de la résurrection de leur corps, ce qui est la seconde robe» (Rémi d'Auxerre vécut jusqu'à la fin du IXe siècle. – «Secunda» (Leclercq) au lieu de «secundo».

2. Voir Augustin, *Gen. ad litt.* XII, 68 (*BA* 49, p. 450 s.). Pourquoi la béatitude céleste n'est-elle pas complète avant la résurrection des

comme chers en raison de leur charité; ceux qui sont désormais dégagés des entraves de la chair sont plus chers, étant devenus plus prompts et plus libres pour aimer. Enfin au-dessus de ces deux catégories, Dieu «tient pour» très chers, «comme ils le sont en effet[g]», ceux qui ont déjà revêtus leur seconde robe[h1] en reprenant leur corps dans la gloire, et qui se sentent portés à aimer Dieu avec d'autant plus de liberté et d'ardeur qu'il ne reste plus rien de «propre» qui puisse, jusqu'à un certain point, les attirer ou les retarder. Aucun des deux états précédents ne saurait revendiquer le même privilège, puisque dans le premier on supporte le corps avec peine et que, dans le second aussi, l'attente de la Résurrection n'est pas dépourvue d'un certain désir propre[2].

Le triple banquet de la Sagesse

32. Ainsi l'âme du croyant commence par «manger son pain», mais, hélas, «à la sueur de son front[i]». Car, «demeurant dans la chair, elle marche encore par la foi[j]» qui, bien sûr, doit «agir par amour[k]», la foi «sans les œuvres étant morte[l]». De plus son action même est sa nourriture, comme dit le Seigneur: «Ma nourriture c'est de faire la volonté de mon Père[m3].» Ensuite, dépouillée de la chair, «elle ne se nourrit plus du pain de la douleur[n]», mais il lui est permis de boire plus pleinement, comme elle boit après avoir mangé, le vin de l'amour, pas du vin pur toutefois, mais comme elle le dit dans le *Cantique*, sous le nom de l'épouse: «J'ai bu mon vin avec mon lait[o].» En effet, elle mélange encore

corps? La raison en est fort mystérieuse, à moins que ce ne soit la présence dans l'âme d'un certain désir naturel de régir le corps.

3. ** Constamment (9 citations, 2 allusions), Bernard remplace «eius qui misit me» (Vulgate: «de celui qui m'a envoyé») par «Patris mei», ce qui s'explique facilement par la similitude des formules johanniques en jeu; Ambroise a plusieurs textes approchants.

miscet etiam tunc dulcedinem naturalis affectionis, qua resumere corpus suum, ipsumque glorificatum, desiderat. Aestuat ergo iam tunc sanctae caritatis potata vino, sed plane nondum usque ad ebrietatem, quoniam temperat
15 interim ardorem illum huius lactis permixtio. Ebrietas denique solet evertere mentes, atque omnino reddere immemores sui. At non ex toto sui oblita est, quae adhuc de proprio corpore cogitat suscitando. Ceterum hoc adepto, quod solum utique deerat, quid iam impedit a se ipsa
20 quodammodo abire, et ire totam in Deum, eoque penitus sibi dissimillimam fieri, quo Deo simillimam effici donatur? Tum demum ad crateram admissa sapientiae, illam de qua legitur : *Et calix meus inebrians quam praeclarus est*[p] *!* quid mirum iam *si inebriatur ab ubertate domus Dei*[q], cum,
25 nulla mordente cura de proprio, secura *bibit* purum et *novum illud* cum Christo *in domo Patris eius*[r]?

147 **33.** Hoc vero convivium triplex celebrat Sapientia[s], et ex una complet caritate, ipsa cibans laborantes, ipsa potans quiescentes, ipsa regnantes inebrians. Quomodo autem in convivio corporali ante cibus quam potus apponitur,
5 quoniam et tali ordine natura requirit, ita et hic. Primo quidem ante mortem *in carne mortali*[t] *labores manuum nostrarum manducamus*[u], cum labore quod glutiendum est masticantes; post mortem vero in vita spirituali iam bibimus, suavissima quadam facilitate quod percipitur
10 colantes; tandem, redivivis corporibus, in vita immortali inebriamur, mira plenitudine exuberantes. Haec pro eo

p. Ps. 22, 5 || q. Ps. 35, 9 ≠ || r. Matth. 26, 29 ≠
33. s. Cf. Prov. 9, 1 ss. || t. II Cor. 4, 11 ≠ || u. Ps. 127, 2 ≠

---

1. «Adepto» (Leclercq) au lieu de «aperto».
2. ** *Mordente cura* est une allusion fort discrète à OVIDE, tissée par Bernard dans sa propre phrase : *Amours* II, 19, 43-44 (éd. BellesLettres, Paris 1961, p. 68).

au vin de l'amour divin la douceur d'un attachement naturel qui lui fait désirer reprendre son corps mais dans son état glorifié. Le vin de la sainte charité qu'elle a bu l'échauffe déjà, mais pas encore jusqu'à l'ivresse complète, car pour le moment cette ardeur est modérée par le mélange du lait. D'ailleurs ordinairement, l'ivresse fait chavirer les esprits et les rend totalement oublieux d'eux-mêmes. Or cette âme ne s'est pas totalement oubliée; elle continue à songer à la résurrection de son propre corps. Cependant, une fois cette faveur obtenue[1], la seule précisément qui lui faisait défaut, qu'est-ce qui l'empêche désormais de se quitter elle-même d'une certaine façon et d'entrer tout entière en Dieu, où elle se fera dissemblable à elle-même dans la mesure où il lui sera donné d'être semblable à Dieu? Alors seulement elle est admise à la coupe de la Sagesse, dont on lit: «Comme elle est merveilleuse la coupe qui m'enivre![p]» Pourquoi s'étonner désormais «qu'elle s'enivre à l'abondance de la maison de Dieu[q]» quand, libérée de tout souci de soi[2], «elle boit», en toute sécurité, «le vin nouveau», sans mélange, avec le Christ «dans la maison de son Père[r]»?

33. Or c'est la Sagesse qui donne ce triple festin[s], où elle ne sert que les mets de la charité: elle nourrit ceux qui peinent, elle fait boire ceux qui reposent, elle enivre ceux qui règnent. Dans les festins de cette vie on sert la nourriture avant la boisson, car la nature requiert cette ordonnance; de même ici. Avant la mort, «dans notre chair mortelle[t]», «nous mangeons le labeur de nos mains[u]», en nous fatiguant à mâcher ce qu'il faut avaler. Après la mort, dans la vie de l'esprit, nous buvons désormais en absorbant avec une très agréable facilité ce qui est servi. Enfin, après la résurrection de notre corps nous nous enivrons dans la vie immortelle, plongés dans une merveilleuse plénitude. Ceci d'après la parole de

quod sponsus in Canticis dicit : *Comedite, amici, et bibite, et inebriamini, carissimi*[v]. Comedite ante mortem, bibite post mortem, inebriamini post resurrectionem. Merito iam
15 carissimi, qui caritate inebriantur ; merito inebriati, qui *ad nuptias Agni*[w] introduci merentur, *edentes et bibentes super mensam illius in regno suo*[x], quando *sibi iam exhibet gloriosam Ecclesiam, non habentem maculam neque rugam aut aliquid huiusmodi*[y]. Tunc prorsus inebriat carissimos
20 suos, tunc *torrente voluptatis suae potat*[z], quoniam quidem in complexu illo arctissimo et castissimo sponsi et sponsae, *fluminis impetus laetificat civitatem Dei*[a]. Quod non aliud esse arbitror quam *Dei Filium, qui transiens ministrat*[b], quemadmodum ipse promisit, ut ex hoc iam *iusti epu-*
25 *lentur et exsultent in conspectu Dei, et delectentur in laetitia*[c]. Hinc illa satietas sine fastidio ; hinc insatiabilis illa sine inquietudine curiositas ; hinc aeternum illud atque inexplebile desiderium, nesciens egestatem ; hinc denique sobria illa ebrietas[d], vero, non mero ingurgitans, non
30 madens vino, sed ardens Deo. Ex hoc iam quartus ille amoris gradus perpetuo possidetur, cum summe et solus diligitur Deus, quia nec nosipsos iam nisi propter ipsum diligimus, ut sit ipse praemium amantium se, praemium aeternum amantium in aeternum.

v. Cant. 5, 1 ≠ || w. Apoc. 19, 9 ≠ || x. Lc 22, 30 ≠ || y. Éphés. 5, 27 ≠ || z. Ps. 35, 9 ≠ || a. Ps. 45, 5 || b. Lc 12, 37 ≠ || c. Ps. 67, 4 ≠ || d. Cf. Éphés. 5, 18

---

1. « sobria ebrietas ». Bernard distingue deux sortes d'ivresse spirituelle : l'ivresse sobre et parfaite est l'ivresse eschatologique, l'ivresse imparfaite est celle de l'âme contemplative, qui se dépasse dans l'audace de son amour (*SCt* 7, 3, *SBO* I, 32, l. 18-25). Voir A. SOLIGNAC, art.

l'Époux du *Cantique*: «Mangez, mes amis, buvez! Enivrez-vous, mes très chers[v]!» Mangez avant la mort; buvez après la mort; enivrez-vous après la résurrection. C'est à bon droit qu'ils sont désormais «très chers» ceux que la charité enivre; à bon droit enivrés, ceux qui méritent d'être introduits «aux noces de l'Agneau[w]»; «ils mangent et boivent à sa table dans son royaume[x]», quand le Christ «fait paraître devant lui l'Église glorieuse, sans tache ni ride ni rien de semblable[y].» Alors il enivre vraiment ses très chers, alors il les «fait boire au torrent de ses délices[z]», car dans l'étreinte très étroite et très chaste de l'Époux et de l'Épouse, c'est bien «l'impétuosité du fleuve qui réjouit la cité de Dieu[a].» Ce fleuve, à mon avis, n'est autre que «le Fils de Dieu qui passe de l'un à l'autre pour les servir[b]», selon sa promesse, pour que dorénavant «les justes prennent part au festin, exultent en présence de Dieu et débordent d'allégresse[c].» De là cette satiété sans dégoût, cette curiosité insatiable mais sans inquiétude, ce désir éternel et impossible à assouvir qui pourtant ignore la privation, enfin cette sobre ivresse[d 1] qui se gorge de la vérité et non de vin pur, qui ne provient pas d'un excès de vin mais qui brûle de l'amour de Dieu. Désormais, on possède pour toujours le quatrième degré de l'amour quand, au plus haut point, on n'aime plus que Dieu. Car on ne s'aime plus soi-même que par amour de lui, de sorte qu'il soit la récompense de ceux qui l'aiment, la récompense éternelle de ceux qui l'aiment éternellement.

«Ivresse spirituelle», *DSp* VII-2 (1971), col. 2324-2325; J. Daniélou, *Platonisme et théologie mystique*, Paris 1944, p. 290-294; Guillaume de Saint-Thierry, *Exposé sur le Cantique des cantiques*, 130.147 (*SC* 82, p. 276.312).

Prologus epistolae sequentis

148 **XII. 34.** Memini me dudum ad sanctos fratres Cartusienses scripsisse epistolam, ac de his ipsis in ea gradibus inter cetera disseruisse. Forte autem alia ibi, etsi non aliena, de caritate locutus sum; et ob hoc quaedam 5 huius huic quoque sermoni subiungere non inutile duco, praesertim cum facilius ad manum habeam transcribere iam dictata, quam nova iterum dictare.

Incipit epistola de caritate ad sanctos fratres Cartusiae

10 Illa, inquam, vera et sincera est *caritas*, et omnino *de corde puro, et conscientia bona, et fide non ficta*[a], fatenda procedere, qua proximi bonum, aeque ut nostrum, diligimus. Nam qui magis aut certe solum diligit suum, convincitur non caste diligere bonum, quod utique propter se 15 diligit, non propter ipsum. Et hic talis non potest oboedire Prophetae, qui ait : *Confitemini Domino, quoniam bonus*[b]. Confitetur quidem, quia fortasse bonus est sibi, non autem quoniam bonus est in se. Quapropter noverit in se dirigi illud ab eodem Propheta opprobrium : *Confitebitur tibi,* 20 *cum benefeceris ei*[c].

34. a. I Tim. 1, 5 || b. Ps. 117, 1 || c. Ps. 48, 19

1. La *Lettre* 11 aux Chartreux date probablement des années 1124-1125. Nous pensons que le traité *De diligendo Deo* a été écrit entre 1132 et 1135.

2. «alia non aliena» : En effet, le premier degré de l'amour de Dieu

Introduction à la lettre qui suit[1]

XII. 34. Je me rappelle avoir jadis écrit une lettre aux saints frères de Chartreuse et d'y avoir parlé, entre autres, de ces degrés de l'amour. Il se peut que je m'y sois exprimé autrement sur la charité sans pourtant me contredire[2]. Aussi n'est-il pas inutile, je pense, d'ajouter à l'exposé d'aujourd'hui des extraits de cette lettre, surtout parce qu'il me sera plus facile de faire transcrire ce texte à ma disposition que de me remettre à dicter des pages nouvelles.

Début de la lettre sur la charité adressée aux saints frères de Chartreuse

La vraie charité Voilà ce que j'ai dit : On doit considérer comme charité véritable et sincère, comme « charité émanant d'un cœur pur, d'une conscience droite et d'une foi solide[a] », cette charité-là qui nous fait aimer le bien du prochain autant que le nôtre. Car celui qui préfère son avantage, ou qui même ne cherche que cela, donne la preuve de ne pas aimer chastement le bien, puisqu'il l'aime précisément pour soi-même et non pour le bien. Un tel homme ne peut obéir à la parole du prophète : « Rendez grâce au Seigneur car il est bon[b]. » Certes il rend grâce, car il se peut que Dieu soit bon pour lui, mais ce n'est pas parce que Dieu est bon en lui-même. Qu'il sache donc que s'adresse à lui le reproche du même prophète : « Il te rendra grâce, quand tu lui auras fait du bien[c]. »

n'est pas mentionné. Le deuxième degré est divisé en deux catégories, celle des esclaves et celle des mercenaires.

Est qui confitetur Domino quoniam potens est, et est qui confitetur quoniam sibi bonus est, et item qui confitetur quoniam simpliciter bonus est. Primus servus est, et timet sibi; secundus mercenarius, et cupit sibi; tertius 25 filius, et defert patri[d]. Itaque et qui timet, et qui cupit, uterque pro se agunt. Sola quae in filio est *caritas, non* 149 *quaerit quae sua sunt*[e]. Quamobrem puto de illa dictum: *Lex Domini immaculata, convertens animas*[f], quod sola videlicet sit, quae ab amore sui et mundi avertere possit 30 animum et in Deum dirigere. Nec timor quippe, nec amor privatus convertunt animam. Mutant interdum vultum vel actum, affectum numquam. Facit quidem nonnumquam etiam servus opus Dei, sed quia non sponte, in sua adhuc duritia permanere cognoscitur. Facit et mercenarius, sed 35 quia non gratis, propria trahi cupiditate convincitur. Porro ubi proprietas, ibi singularitas; ubi autem singularitas, ibi angulus; ubi vero angulus, ibi sine dubio sordes sive rubigo. Sit itaque servo sua lex[g], timor ipse quo constringitur; sit sua[g] mercenario cupiditas, qua et ipse arctatur, 40 quando *tentatur abstractus et illectus*[h]. Sed harum nulla, aut sine macula est, aut *animas convertere*[i] potest. Caritas vero convertit animas, quas facit et voluntarias.

35. Porro in eo eam dixerim immaculatam, quod nil sibi de suo retinere consuevit. Cui nempe de proprio nihil est, totum profecto quod habet, Dei est; quod autem

d. Cf. Lc 19, 15-16.21; Cf. Lc 15, 17-19 || e. I Cor. 13, 4-5 ≠ || f. Ps. 18, 8 || g. Cf. Rom. 2, 14 || h. Jac. 1, 14 ≠ || i. Ps. 18, 8 ≠

1. On voit bien ici que l'amour de l'esclave et celui du mercenaire sont égocentriques. Seul l'amour du fils participe à l'amour généreux des Personnes divines.

Esclave, mercenaire, fils ?

Tel rend grâce au Seigneur à cause de sa puissance; tel lui rend grâce pour sa bonté à son égard; et, de même, tel lui rend grâce simplement pour sa bonté. Le premier est un esclave; il craint pour soi. Le second est un mercenaire; il pense à soi. Le troisième est un fils; il rapporte tout à son père[d1]. Ainsi par crainte et intérêt les deux premiers agissent pour eux. Seule «la charité» du fils «ne cherche pas son intérêt[e].» C'est donc de cette charité-là, je pense, qu'on a dit: «La loi du Seigneur est sans tache; elle convertit les âmes[f]», car elle est seule, c'est certain, à pouvoir détourner le cœur humain de l'amour de soi et de l'amour du monde, et seule capable de l'orienter vers Dieu. Oui, ni la crainte ni l'amour de soi ne convertit l'âme. Ils changent parfois le visage ou le comportement, mais jamais la disposition intime. Bien sûr, même l'esclave fait parfois l'œuvre de Dieu, mais comme il ne la fait pas de son plein gré, on voit bien qu'il s'obstine dans sa dureté. Le mercenaire aussi la fait, mais comme son acte n'est pas gratuit, on reconnaît qu'il est entraîné par sa propre convoitise. Or propriété implique singularité; singularité implique recoin; et recoin comporte obligatoirement saleté ou rouille. Que l'esclave garde donc sa loi[g]: la peur même qui l'enchaîne. Que le mercenaire garde sa loi[g]: la convoitise qui l'embarrasse, quand, «entraîné et attiré, il en subit la tentation[h].» Mais aucune de ces lois n'est exempte de tache ni capable de «convertir les âmes[i].» C'est la charité qui convertit les âmes et les fait agir de plein gré.

La charité, loi du Seigneur

35. De plus, je dirais: la charité est sans tache, en ce que, d'ordinaire, elle ne retient pour elle rien de ce qu'elle possède. Pour qui n'a rien en propre, assurément tout son avoir est à Dieu; et ce qui est à Dieu

Dei est, immundum esse non potest. Lex ergo Domini
5 immaculata, *caritas* est, quae *non quod sibi utile est, quaerit, sed quod multis*[j]. Lex autem Domini dicitur, sive quod ipse ex ea vivat, sive quod eam nullus, nisi eius dono, possideat. Nec absurdum videatur, quod dixi etiam Deum vivere ex lege, cum non alia quam caritate dixerim.
10 Quid vero in summa et beata illa Trinitate summam et ineffabilem illam conservat unitatem, nisi caritas? Lex est ergo, et lex Domini, caritas, quae Trinitatem in unitate quodammodo cohibet et colligat *in vinculo pacis*[k]. Nemo tamen me aestimet caritatem hic accipere qualitatem vel
15 aliquod accidens – alioquin in Deo dicerem, quod absit, esse aliquid quod Deus non est –, sed substantiam illam divinam, quod utique nec novum, nec insolitum est, dicente Ioanne : *Deus caritas est*[l]. Dicitur ergo recte caritas, et Deus, et *Dei donum*[m]. Itaque caritas dat caritatem,
20 substantiva accidentalem. Ubi dantem significat, nomen substantiae est; ubi donum, qualitatis. Haec est lex aeterna, creatrix et gubernatrix universitatis. Siquidem *in pondere,*
150 *et mensura, et numero*[o] per eam facta sunt universa[n], et nihil sine lege relinquitur, cum ipsa quoque lex omnium

35. j. I Cor. 10, 33 ≠ || k. Éphés. 4, 3 || l. I Jn 4, 8 || m. Éphés. 2, 8 ≠ || n. Cf. Jn 1, 3 || o. Sag. 11, 21 ≠

1. La charité de Dieu ne peut désigner rien d'autre que la substance. Autrement il y aurait en Dieu quelque chose qui ne serait pas Dieu; une qualité, c'est-à-dire un accident qui s'ajouterait à la substance divine. Mais la même charité est une qualité, un être accidentel, par rapport à une substance créée, en tant qu'elle est un don communiqué à l'homme. Voir V. LOSSKY, «Études sur la terminologie de saint Bernard», *Archivum latinitatis medii aevi*, 17 (1943), p. 90-96. Bernard prépare ici la question scolastique sur la nature substantielle et accidentelle de la grâce.

2. «Dicitur ergo recte caritas et Deus, et Dei donum» : La scolastique aura tendance à faire de la charité (grâce sanctifiante) un simple don ou cadeau de Dieu. Bernard se prémunit contre cette réduction et cette réification de la charité. Guillaume fera de même par son identification de la charité et du Saint-Esprit : «Quod totum est Spiritus

ne peut être impur. Ainsi la loi sans tache du Seigneur c'est «la charité qui cherche non pas ce qui lui est utile, mais ce qui l'est au bien commun[j].» On l'appelle loi du Seigneur soit parce que Dieu vit de cette loi, soit parce que personne ne la possède sinon par un don de lui. Et qu'on ne trouve pas absurde ce que j'affirme: «Même Dieu vit de la loi», puisque je n'ai parlé que de la loi de charité. De fait, dans la suprême et bienheureuse Trinité, qu'est-ce qui maintient la suprême et ineffable unité, sinon la charité? C'est donc une loi, et la loi du Seigneur que la charité qui, d'une certaine façon, garde dans l'unité la Trinité et la réunit dans «le lien de la paix[k]». Pourtant que personne ne pense qu'ici je prenne la charité pour une qualité ou quelque accident[1] – autrement je dirais qu'en Dieu se trouve quelque chose qui n'est pas Dieu, Dieu m'en garde! –, mais je parle de la substance divine, ce qui assurément n'est ni nouveau ni insolite puisque Jean déclare: «Dieu est charité[l].» On appelle donc correctement «charité» à la fois Dieu et le «don de Dieu[m2]». Ainsi la Charité donne la charité; celle qui est substantielle donne l'accidentelle. Quand elle désigne celui qui donne, elle signifie la substance; quand elle désigne le don, elle signifie une qualité. Voilà la loi éternelle qui crée et gouverne l'univers. Car tout sans exception a été fait par elle[n] «avec poids, mesure et nombre[o3]». Rien n'est laissé sans loi, puisque la charité aussi, la loi de tous les êtres, n'est pas

sanctus, Deus, caritas, idem donans, idem et donum», «Tout cela c'est l'Esprit-Saint, Dieu, charité, à la fois donateur et don» (*Commentaire sur le Cantique*, *SC* 82, p. 222).

3. ** Bernard utilise 12 fois ce v., surtout en allusion, et ne paraît pas avoir en tête un texte fixe. Il emploie «faire», et non pas «disposer»; il hésite entre *omnia* et *universa*. Ici comme le plus souvent, il suit l'ordre: poids, mesure, nombre (Vulgate: mesure, nombre, poids). Enfin, nous avons ici *creatrix et gubernatrix* et ailleurs, une fois, *gubernator*; La *Vetus Latina* de Beuron ne signale que de rares *creas* et *gubernas*. Ici comme en *Sept* 1, 3-4 (*SBO* IV, 346, l. 17 – 348, l. 8)

25 sine lege non sit, non tamen alia quam seipsa, qua et seipsam, etsi non creavit, regit tamen.

XIII. 36. Ceterum servus et mercenarius habent legem non a Domino, sed quam ipsi sibi fecerunt[a], ille Deum non amando, iste plus aliud amando. Habent, inquam, legem non Domini, sed suam, illi tamen, quae Domini 5 est, subiectam. Et quidem suam sibi quisque legem facere potuerunt; non tamen eam incommutabili aeternae legis ordini subducere potuerunt. Tunc autem dixerim quemque sibi fecisse suam legem, quando communi et aeternae legi propriam praetulit voluntatem, perverse utique volens 10 suum imitari Creatorem, ut sicut ipse sibi lex suique iuris est, ita is quoque seipsum regeret, et legem sibi suam faceret voluntatem. *Grave utique et importabile iugum super omnes filios Adam*[b], heu! inclinans et incurvans cervices nostras[c], adeo ut *vita nostra inferno appropinquarit*[d]. 15 *Infelix ego homo, quis me liberabit de corpore mortis huius*[e], quo utique premor et paene opprimor, ita ut, *nisi quia Dominus adiuvit me, paulo minus habitasset in inferno anima mea*[f]! Sub hoc onere gravatus gemebat qui dicebat : *Quare posuisti me contrarium tibi, et factus* 20 *sum mihimetipsi gravis*[g]*?* Ubi dixit : *Factus sum mihimetipsi gravis*, ostendit quod lex ipse sibi esset, nec alius hoc quam sibi ipse fecisset. Quod autem, loquens Deo, praemisit : *Posuisti me contrarium tibi*, Dei se tamen non effugisse legem indicavit. Hoc quippe ad aeternam ius-

36. a. Cf. Rom. 2, 14 || b. Sir. 40, 1 ≠ || c. Cf. Act. 15, 10; Cf. Matth. 23, 4 || d. Ps. 87, 4 ≠ || e. Rom. 7, 24 || f. Ps. 93, 17 ≠ || g. Job 7, 20

---

et en *Div* 86 (VI-1, 328, l. 1 – 329, l. 11), Bernard s'adonne à un peu de philosophie sur la simplicité de Dieu, laquelle exclut ces trois composantes de l'univers. Cf. M. LEMOINE, «La triade *mensura – pondus – numerus* dans le *De natura corporis et animae* de Guillaume de Saint-Thierry», *Miscellanea medievalia*, 16/1 (1983), p. 22-31 (p. 26 : refus de Guillaume d'appliquer le nombre à la Trinité).

sans loi, étant à soi-même sa propre loi. Quoiqu'elle ne se soit pas créée elle-même, c'est pourtant par soi-même qu'elle se gouverne.

La loi de l'esclave et celle du mercenaire

XIII. 36. Par ailleurs l'esclave et le mercenaire ont une loi qui ne vient pas du Seigneur mais qu'ils se sont fabriquée[a], le premier en n'aimant pas Dieu, le second en aimant davantage autre chose que Dieu. Leur loi, je le répète, n'est pas celle du Seigneur, mais la leur; mais elle reste assujettie à celle du Seigneur. Assurément chacun d'eux a pu se faire sa propre loi, sans pouvoir toutefois la soustraire à l'ordre immuable de la loi éternelle. Je peux dire que chacun s'est fait sa loi au moment où il a préféré sa propre volonté à la loi éternelle établie pour tous, dans l'intention perverse d'imiter son créateur. De même que Dieu est à lui-même sa loi et ne dépend que de lui-même, ainsi cet homme se gouvernerait lui-même et prendrait pour loi sa propre volonté. C'est là «un joug pesant et insupportable pour tous les fils d'Adam[b]», hélas, son poids fait pencher et courber notre nuque[c] au point que «notre vie approche de l'enfer[d]». «Malheureux homme que je suis! Qui me délivrera de ce corps qui me voue à la mort[e]», qui me pèse et m'écrase presque, de sorte que «sans le secours du Seigneur, il s'en faudrait de peu que mon âme habitât l'enfer[f]»! Job gémissait sous le poids de cette charge quand il disait: «Pourquoi m'as-tu mis en contradiction avec toi, et suis-je devenu une charge pour moi-même?[g]» Quand il dit: «Je suis devenu une charge pour moi-même», il montre qu'il était lui-même sa loi et que cela n'était pas l'œuvre d'un autre que lui-même. Sa parole précédente adressée à Dieu: «Tu m'as mis en contradiction avec toi», a montré qu'il n'avait pourtant pas échappé à la loi de Dieu. Car l'éter-

25 tamque Dei legem pertinuit, ut qui noluit suaviter regi, poenaliter a seipso regeretur, quique sponte *iugum suave et onus leve*[h] caritatis abiecit, propriae voluntatis *onus importabile*[i] sustineret invitus. Miro itaque et iusto modo aeterna lex fugitivum suum et posuit eidem ipsi
30 contrarium, et retinuit subiectum, dum videlicet nec iustitiae pro meritis legem evasit, nec tamen cum Deo in sua luce, in sua requie, in sua gloria remansit, subiectus
151 potestati et submotus felicitati. Domine Deus meus, *cur non tollis peccatum meum, et quare non aufers iniqui-*
35 *tatem meam*[j], ut, abiecta gravi sarcina propriae voluntatis, sub levi onere caritatis respirem, nec iam servili timore coercear, nec mercenaria cupiditate illiciar, sed *agar Spiritu tuo*[k], spiritu libertatis[1], quo aguntur filii tui, *qui testimonium reddat spiritui meo, quod et ego sim unus ex*
40 *filiis*[m], dum eadem mihi lex fuerit quae et tibi, et *sicut tu es, ita et ipse sim in hoc mundo*[n]? Hi siquidem qui hoc faciunt quod ait Apostolus : *Nemini quidquam debeatis, nisi ut invicem diligatis*[o], procul dubio *sicut Deus est, et ipsi sunt in hoc mundo*[p], nec servi aut mercenarii
45 sunt, sed filii.

XIV. 37. Itaque nec filii sunt sine lege, nisi forte aliquis aliter sentiat propter hoc quod scriptum est : *Iustis non*

h. Cf. Matth. 11, 30 || i. Matth. 23, 4 ≠ || j. Job 7, 21 || k. Rom. 8, 14 ≠ || l. Cf. II Cor. 3, 17 || m. Rom. 8, 16 ≠ || n. I Jn 4, 17 ≠ || o. Rom. 13, 8 || p. I Jn 4, 17 ≠

1. «Felicitati» (Datif; Fark.) au lieu de «Felicitate» (ablatif) : *A, Cr, D, H, K, Mt, R, I, W. Submovere* se construit avec le datif en latin classique ainsi que chez Bernard, cf. *Csi* III, 17 (*SBO* III, 444, l. 24).

2. «Sicut Deus est, et ipsi sunt» : Guillaume de Saint-Thierry reprend la même formule vers la fin de la Lettre d'Or. Voici son texte : «Modo ineffabili, incogitabili, fieri meretur homo Dei, non Deus, sed tamen quod est Deus : homo ex gratia quod Deus ex natura», «D'une manière ineffable, inimaginable, l'homme de Dieu mérite de devenir, non pas

nelle justice divine veut que quiconque ne s'abandonne pas à la douce conduite de Dieu, subisse le châtiment d'être livré à sa propre conduite, et que celui qui a secoué volontairement «le joug facile et le fardeau léger[h]» de la charité, subisse malgré lui «le joug insupportable[i]» de sa propre volonté. Ainsi, d'une manière remarquablement juste, la loi éternelle a établi la contradiction en celui qui a voulu lui échapper et l'a gardé sous son pouvoir. Il n'a pas échappé à la loi de la justice qu'il méritait, et il n'a pas pu demeurer avec Dieu dans sa lumière, dans son repos, dans sa gloire. Le voilà assujetti à la puissance divine mais écarté de la divine félicité[1]. Seigneur mon Dieu, «pourquoi n'ôtes-tu pas mon péché, et pourquoi n'enlèves-tu pas mon injustice[j]» pour que, déposant le faix écrasant de ma propre volonté, je reprenne haleine sous le fardeau léger de la charité? pour que je ne sois plus tenu en bride par la crainte servile ni attiré par la convoitise mercenaire, mais «conduit par ton Esprit[k]», l'esprit de liberté[l] qui conduit tes fils, lui qui peut «témoigner à mon esprit que moi aussi je suis l'un de tes fils[m]» en ayant la même loi que toi, et que, «tel tu es, tel moi aussi je suis en ce monde[n]»? Effectivement, ceux qui accomplissent la parole de l'Apôtre: «N'ayez de dette envers personne, sinon celle de l'amour mutuel[o]», ceux-là sans aucun doute «vivent en ce monde comme Dieu est[p2]»: ce ne sont ni des esclaves ni des mercenaires, ce sont des fils.

Loi des fils

XIV. 37. C'est pourquoi même les fils ne sont pas sans loi, à moins qu'il se trouve quelqu'un pour soutenir le contraire, parce que l'Écriture dit: «Ce n'est pas pour les justes que la

Dieu certes, mais cependant ce que Dieu est: l'homme étant par grâce ce que Dieu est en vertu de sa nature» (*Lettre aux frères du Mont-Dieu*, 263, *SC* 223, p. 354-355).

est lex posita[a]. Sed sciendum quod alia est lex promulgata *a spiritu servitutis in timore*[b], alia a spiritu libertatis data
5 in suavitate. Nec sub illa esse coguntur filii, nec sine ista patiuntur. Vis audire quia iustis non est lex posita? *Non accepistis*, ait, *spiritum servitutis iterum in timore*[c]. Vis audire quod tamen sine lege caritatis non sint? *Sed accepistis*, inquit, *spiritum adoptionis filiorum*[d]. Denique audi
10 iustum utrumque de se fatentem, et quod non sit sub lege, nec tamen sit sine lege. *Factus sum*, inquit, *his qui sub lege erant, quasi sub lege essem, cum ipse non essem sub lege; his qui sine lege erant, tamquam sine lege essem, cum sine lege Dei non essem, sed in lege essem Christi*[e].
15 Unde apte non dicitur : «Iusti non habent legem», aut : «Iusti sunt sine lege», sed : *Iustis non est lex posita*[f], hoc est non tamquam invitis imposita, sed voluntariis eo liberaliter data, quo suaviter inspirata. Unde et pulchre Dominus : *Tollite*, ait, *iugum meum super vos*[g], ac si
20 diceret : «Non impono invitis, sed vos tollite, si vultis; alioquin non requiem, sed laborem *invenietis animabus vestris*[g]».

152 **38.** Bona itaque lex caritas, et suavis, quae non solum leviter suaviterque portatur, sed etiam servorum et mercenariorum leges portabiles ac leves reddit, quas utique

37. a. I Tim. 1, 9 ≠ || b. Rom. 8, 15 ≠ || c. Rom. 8, 15 || d. Rom. 8, 15 || e. I Cor. 9, 20-21 ≠ || f. I Tim. 1, 9 ≠ || g. Matth. 11, 29

1. ** Dans les cinq citations qu'il fait de ce mot de saint Paul;, Bernard utilise le pluriel qu'il a pu trouver chez certains Pères. Cependant, une allusion de Bernard est au singulier avec la Vulgate.

loi a été instituée[a1].» Mais il faut savoir qu'il existe une différence entre la loi promulguée «par l'esprit de servitude dans la crainte[b]» et celle qui a été donnée par l'esprit de liberté dans la douceur. Les fils ne sont pas assujettis à la première loi, mais ils n'acceptent pas d'être sans la seconde. Tu veux entendre dire que ce n'est pas pour les justes que la loi a été instituée? «Vous n'avez pas reçu, affirme l'Apôtre, un esprit de servitude pour retomber dans la crainte[c].» Tu veux entendre dire que pourtant ils ne peuvent être sans la loi de charité? «Mais vous avez reçu, dit-il, l'esprit d'adoption des fils[d].» Enfin écoute le juste reconnaître à son sujet les deux points de vue : il n'est pas assujetti à la loi sans pourtant être exempt de loi. «Pour ceux qui étaient sous la loi, dit-il, je suis devenu comme si j'étais assujetti à la loi, bien que je ne sois pas moi-même sous la loi ; pour ceux qui étaient sans la loi, j'ai été comme sans la loi, bien que je ne sois pas exempt de la loi de Dieu mais que je sois sous la loi du Christ[e].» Il ne convient donc pas de dire : «Les justes n'ont pas de loi», ni : «Les justes sont sans loi», mais : « Ce n'est pas pour les justes que la loi a été instituée[f]», c'est-à-dire qu'elle ne leur a pas été imposée contre leur gré, mais proposée à leur liberté avec autant de civilité qu'elle était inspirée par la douceur. C'est pourquoi le Seigneur dit si bien : «Prenez sur vous mon joug[g]», comme s'il disait : «Je ne vous l'impose pas contre votre volonté, mais vous, prenez-le, si vous voulez ; sinon, ce n'est pas le repos mais le labeur que 'vous trouverez pour vos âmes[g]'.»

La charité, loi de perfection

38. Ainsi la charité est une loi de bonté et de douceur ; non seulement on la porte avec légèreté et douceur, mais de plus elle rend supportables et légères la loi des esclaves et celle des mercenaires. Certes, elle

non destruit, sed facit ut impleantur, dicente Domino :
5 *Non veni legem solvere, sed adimplere*[h]. Illam temperat, istam ordinat, utramque levigat. Numquam erit caritas sine timore, sed casto; numquam sine cupiditate, sed ordinata. Implet ergo caritas legem servi, cum infundit devotionem; implet et mercenarii, cum ordinat cupiditatem. Porro timori
10 permixta devotio ipsum non annullat, sed castificat. Poena tantum tollitur, sine qua esse non potuit, dum fuit servilis; et *timor manet in saeculum saeculi*[1] castus et filialis. Nam quod legitur : *Perfecta caritas foras mittit timorem*[j], poena intelligenda est, quae servili, ut diximus, numquam
15 deest timori, illo scilicet genere locutionis, quo saepe causa ponitur pro effectu. Deinde cupiditas tunc recte a superveniente caritate ordinatur, cum mala quidem penitus respuuntur, bonis vero meliora praeferuntur, nec bona nisi propter meliora appetuntur. Quod cum plene per Dei
20 gratiam assecutum fuerit, diligetur corpus, et universa corporis bona tantum propter animam, anima propter Deum, Deus autem propter seipsum.

XV. 39. Verumtamen, *quia carnales sumus*[a] et de carnis concupiscentia nascimur[b], necesse est cupiditas vel amor noster *a carne incipiat*, quae si recto ordine dirigitur,

38. h. Matth. 5, 17 ≠ || i. Ps. 18, 10 ≠ || j. I Jn 4, 18
39. a. Rom. 7, 14 ≠ || b. Cf. Jn 1, 13

---

1. «Numquam erit caritas sine timore sed casto» : Plus tard Bernard semble avoir changé son opinion à propos de la crainte. Voir *SCt* 83, 4 : «Servilis est timor, quamdiu ab amore non manumittitur» (*SBO* II, 300, l. 20-21) : «La crainte est servile, tant que l'amour ne vient pas l'affranchir» (*NatV* 3, 5, *SBO* IV, 215, l. 2-8).

2. «saepe causa ponitur pro effectu» : La charité expulse la crainte (*timorem*), car elle expulse la crainte servile, qui comporte la peur du châtiment. On dit «crainte» et on vise l'effet de cette crainte : la peur du châtiment (poena).

3. «Anima» (Fark.) au lieu de «animae» : *A, Cr, D, H, K, Mt, R, T, W.*

ne les abroge pas, mais elle réalise leur accomplissement, selon la parole du Seigneur : «Je ne suis pas venu abolir la loi, mais l'accomplir[h].» La charité modère la loi des esclaves, règle celle des mercenaires, les allège toutes deux. Jamais il n'y aura de charité sans crainte[1], mais ce sera une crainte chaste ; jamais elle ne sera sans convoitise, mais ce sera une convoitise bien réglée. Donc la charité accomplit la loi de l'esclave en y ajoutant le don de soi, elle accomplit aussi celle du mercenaire en réglant la convoitise. Mêlé à la crainte, le don de soi ne la supprime pas, mais il la rend chaste. Seule est enlevée la peur du châtiment sans laquelle la crainte n'aurait pu exister aussi longtemps qu'elle était servile ; et «la crainte qui demeure pour les siècles des siècles[i]» est chaste et filiale. Car ce qu'on lit : «La charité parfaite expulse la crainte[j]» veut dire qu'elle expulse la peur du châtiment qui, comme nous l'avons dit, ne manque jamais à la crainte servile ; il s'agit de la figure de style où l'on dit souvent la cause pour l'effet[2]. Ensuite, la convoitise est bien réglée par l'intervention de la charité au moment où, bien sûr, on rejette totalement le mal et où, d'autre part, on préfère le mieux au bien et où l'on ne recherche le bien que pour le mieux. Quand, par la grâce de Dieu, ce but sera pleinement atteint, on aimera le corps et tous ses biens sans exception, uniquement pour l'âme ; l'âme[3] pour Dieu ; et Dieu pour lui-même.

Les quatre degrés de l'amour

XV. 39. Toutefois, «puisque nous sommes charnels[a]» et que nous naissons du désir de la chair[b], il est inévitable que notre convoitise ou notre amour «commence par la chair[4]». Si la convoitise est bien dirigée,

4. *Dil* 39 contient en germe la doctrine de Bernard sur les quatre degrés de l'amour (§§ 23-30).

quibusdam suis gradibus duce gratia proficiens, *spiritu*
5 *tandem consummabitur*[c], quia *non prius quod spirituale, sed quod animale, deinde quod spirituale*[d]. Et *prius necesse est portemus imaginem terrestris, deinde caelestis*[e]. In primis ergo diligit seipsum homo propter se : caro quippe est, et nil sapere valet praeter se. Cumque se videt per
10 se non posse subsistere, Deum quasi sibi necessarium incipit per fidem inquirere[f] et diligere. Diligit itaque in secundo gradu Deum, sed propter se, non propter ipsum. At vero cum ipsum coeperit occasione propriae necessitatis colere et frequentare, cogitando, legendo, orando,
153 15 oboediendo, quadam huiuscemodi familiaritate paulatim sensimque Deus innotescit, consequenter et dulcescit; et sic, *gustato quam suavis est Dominus*[g], transit ad tertium gradum, ut diligat Deum, non iam propter se, sed propter ipsum. Sane in hoc gradu diu statur, et nescio si a quoquam
20 hominum quartus in hac vita perfecte apprehenditur, ut se scilicet homo diligat tantum propter Deum. Asserant hoc si qui experti sunt; mihi, fateor, impossibile videtur. Erit autem procul dubio, cum *introductus fuerit servus bonus et fidelis in gaudium Domini sui*[h], et *inebriatus ab ubertate*
25 *domus Dei*[i] : quasi enim miro quodam modo oblitus sui, et a se penitus velut deficiens, totus perget in Deum, et deinceps *adhaerens ei, unus cum eo spiritus erit*[j]. Arbitror hoc Prophetam sensisse cum diceret : *Introibo in potentias Domini; Domine, memorabor iustitiae tuae solius*[k]. Sciebat

c. Gal. 3, 3 ≠ || d. I Cor. 15, 46 ≠ || e. I Cor. 15, 49 ≠ || f. Cf. Hébr. 11, 6 || g. Ps 33, 9 ≠ || h. Matth. 25, 21 ≠ || i. Ps. 35, 9 ≠ || j. I Cor. 6, 17 (Patr.) || k. Ps 70, 16 ≠

1. Cf. note 3, p. 129.
2. ** voir *supra* § 27, p. 128, note 2.
3. ** Bernard écrit constamment (7 fois) *potentias*, au pluriel, avec quelques mss bibliques des XIe et XIIIe s. et la Vulgate Clémentine. Au chap. suivant, Bernard, au contraire, donne encore le bon texte de *Ps* 86, 7 (4 fois en tout), alors que les mss du XIIIe s. en question et la Vulgate Clémentine écriront (*habitatio*) *est*.

elle progressera par des degrés qui lui sont propres, sous la conduite de la grâce, et «parviendra finalement à son achèvement sous l'action de l'Esprit[c]», car «ce qui paraît en premier lieu, ce n'est pas l'être spirituel, mais l'être animal; le spirituel ne vient qu'ensuite[d].» Et «il faut que nous portions d'abord l'image de l'homme terrestre, puis celle de l'homme céleste[e].» Donc en premier lieu l'homme s'aime lui-même pour lui-même : il est chair, et il ne peut rien goûter en dehors de lui-même. Quand il voit qu'il ne peut subsister par lui-même, il commence à chercher Dieu par la foi[f] et à l'aimer, comprenant que Dieu lui est nécessaire. Ainsi, dans ce second degré, l'homme aime Dieu, mais pour soi-même et non pour Dieu. Cependant, une fois que, par intérêt, il a commencé à le vénérer et à le fréquenter par la méditation, la lecture, la prière, l'obéissance, il entre dans sa familiarité; peu à peu et graduellement Dieu se fait connaître et ensuite il communique la douceur de sa présence. Ainsi, pour «avoir goûté combien le Seigneur est doux[g]», l'homme passe au troisième degré, de sorte qu'il aime Dieu non plus pour soi-même mais pour Dieu. Bien sûr, on reste longtemps à ce degré, et je ne sais si un homme en cette vie arrive à atteindre parfaitement le quatrième degré, celui où l'homme s'aime uniquement pour Dieu[1]. Libre à certains de l'affirmer s'ils en ont fait l'expérience; pour moi, je l'avoue, cela me semble impossible. Cela se produira certainement, quand «le serviteur bon et fidèle aura été introduit dans la joie de son Seigneur[h]» et sera «enivré de l'abondance de la maison de Dieu[i]». D'une façon merveilleuse il s'oubliera soi-même, il cessera définitivement de s'appartenir et il se transportera tout entier en Dieu; «s'attachant désormais à Dieu, il deviendra un seul esprit avec lui[j2].» Je crois que le prophète avait cette expérience lorsqu'il disait : «J'entrerai dans les puissances du Seigneur[k3]; Seigneur, je garderai mémoire uni-

30 profecto, cum introiret in spirituales potentias Domini, exutum se iri universis infirmitatibus carnis, ut iam nil de carne haberet cogitare, sed totus in spiritu *memoraretur iustitiae Dei solius*[l].

40. Tunc pro certo singula Christi membra dicere poterunt de se, quod Paulus aiebat de capite[m] : *Et si cognovimus secundum carnem Christum, sed nunc iam non novimus*[n]. Nemo ibi se cognoscet secundum carnem, 5 quia *caro et sanguis regnum Dei non possidebunt*[o]. Non quod carnis illic substantia futura non sit, sed quod carnalis omnis necessitudo sit defutura, carnisque amor amore spiritus absorbendus, et infirmae, quae nunc sunt, humanae affectiones in divinas quasdam habeant com-10 mutari. Tunc *sagena* caritatis, quae *nunc tracta*[p] *per hoc mare magnum et spatiosum*[q] ex omni genere piscium congregare non desinit, cum *perducta ad littus fuerit, malos foras mittens, bonos solummodo*[p] retinebit. Siquidem in hac vita ex omni genere piscium intra sinum suae lati-154 15 tudinis[r] caritatis rete concludit, ubi se pro tempore omnibus conformans, omniumque in se sive adversa, sive prospera traiciens, ac sua quodammodo faciens, non solum *gaudere cum gaudentibus*, sed etiam *flere cum flentibus consuevit*[s]. Sed cum pervenerit ad littus, velut malos pisces 20 omne quod triste patitur, foras mittens, sola quae placere et iucunda esse poterunt retinebit.

l. Ps. 70, 16 ≠

40 m. I Cor. 6, 15 ≠ || n. II Cor. 5, 16 || o. I Cor. 15, 50 ≠ || p. Matth. 13, 47-48 ≠ || q. Ps. 103, 25 || r. Cf. Lc 5, 6 || s. Rom. 12, 15 ≠

quement de ta justice.» Il savait certainement qu'à son entrée dans les puissances spirituelles du Seigneur, il serait dépouillé de toutes les faiblesses de la chair, de sorte que, n'étant plus obligé de penser aux exigences de son corps, il pourrait consacrer tout son esprit à se «remémorer uniquement la justice de Dieu[l]».

40. Alors certainement chacun des membres du Christ pourra dire de soi-même ce que Paul affirmait de la tête[m]: «Même si nous avons connu le Christ selon la chair, maintenant en tout cas nous ne le connaissons plus ainsi[n].» En ce temps, personne ne se connaîtra selon la chair, car «la chair et le sang ne posséderont pas le Royaume de Dieu[o].» Non pas que la substance de la chair ne doive y entrer un jour, mais toute exigence de la chair fera défaut, l'amour de la chair devra être absorbé par celui de l'esprit et les pauvres attachements humains de cette vie devront se transformer entièrement en des

Le filet de la charité

attachements divins. Actuellement «le filet» de la charité est «remorqué[p]» «à travers l'étendue de notre vaste mer[q]» et ne cesse de rassembler toutes sortes de poissons; quand «il aura été amené au rivage», alors la charité «rejettera les mauvais» pour ne garder «que les bons[p]». De fait, en cette vie, ce sont toutes sortes de poissons qu'enferme dans l'ampleur de sa poche[r] le filet de la charité. S'adaptant à tous en fonction du temps, la charité accueille en elle le malheur ou le bonheur de tous; et les faisant siens en quelque sorte, elle a pour habitude non seulement de «se réjouir avec ceux qui se réjouissent», mais aussi de «pleurer avec ceux qui pleurent [s]». Dès qu'elle parviendra au rivage, elle rejettera comme de mauvais poissons toutes les tristesses qu'elle a endurées, pour garder uniquement ce qui pourra plaire et être agréable.

Numquid enim tunc, verbi gratia, *Paulus aut infirmabitur cum infirmis, aut uretur pro scandalizatis*[t], ubi scandala et infirmitas procul erunt? Aut certe *lugebit eos* 25 *qui non agent paenitentiam*[u], ubi certum est nec peccantem fore, nec paenitentem? Absit autem ut vel eos qui *ignibus aeternis cum diabolo et angelis eius deputandi sunt*[v], plangat et defleat *in illa civitate, quam fluminis impetus laetificat*[w], *cuius diligit Dominus portas super* 30 *omnia tabernacula Iacob*[x], quod videlicet in tabernaculis, etsi quandoque gaudetur de victoria, laboratur tamen in pugna, et plerumque periclitatur de vita, in illa autem patria nulla prorsus admittatur adversitas sive tristitia, quemadmodum de illa canitur : *Sicut laetantium omnium* 35 *habitatio in te*[y], et rursum : *Laetitia sempiterna erit eis*[z]. Denique quomodo misericordiae recordabitur, ubi *memorabitur iustitiae Dei solius*[a]? Proinde ubi iam non erit miseriae locus aut misericordiae tempus, nullus profecto esse poterit miserationis affectus.

t. II Cor. 11, 29 ≠ || u. II Cor. 12, 21 ≠ || v. Matth. 25, 41 ≠ || w. Ps. 45, 5 ≠ || x. Ps. 86, 2 ≠ || y. Ps. 86, 7 || z. Is. 61, 7 || a. Ps. 70, 16 ≠

---

1. Comment trouver la joie parfaite, tandis que des frères souffrent en enfer? Bernard répond ici par un subtil jeu de mots : «miseriae», «misericordiae», «miserationis». Mais ce jeu de mots ne donne pas de vraie réponse. Voir *infra Gra* 31, p. 310s.

2. Le traité *Dil* se termine par le mot «affectus», le traité *Tpl* par le mot «bellum». Est-ce purement par hasard?

La joie parfaite Pour prendre un exemple, dans l'éternité «Paul sera-t-il toujours faible avec les faibles ou brûlera-t-il pour les victimes des scandales[t]», quand scandales et faiblesses seront loin? Ou «pleurera-t-il sur ceux qui ne feront pas pénitence[u]», quand il est sûr qu'il n'y aura plus ni pécheur ni pénitent? Loin de là! Il ne songera même pas à se lamenter ni à pleurer sur «ceux qu'il faut reléguer au feu éternel avec le diable et ses anges[v]», tandis qu'il se trouve «dans cette cité que réjouit le fleuve impétueux[w]», «la cité dont le Seigneur aime les portes plus que toutes les tentes de Jacob[x]»! Sous la tente, bien que parfois on y chante victoire, on vit parmi les labeurs du combat; la plupart du temps on s'y trouve en danger de mort, alors que, dans la patrie, on ne peut absolument éprouver ni malheur ni tristesse. C'est pourquoi on chante à ce sujet: «Chez toi, la demeure de tous ceux qui sont dans la joie[y]», et encore: «Leur joie sera éternelle[z].» Finalement, comment se rappeler la miséricorde là où «l'on gardera mémoire uniquement de la justice de Dieu[a]»? Par conséquent, là où il n'y aura plus ni place pour la misère ni temps pour la miséricorde[1], il ne pourra se trouver pour la compassion non plus aucun attachement[2].

LA GRÂCE ET LE LIBRE ARBITRE

Au Père Albert Derzelle
et, par lui, à nos Pères de Scourmont,
à Dom Le Bail,
ce De gratia *dont ils ont perçu*
et communiqué toutes les richesses

INTRODUCTION

I. Bernard et le *De gratia*

Nous avons choisi de conserver le titre français traditionnel du *De gratia et libero arbitrio.* «Libre arbitre» est si désuet que le lecteur non médiéviste pourrait le dire nouveau. De la même façon, cette expression peut être le véhicule de pensées et de valeurs philosophiques et religieuses qui ne sont pas monnaie courante aujourd'hui. Enfin, *liberum arbitrium* remonte à l'Antiquité, est bien latin; on a pu lui reprocher de n'être pas biblique, mais il a été utilisé par S. Augustin, par la scolastique et n'a rien à se reprocher.

Le *De gratia* de S. Bernard qui prendra place en partie dans les Sommes théologiques des XIIe et XIIIe siècles n'est pas l'œuvre d'un «maître en théologie». Loin de rechercher ce grade et de s'orienter vers la scolastique naissante, Bernard a tourné le dos aux diverses disciplines des écoles cathédrales en pleine activité. A cette époque de renaissance humaniste, où les villes prennent leur essor, Bernard, sur l'appel de Dieu, opte pour le renouveau monastique qui l'entraîne au désert, à Cîteaux. Il est âgé de 23 ans.

On peut alors se demander d'où lui viennent l'ampleur et la sûreté des connaissances théologiques qui le désigneront à ses contemporains. Élève des chanoines de la collégiale Notre-Dame de Châtillon-sur-Seine, desservants de l'église Saint-Vorles, il a approfondi dans le *trivium*[1] la grammaire et la rhétorique, et il a abordé la dialectique. L'histoire n'en sait pas davantage. Moine, sa recherche porte sur «la véritable philosophie, celle de Jésus crucifié[2]», et encore, selon son expression, sur «les voies de la vie» dont le terme est le salut[3], c'est-à-dire la restauration de l'homme, tâche proprement monastique face aux écoles où l'on enseigne Platon et Aristote[4]. Abbé, il entrera en contact avec des théologiens, tels «les deux Guillaume», l'un fondateur de Saint-Victor à Paris, et l'autre qui a fréquenté les écoles de Liège, de Reims et de Laon. Mais, surtout, il s'abreuve à la source de l'Écriture

NDLR. – Les notes ou parties de notes précédées d'un astérisque (*) sont dues à G. Lobrichon. Les notes précédées de deux astérisques (**) sont dues à J. Figuet.

1. L'étude des Arts libéraux comprenait deux cycles : le *trivium* (grammaire, dialectique, rhétorique) et le *quadrivium* (arithmétique, géométrie, astronomie, musique).

2. *SCt* 43, 4 (*SBO* II, 43, l. 22). Cette expression s'inspire de *I Cor.* 1, 22 où justement le Crucifié est reconnu comme Puissance de Dieu et Sagesse de Dieu. «De fait, telle est bien la philosophie de Bernard dans le plus philosophique de ses ouvrages, *La grâce et le libre arbitre*. Pour lui, la liberté, thème philosophique par excellence, est dans l'union de la liberté humaine à la Sagesse et Puissance de Dieu qu'est le Christ» (J. Guitton, *Regards sur la pensée française (1870-1910)*, Beauchesne 1968, p. 216).

3. *Ps.* 15, 11a, cf. *QH* 11, 9 (*SBO* IV, 455, l. 14). La connaissance de ces voies est une science transmise par des «maîtres», les Apôtres S. Pierre et S. Paul. Eux-mêmes l'ont apprise du Christ. Bernard oppose leur enseignement à celui des écoles où l'on apprend à lire Platon et Aristote. Cf. *PP* 1, 3 (*SBO* V, 188, l. 5; 189, l. 25 – 190, l. 2); *SCt* 21, 2 (*SBO* I, 123, l. 19-20); *SCt* 36, 1 (*SBO* II, 4, l. 4-13); *Div* 40, 1 (*SBO* VI-1, 234, l. 9-13).

4. Cf. P. Vignaux, *La pensée au moyen âge*, Paris 1938, p. 55. L'auteur note que «le mysticisme de cet ennemi de la dialectique (Bernard) suppose pourtant une pensée qui ne manque ni d'unité, ni de rigueur» (p. 27).

et de la tradition avec, pour instrument privilégié, la connaissance de soi et la purification du cœur par la pauvreté volontaire car Dieu se révèle aux humbles : ils apprennent de «l'onction intérieure» ce qui ne s'enseigne pas, acquièrent ce qui ne s'apprend pas[5]. Sa méthode, sans aucun souci de systématisation, n'est autre que celle des Pères de l'Église dont il sera le dernier représentant. En effet, à l'égal de ceux-ci, Bernard est un penseur doté d'une extraordinaire personnalité. Il a reçu en partage une alliance de contrastes très équilibrés. L'envergure et la subtilité de son intelligence, sa capacité d'assimilation, son art littéraire et tout ce qui fait de lui un génie s'accompagnent d'un puissant charisme monastique et mystique, modérateur de tant de dons, et d'un caractère qui, s'il est doux et timide, est tout autant violent et passionné.

Bernard, après dix-sept années de vie monastique et treize d'abbatiat, se sent porté à publier ses propres réflexions sur les rapports entre la grâce de Dieu et la liberté de l'homme. Sa prédilection pour les épîtres de S. Paul et sa connaissance de S. Augustin l'ont familiarisé avec ce sujet d'une importance fondamentale pour le progrès spirituel et avec lequel il se sent en pleine harmonie[6]. Il adopte pour cette œuvre la forme philosophique des dialogues avec interrogations oratoires, qui, très serrées au début, se relâchent peu à peu. Pourtant, dès le commencement du dialogue, il se réfère non à une question philosophique, mais à une expérience personnelle. «Frère Bernard» rapporte une conversation où,

5. Cf. *SCt* 85, 14 (*SBO* II, 316, l. 18); cf. *Ep* 108, 2 (*SBO* VII, 278, l. 8-12).

6. Le *De gratia* est le seul traité où S. Bernard ne répond pas à une sollicitation d'écrire qu'on lui aurait faite : il prend la plume de lui-même. La *Lettre* 174 adressée aux chanoines de Lyon sur l'Immaculée conception est dans le même cas.

dans la «liberté de l'Esprit», il avait épanché son âme. Il avait fait, disait-il, l'expérience d'une réalité comblante, justifiant son espérance : celle de la toute-puissante action que la grâce déployait pour lui qui, dans le même temps, mesurait sa pauvreté personnelle. En cet exorde, nous surprenons le ton de ses ouvrages mystiques, celui de l'humilité et d'une confession de louanges qui, exaltant la grâce de Dieu, est le fruit et le signe d'une certaine plénitude de grâces[7]. Peu à peu, la forme dialoguée est oubliée au profit d'une série de définitions conceptuelles d'allure très pédagogique. Mais, plus le traité avance, plus la substance biblique va prendre de place et plus l'expérience spirituelle se mêlera à la spéculation rigoureuse en des pages où le dernier mot sera à la louange de Dieu : *magnificavit*, verbe substitué au *glorificavit* de S. Paul[8].

Un livre de base

Le *De gratia* est unique en son genre dans l'œuvre bernardine. C'est un manuel de théologie sur l'entière gratuité du salut que Dieu offre à l'homme et les implications de cette vérité dans la vie spirituelle ; en d'autres termes, ce petit livre veut déterminer les rôles respectifs de la grâce et du libre arbitre dans le salut de l'homme. Sur un ton irénique, il prend place dans le grand débat séculaire concernant la liberté humaine et sa responsabilité. Le sujet avait pris une recrudescence d'intérêt et d'actualité avec l'œuvre de S. Anselme de Cantorbéry, quelques décennies auparavant. Les écoles contemporaines en traitaient.

7. Cf. *SCt* 67, 10 (*SBO* II, 195, l. 7-8).
8. Cf. *infra*, p. 361, n. 2.

Le *De gratia* est un traité de base à un double point de vue, en premier lieu par sa façon d'aborder le sujet sous forme progressive et scolastique ; ensuite par la généralité de son objet : il traite de la manière selon laquelle s'effectue l'union de l'homme avec Dieu. En ce sens, il ébauche les grandes lignes de la théologie ascétique et mystique, son propos étant, selon le prologue même, « de profiter à la charité du lecteur ». Publié aux alentours de l'année 1128, parmi les premiers ouvrages de l'auteur, il pourrait passer, en quelque sorte, pour une déclaration d'intention concernant sa production ultérieure où, de fait, la doctrine du *De gratia* est omniprésente, bien que la forme – qui ne convient aucunement au genre des sermons – soit tout à fait abandonnée[9].

Si scolaire qu'il paraisse, le *Traité de la grâce et du libre arbitre* est, en réalité, une œuvre littéraire digne de S. Bernard. Pour la vigueur de son style, sa construction et ses admirables transitions, pour le dynamisme qui le soulève dans « son anthropologie entièrement orientée vers la consommation totale et la restauration achevée – commencée dès ici-bas – de l'image de Dieu[10] », c'est-à-dire de l'homme doué du privilège de la liberté, le *De gratia* est qualifié par les bollandistes de « livre d'or ». Devant ce substantiel et lumineux traité, Mabillon multiplie les éloges et remarque : « C'est un petit livre, mais il contient plus de suc et de solide doctrine que beaucoup de volumes énormes traitant du même sujet[11] ». En ce traité, Bernard poursuit le débat ouvert par Pélage et S. Augustin.

9. J.-B. Auberger (*L'Unanimité*, p. 305), voit dans le *De gratia* un des sommets de la pensée bernardine. Il contient un « exposé extrêmement clair de ses conceptions anthropologiques et théologiques ».

10. J. Leclercq, « Conseil et conseillers spirituels selon S. Bernard », *Studia monastica*, 25 (1983), p. 77-78.

11. J. Mabillon, Préface au *De gratia et libero arbitrio* de S. Bernard (*PL* 182, 999).

II. Jalons d'histoire

Le pélagianisme

Tandis que le Proche-Orient était encore déchiré par les «grandes hérésies» auxquelles répondirent entre autres, pour donner les dates extrêmes, le concile de Nicée (325) proclamant la divinité du Verbe à l'encontre d'Arius et le concile de Chalcédoine (451) affirmant contre Nestorius la double nature dans la personne de Jésus-Christ, Dieu parfait et homme parfait, apparaissait en Occident l'hérésie de Pélage. Dès 412, Augustin publiait son premier écrit antipélagien[12], et le concile d'Éphèse (431) condamnait définitivement les erreurs pélagiennes. Mais ce ne fut qu'en 529, au IIe concile d'Orange, que prirent fin les querelles antiaugustiniennes des moines et évêques de Provence appelés à partir du XVIIe siècle les semi-pélagiens. Les IVe et Ve siècles de l'Église furent donc occupés par des controverses acharnées sur les points essentiels et corrélatifs de la foi, car la doctrine de Pélage n'était pas sans relation avec celle de Nestorius et du maître de ce dernier, Théodore de Mopsueste.

Photius avait conservé dans sa *Bibliothèque* l'analyse d'un ouvrage, son *cod. 54*, maintenant perdu, qui était consacré aux «Actes des évêques d'Occident contre les doctrines nestoriennes» et où l'on montrait que «l'hérésie de Nestorius est identique à celle de Célestius», le disciple de Pélage[13].

Le pélagianisme, en effet, n'est pas sans «attaches orientales», en raison de ses deux initiateurs, Pélage – qui avait fait plusieurs voyages en Orient – et Rufin le Syrien.

12. Aug., *Peccat. merit.* (*CSEL* 60, p. 3-151).
13. Photius, *Bibliothèque*, 54 (éd. R. Henry, t. I, p. 42).

Ils se rencontrèrent à Rome en 399. A l'impulsion ascétique et morale tout imprégnée de ferveur évangélique qu'avait donnée Pélage à ses disciples, depuis une dizaine d'années, Rufin apporta des bases théologiques. Au centre du *Liber de fide* qu'il écrivit alors se trouve l'essentiel de ce que fut le pélagianisme. Il y enseigne, entre autres, la non-transmission du péché originel, le sens qu'il donne au baptême des petits enfants, l'existence d'hommes sans péché avant la venue du Christ. De plus, ce livre contenait une violente diatribe contre les défenseurs du péché originel. «Sous ce pluriel de convention, dit H.-I. Marrou, c'est Augustin qui est mis en cause, non pas l'Augustin anti-pélagien qui est encore à naître, mais bien l'auteur des *Confessions*, cet hymne au pouvoir souverain de la grâce, cette analyse de la faiblesse radicale de l'homme[14].» Augustin lui-même relate comment la prière qui jalonne son livre : «Donne ce que tu commandes et commande ce que tu veux[15]» heurta Pélage au point que, s'impatientant, «il s'en fallut de peu qu'il ne se prît de querelle avec l'évêque qui l'avait citée[16]».

Pélage, en effet, se faisait une haute idée de la nature humaine, mais qui manquait de réalisme. Augustin, dans son traité du *Libre arbitre*, avait fait valoir à l'encontre des manichéens que le *naturale iudicium* est un don précieux, sans pourtant faire abstraction des ravages opérés dans la condition humaine par l'abus du libre arbitre. Pélage, au contraire, rejetait la doctrine du péché originel, minimisait le poids de la concupiscence, revendiquait l'autonomie de la liberté humaine comme pouvant

14. H.-I. MARROU, «Les attaches orientales du pélagianisme», dans *Patristique et humanisme. Mélanges* (*Patristica sorbonensia* 9), Paris 1976, p. 343.

15. AUG., *Conf.*, 10, 29, 40; 31, 45; 37, 60 (*BA* 14, p. 212, 220, 248; *CCL* 27, p. 176, 178 s., 187 s.).

16. AUG., *Persev.*, 20, 53 (*BA* 24, p. 731).

et devant, par elle-même, observer la loi de Dieu. La grâce n'était, à son avis, que la nature donnée par le Créateur, c'est-à-dire le libre arbitre. Et, sous un autre aspect, elle lui paraissait n'être qu'une aide de la bénignité divine pour accéder à une meilleure connaissance de sa loi, faciliter l'accomplissement de ce que l'homme peut par sa propre nature, remettre les péchés actuels. En définitive, l'anthropologie pélagienne se fonde sur une théologie de la création qui évince la grâce du Christ, évacue le scandale de la croix. Augustin perçoit que c'est le fond même du christianisme qui est mis en question par Pélage : dans cette doctrine, le Christ n'apparaît plus que comme l'auteur d'un enseignement ou un modèle à imiter, non comme celui qui agit avec nous et nous communique la force de Dieu[17].

De nombreuses reviviscences du pélagianisme – cette tendance invétérée de l'esprit humain manifestée autrefois dans le stoïcisme – se sont fait jour à travers les âges, tel ce qu'on a appelé au début de ce siècle « l'américanisme » – attitude pratique d'autosuffisance bien plus qu'hérésie – et la négation si ancrée du péché originel. H.-I. Marrou reconnaît dans l'erreur pélagienne une hérésie proprement occidentale, en ce sens qu'elle est le témoin d'une pensée très centrée sur l'homme et sa liberté, sur les problèmes de la grâce, du mérite et du salut personnel, de l'expérience psychologique. Qu'on pense aux nombreuses études sur ces sujets au XIIe et XIIIe siècles[18], à la question de la justification par la foi, au temps de la Réforme protestante, aux tensions entre augustinisme et thomisme, au baïanisme, au jansénisme.

17. Cf. AUG., *Nat. et grat.*, 40, 47; 50, 58 (*BA* 21, p. 333 et 355).

18. O. LOTTIN (*Psychologie et morale,* t. 1, p. 12) écrit : « La question de la liberté fut l'objet de discussions passionnées. »

Bernard et Augustin

Sous l'influence du même Esprit, bien que menés par des chemins différents, Augustin et Bernard ont une intuition de la grâce qui crée entre eux une parenté spirituelle indéniable. Le livre des *Confessions*, avec son double aspect de louange et de pénitence, aurait suffi à la faire reconnaître. Mais la controverse pélagienne où le grief majeur adressé à Pélage est celui d'ingratitude envers la grâce, celui de se constituer en «ennemi de la grâce du Christ», la manifeste encore beaucoup plus. Sous le rapport de l'humilité et de l'action de grâces, les écrits de ces deux génies mystiques sont en pleine harmonie.

Mais en ce qui concerne la doctrine, on l'a joliment dit, Bernard suit ses devanciers «comme un maître peut imiter ses maîtres». Vis-à-vis d'Augustin, il ne se montre pas explicitement critique, mais sélectif. Une étude d'Ulrich Faust sur le *De gratia* s'est attachée à déterminer l'influence d'Augustin sur ce traité en même temps que l'indépendance dont il fait preuve[19]. Par ailleurs, Manlio Simonetti ne craint pas de parler, encore à propos du *De gratia*, d'un désaccord tacite entre Bernard et Augustin[20]. Il reste que Bernard a reconnu la puissance de pénétration d'Augustin et qu'il le considère, avec Ambroise, comme une colonne de l'Église dont on ne le détacherait pas facilement[21].

En adoptant comme titre de son ouvrage, «La grâce et le libre arbitre», Bernard lui donne comme présupposé le traité du même nom d'Augustin sur l'existence du libre arbitre et la possibilité pour l'homme d'acquérir des «mérites». Mais le *De gratia* prend appui beaucoup plus

19. U. FAUST, «Bernhards 'Liber de gratia et libero arbitrio' Bedeutung, Quellen und Einfluss», dans *Analecta monastica, Studia anselmiana* 50, Rome 1962.

20. M. SIMONETTI, Introduction au *De gratia*, dans *Opere di San Bernardo,* t.1, *Trattati,* p. 353 (désormais M. SIMONETTI, Introduction).

21. Cf. *Ep* 77, 8 (*SBO* VIII, 190, l. 16).

largement sur l'œuvre augustinienne, et tout d'abord sur le *Traité du libre arbitre* et les *Deux livres à Simplicien sur diverses questions*, écrits, l'un et l'autre, avant la crise pélagienne. La spéculation de Bernard s'engage à la suite de celle d'Augustin dans ce que B. McGinn a appelé «le complexe concret et historique», exprimé par les trois mots : «péché-grâce-liberté[22]». Mais il a soin d'éviter certaines majorations d'Augustin, dues à diverses causes, que ce soit celles de son cheminement personnel ou celles des pressions exercées par la polémique. É. Gilson dit sa «grande surprise» en constatant que l'influence augustinienne sur Bernard, certainement profonde, n'était pas aussi prépondérante qu'il l'avait pensé a priori, comme c'est le cas chez un Guillaume de Saint-Thierry ou un Aelred de Rievaulx[23]. D'où nous pouvons dire avec M. Simonetti que Bernard fait preuve d'un «augustinisme modéré[24]».

Dans le *De gratia* où, nous dit-il, il se défend de répéter ce qui a déjà été suffisamment dit, Bernard se concentre sur ce qu'Augustin, à plusieurs reprises, a jugé très difficile : la manière de concilier l'action respective de la grâce et du libre arbitre dans l'œuvre du salut car tout ce que l'on attribue à l'un semble être enlevé à l'autre et vice versa[25]. Cassien, de son côté, avait avoué l'impuissance de l'intelligence humaine à comprendre pleinement comment Dieu opère tout en nous en même

22. Ce complexe s'ajoute au «complexe abstrait», qui se résume aussi en trois mots, «providence-prédestination-contingence», étudié particulièrement par Boèce. Cf. B. McGinn, Introduction au *De gratia* de S. Bernard, dans *The works of Bernard of Clairvaux*, t. 7, *Treatises* III, Kalamazoo (Michigan) 1977, p. 6-7 (désormais, B. McGinn, Introduction).

23. É. Gilson, *La théologie mystique de saint Bernard*, Paris 1934, p. 45, note 1.

24. M. Simonetti, Introduction, p. 356.

25. Cf. Aug., *Peccat. merit.*, 2, 18, 28 (*CSEL* 60, p. 100); *Grat. Christ.*, 1, 47, 52 (*BA* 22, p. 149).

temps que tout est attribué au libre arbitre[26]. C'est ce point précis que Bernard étudie pour mettre en lumière la nature du mérite au sujet duquel son accord avec Augustin est parfait. Quant au mystère concernant ce que les Orientaux appellent la «synergie», celui que relatait Cassien, il reste entier.

III. Cohérence du *De gratia*

Adam et le Christ occupent le centre du traité.

Convergence sur la liberté en Adam

La première partie du *De gratia* converge manifestement sur l'examen de la liberté en Adam. En effet, la première série de distinctions entre les libertés de nature, de grâce et de gloire en est un préliminaire au terme duquel Bernard, après avoir évoqué son propos d'étudier ce sujet, le repousse (8 fin)[27]; il en est de même après la seconde série de distinctions entre libre arbitre, libre conseil et libre bon plaisir où cet examen est encore repoussé (12 début). Ce n'est qu'après le chapitre sur l'accès de la volonté à la perfection que Bernard s'estime enfin prêt – il le note expressément (21 début) – à examiner les états de la liberté en Adam, avant et après la chute.

26. J. Cassien, *Conférences*, 13, 18 (*SC* 54, p. 181). Sur la position de Cassien, cf. H.-I. Marrou, *Nouvelle histoire de l'Église*, Seuil 1963, t. 1, p. 456. L'auteur note que Cassien ne s'est pas contenté d'opposer à Augustin la synergie orientale, mais «comme S. Augustin, il s'est laissé attirer sur le terrain délimité par Pélage et enfermer dans cette nouvelle problématique qui va caractériser la spéculation occidentale. Lui aussi cherche à scruter le mystère du salut personnel et s'installe au cœur de l'expérience psychologique.»

27. Tous les chiffres entre parenthèses renvoient aux paragraphes du *De gratia*.

Le Christ, Restaurateur de la liberté

Le Traité est dominé par la présentation, en son centre (26), du Christ de la foi selon S. Paul, en tant qu'il est Sagesse et Puissance de Dieu. Cela correspond aux prémisses du *De gratia*. En effet, Bernard inscrit en exergue de son œuvre, pourrait-on dire, deux verbes à la forme passive, mots-clés de sa théologie de la liberté : être enseigné et être aidé (1)[28]. Ils introduisent à l'étude de la liberté spirituelle dans la personne humaine, qui doit être investie par la grâce aussi bien dans son intelligence que dans sa puissance d'intégration (sans pour cela être dépersonnalisée, loin de là!).

Autre point sur lequel, dès la première page, l'auteur insiste : la distance qui existe entre savoir et pouvoir. L'enseignement reçu est une étape vers la libération, mais elle doit avoir pour complément la communication de la force, grâce à laquelle la doctrine passera dans les actes[29]. La force, don de Dieu lui-même[30], est incommunicable d'homme à homme, alors que l'enseignement se fait habituellement par intermédiaire.

28. Un lien peut être aussi établi entre *Gra* 1 et 26 par l'emploi de l'adjectif «nécessaire» : être enseigné et être aidé est «nécessaire à l'homme, c'est pourquoi il regarde comme «nécessaire» le Christ, qui est Sagesse et Puissance. Deux autres fois dans le traité, cet adjectif qualifie la grâce (§ 18, l. 34; § 48, l. 17).

29. J.-M. DÉCHANET («Aux sources de la pensée philosophique de S. Bernard», dans *Saint Bernard théologien*, p. 57) relève l'aspect «moralisant» de la philosophie bernardine, «plus utilitariste que critique, plus volontariste qu'intellectuelle». Mais Ch. DUMONT («Saint Bernard mystique selon la Règle de Saint Benoît», *Lettre de Ligugé*, 1981, n° 206, p. 37) note que la morale chrétienne n'est pas «moralisante»; elle est la vie de l'être nouveau régénéré par le mystère pascal du passage en Dieu. Cet auteur parle donc plutôt de «moralisme mystique», c'est-à-dire d'une intériorisation du mystère qui informe les actes de la vie et est tendue vers l'eschatologie.

30. Cf. les références scripturaires à la fin du § 1.

Schéma en symétrie concentrique

Conformément à la cohérence du *De gratia*, telle que nous venons de l'exposer, nous proposons le schéma suivant :

A. Introduction (1 et 2) «capable» (2)
  B. Mérite et triple liberté (3-15)
    C. Ordination de la volonté (16-20)
      D. Liberté en Adam (21-25)
        E. Le Christ, Puissance de Dieu et Sagesse de Dieu (26-27)
      D′. Liberté : image et ressemblance (28-35)
    C′. Examen de la volonté en cas de pressions (36-41)
  B′. Mérites et triple œuvre de Dieu (42-49)
A′. Conclusion (50-51) «participant» (51).

Ce schéma montre l'organisation du traité autour du Christ, Restaurateur de la liberté, mais les autres éléments christologiques n'apparaissent pas. Or, selon le mot de Luther à propos du *De gratia*: «Pour Bernard, rien ne vaut la peine, sauf Jésus; par exemple, dans son débat sur la grâce et la volonté libre, on peut trouver Jésus partout[31].»

31. Nous traduisons une citation donnée en anglais par B. McGINN, *Introduction*, p. 46, note 146. Il se réfère à l'édition critique des œuvres de LUTHER, *Weimarer Ausgabe, Tischreden* (Propos de table), vol. 5, 154. Nous confirmons ce dire de Luther en signalant, outre les citations de *I Cor.* 12, 3 et *Jn* 15, 5 (1), le Christ-libérateur (7-8); Jésus enseignant les Apôtres (17), Sagesse incarnée en quête de l'homme image de Dieu (32), Fils de Dieu, Splendeur du Père, soutenant tout par la force de sa parole (32, idem); le Christ, Roi avant les siècles, venant opérer le salut sur la terre (43); le Christ apparaissant, et nous avec lui, dans la gloire, au dernier jour (49).

Schéma élémentaire

Hors ce schéma en symétrie concentrique, il en existe un autre qui se retrouve à chaque page du traité[32]. Nous le disons élémentaire parce qu'il se limite aux trois éléments constitutifs de la liberté : vouloir, savoir, pouvoir. Bernard le suit imperturbablement dans ses différents examens : sur la liberté spirituelle, la volonté « ordonnée » à celle de Dieu, la liberté en Adam, l'image et la ressemblance, la liberté de la volonté en cas de pression, la triple œuvre divine enfin. Nous le figurons sur deux plans pour signifier que le libre arbitre subsiste indépendamment de la grâce ; et nous ménageons un espace entre les deux libertés spirituelles conformément à la distinction entre connaissance spirituelle et force. Le schéma se lit de bas en haut.

DEUXIÈME LIBERTÉ	*TROISIÈME LIBERTÉ*
Liberté de grâce	Liberté de gloire
Libre conseil	Libre bon plaisir
Ressemblance	Ressemblance
(sagesse)	(puissance)

PREMIÈRE LIBERTÉ
Liberté de nature
Libre arbitre
Image
(volonté)

32. Cf. M.-M. DAVY, *Saint Bernard*, Aubier 1945, p. 101 : l'auteur le présente sous une forme linéaire.

IV. ANALYSE DU *DE GRATIA*

Occasion du traité

Une critique adressée à l'abbé de Clairvaux pour la place qu'il reconnaissait à la grâce dans la sanctification de l'homme fut l'occasion du traité. Le contradicteur, en effet, assignait à la grâce un seuil au-delà duquel elle doit se retirer pour laisser le libre arbitre «mériter», par ses propres forces, son salaire, sa récompense, c'est-à-dire le salut. Notons qu'il se démarquait des semi-pélagiens dont nous avons déjà parlé, puisqu'il reconnaissait la primauté de la grâce, son initiative. Bernard lui oppose un faisceau de textes scripturaires attribuant entièrement à Dieu l'œuvre du salut.

Rôle du libre arbitre : consentir

Bernard met aussitôt face à face le libre arbitre qui doit être sauvé et la grâce qui sauve, et il déclare que le libre arbitre n'est que «capable» d'un salut dont Dieu est l'auteur. Par le mot *capax*, emprunté à la terminologie augustinienne de l'image, Bernard, «le premier, lie nettement image et liberté métaphysique, affirme la personnalité humaine et cependant évite l'égalité de l'homme avec Dieu[33]». Le style du passage contribue à ne laisser au libre arbitre aucune prétention. Une argumentation nerveuse se presse dans des phrases quasi dépourvues de syntaxe, où le mouvement est donné par le jeu des verbes, prépositions, adjectifs, appliqués tour à tour à Dieu et au libre arbitre, départageant péremptoirement

33. Cf. R. JAVELET, «La réintroduction de la liberté dans les notions d'image et de ressemblance, conçues comme dynamisme», dans *Miscellanea mediaevalia*, Berlin 1971, p. 21 (désormais, JAVELET, «Réintroduction»).

leurs rôles respectifs. Cinq fois, il est dit, à la forme passive, que le libre arbitre «est sauvé»; cela, moyennant son consentement, sa coopération personnelle à l'action de Dieu : c'est sa grandeur.

Le consentement volontaire

Le mot *consensus* revient 12 fois dans les paragraphes 2 à 6 du *De gratia* pour caractériser la liberté. Bernard présente d'abord son aspect théologique, puis philosophique.

Du premier point de vue, le consentement volontaire est la coopération de l'homme à l'œuvre de la grâce, consentement qui est déjà, lui-même, œuvre de grâce. Au-delà d'un acquiescement passif, c'est une disposition active de soumission confiante, un engagement de foi, une attitude reconnaissante envers Dieu qui sauve; autant de choses dont une bête est incapable. Bernard oppose le consentement volontaire, par lequel l'homme s'ouvre à Dieu dans une réponse personnelle, à l'appétit naturel, appelé «sagesse de la chair». Cette notion capitale dans le *De gratia* l'est aussi dans la suite de l'œuvre bernardine. Par le consentement volontaire, l'âme gravit les degrés de l'ascension mystique[34] jusqu'à l'expérience du mariage spirituel entre Dieu et l'homme[35].

Sous son aspect philosophique, le consentement volontaire est «une disposition de l'esprit qui est libre de soi-même» (2). C'est un acquiescement spontané de la volonté, qui se distingue de la volonté elle-même, celle-ci étant un «mouvement rationnel». Procédant de la volonté, le consentement volontaire échappe à la nécessité et définit le libre arbitre lui-même (3)[36].

34. Cf. *SCt* 85, 1 (*SBO* II, 307, l. 14).
35. Cf. *SCt* 83, 6 (*SBO* II, 302, l. 12-13).
36. Volonté et nécessité sont deux termes irréductiblement antino-

La responsabilité de la volonté

Dans l'échelle des êtres (3 et 5), la volonté distingue l'homme des végétaux et des animaux; elle est, en lui, l'objet d'un jugement moral sanctionné par des récompenses ou châtiments «mérités» par ses dispositions.

L'analyse succincte de l'articulation raison-volonté, dans le contexte du mérite, n'a pas la prétention d'être une étude psychologique. Elle ne vise qu'à mettre en lumière la responsabilité de la volonté en fonction de la fin dernière de l'homme, bonheur ou malheur[37]. La volonté ne peut exister sans la raison; volonté et raison ont entre elles un rapport complexe, étant donné que la première a pour caractéristique d'être libre. La raison, en effet, est censée l'éclairer sur le bien sans exercer sur elle aucune action nécessitante. Mais la volonté opte-t-elle pour le mal, elle a la raison pour complice. D'où le rôle de servante ou de suivante que Bernard attribue à cette dernière. Par contre, la raison est juge des actes de la volonté, et celle-ci ne peut décliner sa sentence. Le jugement de la raison, en ce cas, s'identifie à la conscience.

B. McGinn dénonce l'obscurité de ce chapitre du *De gratia* (3-5), à cause du désaccord entre ses interprètes. Cela tient, dit-il, à une faille spéculative évidente, car, en aucun cas – celui d'un jugement approbatif ou réprobatif – la nature de la relation entre raison et volonté n'est spécifiée[38].

miques. A propos de cette définition, U. FAUST, *op. cit.*, p. 36, remarque l'indépendance et l'originalité dont elle fait preuve, ainsi que son influence sur la littérature postérieure.

37. É. GILSON, *L'esprit de la philosophie médiévale*, Paris 1948, p. 288 : «Leur sentiment très vif de la responsabilité morale attirait l'attention des chrétiens (médiévaux) sur le fait que le sujet qui veut est réellement responsable de ses actes car c'est pour cela même qu'ils lui sont imputables.»

38. Cf. B. MCGINN, Introduction, p. 16-17.

Doctrine des trois libertés

– La liberté qui affranchit de la nécessité

Pour déterminer quelle est la liberté du libre arbitre, Bernard procède par élimination : il n'est affranchi ni du péché, ni de la misère (souffrance et mort), mais seulement de la nécessité, c'est-à-dire de toute contrainte, de toute détermination tant de l'extérieur que de l'intérieur. C'est ce qu'indique son nom complexe de « libre arbitre » où « libre » se rapporte à la volonté – l'auteur dit et redit : où il y a volonté, il y a liberté (2)[39] ; où il y a nécessité, il n'y a plus volonté (4), il n'y a pas liberté (5) – et « arbitre » au jugement qui est lié à la raison (4 et 11).

La liberté qui affranchit de la nécessité – reçue par l'homme à la création – est l'attribut inaliénable de tous les êtres rationnels : Dieu, ange ou démon, homme juste ou pécheur. Aussi Bernard discerne-t-il que cette première liberté, propriété de la nature rationnelle, est, en soi, dépourvue de valeur morale. Cela est fondamental. Comme le remarque S. Vanni Rovighi : « Si S. Bernard l'appelle la dignité de la créature rationnelle (36), s'il dit qu'elle est un titre de noblesse (7), c'est parce qu'elle nous rend 'capables' de mérite, parce qu'elle est la condition indispensable de la valeur morale, non parce qu'elle est elle-même une valeur morale[40] ».

De ce fait, il arrive – et cela se voit tous les jours –, que l'homme, libre par nature, est cependant captif dans son âme. Il « veut », mais quand ce vouloir s'applique au salut, il ne peut pas (10)[41]. C'est le signe d'une liberté

39. Ce n'est pas que volonté et liberté soient identiques, mais c'est que la liberté est un accident inséparable de la volonté.

40. S. VANNI ROVIGHI, « Notes sur l'influence de saint Anselme au XIIe siècle », *Cahiers de civilisation médiévale* 8 (1965), p. 56.

41. Sur la distinction entre le vouloir et son efficace, cf. É. GILSON, *L'esprit de la philosophie médiévale*, p. 298-299. L'auteur note que, dans

réelle, entière en son domaine, mais appelée à recevoir davantage; c'est une liberté en devenir. Henri de Lubac rappelle que, d'après la tradition patristique, «l'homme ne saurait avoir, aussitôt que créé et par le seul fait de sa création, toute la perfection que Dieu lui destine : car s'il l'avait de lui-même, il serait Dieu et s'il la recevait toute faite, ce ne serait qu'une perfection subie[42]». Il faut que l'homme coopère à sa destinée, coopération qui prend la forme d'épreuve. R. Javelet considère que «la liberté indéfectible qui fait de l'homme un égal de Dieu, est en fait une possibilité de dire 'oui' ou 'non'; elle n'est rien 'essentiellement'; en même temps, elle permet tout : l'animalisation ou la divinisation selon qu'elle s'ouvre à l'animalité ou à la grâce. Si l'on veut que l'âme, animalisée par le péché, puisse être sauvée par la grâce, il faut bien admettre que, même dans l'animalisation, la capacité de Dieu et donc la liberté métaphysique de la *mens* puisse demeurer[43]».

Il reste à souligner que, pour Bernard, le pouvoir de choix entre le bien et le mal, apanage du libre arbitre, ne le définit pas : sinon il faudrait dénier le libre arbitre tant à Dieu qu'au démon. Bernard reconnaît qu'il appartient à tous les êtres rationnels en disant que, soit dans le bien, soit dans le mal, la volonté est libre (35)[44]. Il

la conception anselmienne de la volonté, «une volonté qui veut, mais ne peut pas, n'est pas seulement une volonté sans efficace, elle est une moindre volonté. La puissance qui lui manque est sa propre puissance, celle qui devrait être sienne en tant que pouvoir de vouloir.»

42. H. DE LUBAC, *Surnaturel*, (*Théologie* 8), Paris 1946, p. 189.

43. JAVELET, «Réintroduction», p. 22.

44. D'après une Sentence de l'école de Laon (cf. O. LOTTIN, *op. cit.*, t. 5, p. 253, n° 322), Augustin définit le libre arbitre par le pouvoir de choisir entre le bien et le mal, tandis que, pour Anselme, il est le pouvoir de garder la droiture, car, ajoute la Sentence, «il ne concédait pas que le pouvoir de faire le mal était dans le Christ». Pour l'attribution que la Sentence fait à Augustin, elle peut s'appuyer sur AUG., *Corr.*, 1, 1 (*BA* 24, p. 269). En réalité, dans la controverse pélagienne,

n'accorde au libre arbitre que l'exercice du vouloir, mouvement rationnel, qui est absence de contrainte (aspect négatif), mais aussi spontanéité (aspect positif).

– De la liberté de nature à celle de grâce et de gloire

A la différence de la première liberté, la deuxième est une valeur morale, ou plutôt spirituelle et divine : c'est «la liberté de grâce» qui affranchit l'homme du péché. Comme le remarque S. Vanni Rovighi : «Si la première est un honneur, mais un honneur qu'on peut salir, la deuxième seulement est vertu. La première, nous l'avons vu, n'a pas de degré, parce qu'elle n'est pas une valeur ; la deuxième au contraire en a[45].» Fruit du consentement volontaire à l'action de Dieu, elle constitue la première étape – faite de vicissitudes car elle n'est jamais accomplie de façon certaine tant que l'homme est sur terre – vers la plénitude de la communion. Celle-ci est le partage de la «troisième liberté» qui, l'heure venue, sera l'affranchissement définitif de la corruption et de la mort : liberté de vie ou de gloire. Cela, c'est la doctrine de S. Paul.

L'accès du libre arbitre aux libertés de grâce et de gloire est un don que nous a obtenu Jésus-Christ, Dieu et homme qui, libre vis-à-vis du péché et de la mort, a pourtant voulu assumer celle-ci pour entrer dans la gloire : c'est ainsi qu'il a délivré ses frères, les hommes, de l'esclavage du péché et de la mort (8).

– Libre conseil et libre bon plaisir

Bernard examine ensuite l'aspect subjectif des trois libertés. Ces nouvelles distinctions sont importantes pour

Augustin refuse d'inclure dans la définition du libre arbitre la possibilité de pécher, parce qu'une telle définition conduirait à refuser le libre arbitre à Dieu. Cf. AUG., *C. Iulian. op. imperf.*, 6, 10. (*CSEL* 85-1, p. 95 s.); d'où le parti de Bernard.

45. S. VANNI ROVIGHI, «Notes», p. 56.

la progression du traité : elles permettront d'évaluer l'état de la liberté en Adam, avant et après le péché. Elles étaient évoquées, sous forme négative, au début du *De gratia*, par deux exemples signifiant les carences spirituelles de qui en est privé : celui-là est tout à la fois comme un homme aveugle et sans force (1).

La nouvelle terminologie, appliquée aux trois libertés, se base sur le point d'ancrage psychologique de chacune d'elles : jugement, conseil, puissance d'intégration. Par le libre arbitre, l'homme est doté du jugement, qui n'est autre que la voix de la conscience. Celle-ci, inscrite dans sa nature, discerne ce qui est permis ou non. Mais ce n'est que par la grâce qu'il accède, et au libre conseil[46], et au libre bon plaisir. Par le premier, qui l'affranchit du péché, ses choix deviennent judicieux en matière de salut ; par le second, il intègre si bien ses options qu'il les accomplit avec aisance et même avec joie. A l'évidence, peu d'hommes jouissent de ces libertés depuis le péché originel, et ceux-là même n'en bénéficient que partiellement (12-14). Elles ne s'expriment d'abord qu'en termes négatifs : ne pas obéir au péché, ne pas redouter les adversités eu égard à la justice (26).

Cependant, certains contemplatifs, « ravis en extase », ne jouissent-ils pas du libre bon plaisir? Bernard l'affirme en soulignant aussitôt la grande rareté d'une telle expérience et sa très grande brièveté.

Notons enfin que le vocabulaire proprement technique (libre conseil, libre bon plaisir) dont Bernard use dans le *De gratia* sera ensuite totalement banni de son œuvre, bien que les réalités de grâce et la perspective de la vie

46. Les sermons dénoncent « la lèpre du propre conseil » (*Pasc* 3, 4, *SBO* V, 105, l. 8), et son égarement quand il ambitionne science et puissance à l'encontre des valeurs évangéliques dont le Christ nous donne l'exemple : il a choisi la voie de l'humilité jusqu'à la croix (cf. *Asc* 4, 6, *SBO* V, 142, etc.).

dans la gloire y soient continuellement présentes. L'expression «libre bon plaisir» créée par Bernard lui-même, semble-t-il, puisqu'on ne la rencontre chez aucun de ses prédécesseurs, n'est pas sans résonance évangélique : les synoptiques, lors du Baptême et de la Transfiguration, disent que le Père «se complaît» en son Fils Bien-Aimé. Or le «libre bon plaisir», selon Bernard est, comme la liberté de gloire, le fruit de la filiation adoptive, c'est la «glorieuse liberté des fils de Dieu» (7) qui sont appelés à être investis de la puissance du Seigneur.

– *Trois remarques sur la triple liberté.*

La synthèse doctrinale des trois libertés de nature, de grâce et de gloire – nouvelle dans sa formulation sinon dans ses éléments empruntés à S. Paul et à S. Augustin[47] –, apporte une grande clarté. On la trouve ensuite chez presque tous les théologiens du Moyen Age. U. Faust en cite deux exemples : Gerhoh de Reichersberg et S. Albert le Grand[48]. Elle a l'avantage de restreindre beaucoup le domaine traditionnellement réservé jusque-là à l'exercice du libre arbitre, ce qui permet à Bernard de reconnaître qu'il subsiste entier dans la nature déchue[49]. G. Bavaud pense que cette synthèse est d'une importance considérable pour le dialogue œcuménique, puisque Calvin, tout en faisant des réserves sur la manière de comprendre la

47. Les citations ou allusions (*Rom.* 6, 20; *Jn* 8, 36) sur lesquelles Bernard fonde sa doctrine des libertés de grâce et de gloire (6 et 7) sont celles qu'Augustin a choisies : *Enchir.*, 9, 30 (*BA* 9, p. 159, *CCL* 46, p. 65 s.); *C. Iulian. op. imperf.*, 1, 82 (*CSEL* 85-1, p. 95 s.); *C. Pelag.*, 2, 5 (*BA* 23, p. 319-321).

48. U. FAUST, *op. cit.*, p. 39-40.

49. Entier, *integrum* et non pas *depressum* comme, par exemple, dans les Sentences de Guillaume de Champeaux ou de l'école de Laon; cf. O. LOTTIN, *Psychologie et morale*, t. 5, p. 201, n° 245; p. 259, n°s 332-333; et encore *depressum et quasi sospitum*, *loc. cit.*, p. 93, n° 114.

première espèce de liberté, a dit : «Je reçois volontiers cette distinction»[50].

Une longue Sentence de l'école de Laon intitulée *De la triple liberté*, étrangement semblable au *De gratia* (6, 7, 11, 15), a pu faire croire, pendant un temps, que Bernard y avait puisé son inspiration[51]. Cela aurait expliqué comment il avait pu produire «dès le début de sa carrière, des ouvrages aussi précis et aussi techniques que le *De diligendo* et le *De gratia et libero arbitrio*[52]». Mais E. Kleineidam, en 1960, a montré à l'évidence que Bernard, qui assimile ses sources et les dissimule avec tant de soin qu'on a peine à les déceler, n'aurait pu se livrer à un tel plagiat[53]. U. Faust tire la même conclusion quand il examine la manière, par exemple, dont Bernard s'inspire d'Augustin et celle dont ses contemporains copient Bernard sans vergogne[54]. Dom Lottin lui-même a reconnu le bien-fondé des arguments de E. Kleineidam[55].

Une dernière remarque concerne la sous-classification en libertés d'arbitre, de conseil et de bon plaisir qui,

50. G. BAVAUD, «Les rapports de la grâce et du libre arbitre. Un dialogue entre saint Bernard, saint Thomas d'Aquin et Calvin», *Verbum Caro*, 56 (1960), p. 328; J. CALVIN, *Institution chrétienne*, 2, 2, 5 (éd. Benoît, Paris 1957, p. 29).

51. Sentence classée par dom Lottin en 1959 dans les écrits d'authenticité probable d'Anselme de Laon. O. LOTTIN, *op. cit.*, t. 5, p. 87, n° 109.

52. J. CHÂTILLON, «Influence de S. Bernard sur la scolastique», dans *Saint Bernard théologien*, p. 271.

53. E. KLEINEIDAM, «De triplici libertate. Anselm von Laon oder Bernhard von Clairvaux?», *Cîteaux* 11 (1960), p. 60. U. FAUST, *op. cit.*, p. 41-42, d'après un travail de J. Leclercq, pense que la Sentence appartient à l'école de Laon, mais n'est pas d'Anselme de Laon et peut être présumée postérieure à Bernard.

54. U. FAUST, *op. cit.*, p. 47-48.

55. O. LOTTIN, «Psychologie et morale au XIIe siècle, t. 6»; présentation de l'auteur lui-même dans *Bulletin de théologie ancienne et médiévale*, 8, 1960, n° 2420 (cité par B. MCGINN, «Introduction», p. 20, n. 58).

dans son originalité, se réfère pourtant aux catégories du bien des Stoïciens distinguant entre l'honnête, l'utile et l'agréable[56]. Elles étaient d'usage courant au Moyen Age et plusieurs fois, dans son œuvre, Bernard s'y reporte.

La volonté et le salut

Ce chapitre sur la volonté complète le précédent consacré à la raison (jugement, conseil).

– *Il y a grâce et grâce*

La grâce «créatrice», cela va de soi, confère la première liberté, celle de la volonté; la grâce «salvatrice[57]», la liberté spirituelle (libre conseil et libre bon plaisir). Elle est ici présentée comme un «surcroît» (*additamentum*), au sens de don non seulement gratuit mais surabondant. Par le don naturel, remarquable, l'homme est une créature bien douée, capable de vouloir, de craindre et d'aimer; par le don de «surcroît», il devient «la création de Dieu» (17-18). Cette dernière expression est celle d'un verset capital de l'Épître de S. Jacques touchant la régénération spirituelle ou nouvelle naissance du chrétien[58]. La « grâce salvatrice», crée le lien d'appartenance à Dieu, elle fait que, «pour ainsi dire», l'homme devient «propriété de Dieu» (18). La progression vers le salut provient de l'initiative divine, d'une «visite de la grâce» (17). Bernard ne parle pas de «surnaturel», de

56. CICÉRON, *Traité des devoirs,* 2, 3, 9-10 dans *Les Stoïciens,* Gallimard 1962, p. 554-555.
57. Sur la distinction entre grâce créatrice et salvatrice, cf. AUG., *Serm.* 26, 4 (*PL* 38, 172-173); *Ep.* 177, 7 (*PL* 33, 767); *Nat. et grat.,* 62 (*BA* 21, p. 363).
58. *Jac.* 1, 17.

nature au-dessus de la nature. Dans la tradition patristique, la finalité de la nature humaine, c'est-à-dire la vie éternelle (union à Dieu), ne se réalise que par la grâce. *L'additamentum* de S. Bernard ne doit pas être confondu avec le *superadditus* de la scolastique tardive qui n'est pas seulement un bien surajouté au bien naturel, mais une finalité surajoutée à la finalité naturelle. Le *superadditus*, dit H. de Lubac, constitue «une révolution dans la conception de l'homme et de son rapport à Dieu[59]». R. Javelet voit dans l'*additamentum* de S. Bernard «une plénitude consommant une capacité attendant d'être polarisée sur Dieu[60]».

Don gratuit, la grâce salvatrice est aussi marquée de surabondance : les dons de Dieu vont toujours croissant[61]. Cela permet une première réponse de Bernard au contradicteur du début : comment peut-il attribuer à Dieu l'initiative du salut et à l'homme son accomplissement, «alors qu'un achèvement est bien plus qu'un début» (18)? Argument péremptoire dont S. Augustin avait lui-même abondamment usé[62].

– *Entière responsabilité de la volonté*

Dépourvue de pouvoir propre vis-à-vis du salut, la volonté n'est cependant pas irresponsable : rien ne se fait sans le consentement volontaire du sujet. Après l'argumentation des chapitres précédents, il est aisé de comprendre l'affirmation suivante : c'est notre volonté mauvaise qui nous asservit au diable, mais c'est la grâce de

59. H. DE LUBAC, *Surnaturel* (*Théologie* 8), Paris 1946, p. 394.

60. R. JAVELET, *Image et ressemblance au* XIIe *siècle*, Paris 1967, t. 2, p. 267, n° 254 (désormais, JAVELET, *Image et ressemblance*).

61. Cf. § 7 : honneur, vertu, comble de joie.

62. Cf. AUG., *Serm.* 169, 11, 13 (*PL* 38, 922-923); *Peccat. merit.*, 2, 18, 30 (*CSEL* 60, 101s.).

Dieu qui nous soumet à lui (18). Dans l'un et l'autre cas, la liberté de l'arbitre s'exerce et engage mérite ou démérite.

– *Étapes de la volonté vers sa finalité*

Bernard parle ici d'« ordination » de la volonté. Ce terme est emprunté à la Bible : « Ordinavit in me caritatem[63] ». Devenu typique de la terminologie bernardine, ce mot y revêt diverses acceptions selon l'ordre dont il s'agit : celui que le Créateur a mis dans le monde ou celui par lequel se réalise notre fin ultime[64]. Pour être ordonnée, la volonté reçoit sagesse et puissance, c'est-à-dire qu'elle est profondément convertie au bien dont elle acquiert une connaissance savoureuse et que, de plus, elle a le pouvoir de l'accomplir avec « une soumission volontaire et fervente » (19). Ce processus est exemplaire : les progrès dans la vertu se réalisent, nous l'avons dit, par la grâce investissant l'intelligence et la puissance d'intégration du sujet qui donne son consentement. De la même façon, l'image accède à une double ressemblance (28); et dans les sermons, Bernard parle de « deux charités »[65], de « deux humilités »[66].

– *L'image de Dieu en l'homme*

Pour marquer l'excellence – indépendamment même de la grâce salvatrice – de la volonté, Bernard la désigne

63. *Cant.* 2, 4; cf. Hélène PÉTRÉ, « *Ordinata caritas*, un enseignement d'Origène sur la charité », *RecSR* 42 (1954), p. 40-57. L'auteur note que, d'Origène jusqu'à Bernard, un sens moral s'est attaché à ce verset qui, en hébreu, avait un caractère métaphorique. Ce glissement s'est opéré à la faveur des traductions grecques et latines.

64. Cf. M. STANDAERT, « Le principe de l'ordination dans la théologie spirituelle de saint Bernard », *COCR* 8 (1946), p. 178-216.

65. *SCt* 50, 4 (*SBO* II, 80, l. 11-12, l. 18-20).

66. *SCt* 42, 6-9 (*SBO* II, 36, l. 26-28).

comme étant, en l'homme, l'image de Dieu, thème qu'il développera plus loin. Mais, bonne en soi, la volonté peut cependant se vicier. C'est alors une volonté désordonnée comme le furent celles d'Adam et de Lucifer : l'un voulut s'emparer du savoir et l'autre du pouvoir[67]. Or, sagesse et puissance sont à recevoir.

Centre du traité

– *Étude sur la chute d'Adam du point de vue de la liberté*

Bernard, maintenant, vérifie sa thèse : le libre arbitre est incapable de se sauver lui-même ; l'absence de liberté spirituelle ne le détruit pas, ne l'amoindrit pas, mais le laisse paradoxalement captif (9).

Augustin invite à ne pas confondre le relatif (pouvoir de ne pas pécher, pouvoir de ne pas mourir) avec l'absolu (ne pas pouvoir pécher, ne pas pouvoir mourir)[68]. Ainsi fait Bernard quand il distingue dans le libre conseil et le libre bon plaisir[69] deux degrés. L'inférieur, le relatif, était le partage d'Adam au paradis. Il l'a perdu par le péché originel, faute volontaire, qui n'est pas la conséquence inévitable du libre arbitre. Par la grâce, Adam avait la liberté de rester dans le bien, c'est-à-dire de s'attacher glorieusement – puisque volontairement – à son Créateur, mais « il n'a pas eu le vouloir de ce qu'il pouvait[70] », dit Augustin. Sa volonté s'est rendue mauvaise et son libre arbitre est devenu esclave du péché au point

67. Lieu commun de la littérature bernardine.

68. Cf. AUG., *Corr.*, 12, 33 (*BA* 24, p. 345).

69. Bernard adapte la distinction de S. Augustin : pouvoir de ne pas mourir devient pouvoir de ne pas être troublé, car la « misère » de la créature se manifeste d'abord par le trouble.

70. AUG., *Corr.*, 11, 32 (*BA* 24, p 343).

de ne pas pouvoir ne pas pécher[71]. Il faut se garder d'accuser ici le magnifique don de Dieu qu'est le libre arbitre, et dénoncer l'abus qu'Adam en a fait[72] (22-27).

– *Intervention du Christ*

En définitive, l'homme s'est trouvé expulsé du paradis et même gisant au fond de la fosse du péché. Il y est tombé par sa volonté, mais celle-ci est incapable de l'en faire sortir. A propos de cette impuissance de la volonté, Augustin écrit : « C'est pourquoi, du ciel, Dieu nous a tendu sa main droite, c'est-à-dire notre Seigneur Jésus Christ[73] ». Dans le même sens, Bernard considère comme « nécessaire[74] » – d'une nécessité vitale – le Christ « Puissance de Dieu et Sagesse de Dieu » intervenant pour la restauration de l'homme[75]. C'est le fondement christologique du *De gratia*. Bernard développe le sens de l'action du Christ sous ce double aspect, en introduisant, deux par deux, quatre mots en *re-*[76]. En même temps que le retour à l'état de liberté spirituelle, ils disent le manque

71. Cf. ANSELME, *DLA*, c. 12 (éd. M. Corbin, p. 224, 1. 1). – Cela ne signifie pas que l'homme déchu ne peut que pécher, comme l'affirmera Baïus (qui sera condamné), mais que la liberté naturelle est captive : sa libération ne sera totale et définitive qu'au ciel, si elle est sauvée.

72. Cf. *SCt* 74, 10 (*SBO* II, 245, l. 22-23) : « N'accusons pas le don, mais l'abus. » Cf. AUG., *Enchir.*, 9, 30 (*BA* 9, p. 159; *CCL* 46, p. 65 s.).

73. AUG., *Lib. arb.* 2, 20, 54 (*BA* 6, p. 376 s.) : ici, Augustin répond par avance aux pélagiens, comme il le remarquera lui-même dans *Retract.*, 1, 9, 4. 6 (*BA* 12, p. 321. 325; *CCL* 57, p. 26. 28).

74. Bernard applique souvent ce mot au Christ : cf. *Miss* 3, 13 (*SC* 390, p. 110, l. 13); *AdvA* 7, 1 (*SBO* IV, 45, l. 18); *EpiA* 1, 3 (*SBO* IV, 169, l. 9), etc.

75. Pas moins de 40 fois dans son œuvre, Bernard donne à contempler le Christ de *I Cor.* 1, 24, le Christ dans sa réalité la plus profonde : celui qui libère l'homme taré de son ignorance et de sa faiblesse. La référence se trouve dans son premier ouvrage (*Miss* 1, 2, *SC* 390, p. 110, l. 13) et dans son dernier sermon inachevé (*SCt* 86, 4, *SBO* II, 319, l. 26).

76. *Reinfundat, restaurationem; restituat, reparationem*: *Gra* 26, *infra*, p. 302, l. 2-5.

constitué par l'état de péché. Le «conseil» vicié reçoit par infusion (ce mot appartient à la liturgie de la Pentecôte) une connaissance qui est aussi un goût, une sagesse : c'est la restauration du libre conseil. La puissance d'intégration devenue incapable d'accomplir un acte spirituel est restituée : c'est la réparation du libre bon plaisir. Mais ce ne sont encore que les degrés inférieurs de ces libertés – inférieurs même à ceux dont Adam avait joui (30) – que l'homme retrouve. Il lui faut apprendre du libre conseil à ne plus abuser du libre arbitre pour jouir un jour du bon plaisir (27). Le Christ, à l'œuvre en lui, l'entraîne, s'il y consent, vers la liberté de gloire, supérieure à celle d'Adam avant le péché, liberté des fils de Dieu, dans la patrie (7).

– *Image et ressemblance*

La place de cette étude, dans la structure du traité, signifie que, pour Bernard, la liberté est première ; pour Guillaume de Saint-Thierry, au contraire, elle n'est qu'un corollaire de l'image[77].

Le thème biblique et patristique de l'homme «créé à l'image et ressemblance de Dieu» est une doctrine fondamentale, chère aux Pères grecs et latins, depuis le second siècle. L'abondance a même nui à l'homogénéité de la pensée de chacun et de tous : on ne peut donner une définition universelle de ce qui correspond à l'image de Dieu en l'homme. Pour Bernard, comme pour Augustin, l'image se trouve dans la composante spirituelle de l'homme (la *mens*) : ce n'est pas que l'âme soit d'essence divine, mais c'est que, par elle, l'homme est capable d'entrer en relation avec Dieu. A partir de là, une dynamique en deux sens s'instaure : Dieu ne peut

77. Cf. R. JAVELET, *Psychologie des auteurs du XIIe siècle*, Strasbourg 1959, p. 21.

se désintéresser de celui qui porte son empreinte et, sous peine d'abandonner sa propre finalité, l'image se doit d'être fidèle à son modèle.

On trouve chez Bernard jusqu'à quatre doctrines de l'image[78], mais il n'en traite *ex professo* que dans le *De gratia* (28-35). Les sermons sur le Cantique, qui présenteront d'autres vues avec une certaine ampleur, sont, d'après R. Javelet, «à la fois plus riches et plus confus; certainement moins heureux comme synthèse[79]». Dans le traité, la théologie de la liberté et celle de l'image se recouvrent: le libre arbitre inamissible s'avère être l'empreinte de Dieu dans la nature même de l'homme, tandis que les deux autres libertés constituent une double ressemblance en sagesse et en puissance conférée par le libre conseil et le libre bon plaisir. Bernard précise que la ressemblance est «accidentelle». Cependant, par ce mot, note R. Javelet, «Bernard ne pense pas à une réalité de peu de poids ontologique. L'accident est Dieu, Dieu qui est à l'origine de l'image et lui donne d'être élan libre, Dieu qui 'survient' avec tout son poids d'Amour pour se donner à qui ne l'a pas refusé en déviant de la droite ligne[80]». Il reste qu'à la différence de l'image, la ressemblance, sur terre, est sujette à des vicissitudes: elle peut se perdre tout à fait. Sans l'affirmer, Bernard semble supposer que le caractère inaliénable du libre arbitre qu'aucun péché, si grave soit-il, ne saurait effacer, lui vient justement du fait qu'il est l'image de Dieu (28)[81].

78. Cf. M. STANDAERT, «La doctrine de l'image chez S. Bernard», *Ephemerides theologicae lovanienses*, 13 (1947), p. 101, note 137.

79. R. JAVELET, *Image et ressemblance*, t. 1, p. 195. Pour une comparaison entre la doctrine du *De gratia* et celle des *SCt*, cf. G. VENUTA, *Libero arbitrio e libertà della grazia nel pensiero di S. Bernardo*, Rome 1953, p. 81-86.

80. JAVELET, «Réintroduction», p. 23.

81. Pour une comparaison entre la doctrine de Descartes et celle de

En situant l'image dans le libre arbitre en tant que volonté (tournée vers l'action) plutôt que dans la raison ou «mémoire» (capacité de contempler), Bernard se différencie d'Augustin[82]. Pour lui, c'est dans l'union amoureuse et librement consentie de sa volonté à celle de Dieu que l'âme trouvera la similitude et deviendra «un seul esprit avec lui».

– *Degrés de ressemblance*

En lien avec l'étude sur l'état de la liberté en Adam (21), Bernard distingue divers degrés dans la ressemblance avec Dieu. Les anges et les saints du ciel, confirmés en grâce, ont, dans la plénitude des trois libertés, le plus haut degré de ressemblance. Adam, au paradis, n'avait reçu qu'un degré moyen : pouvoir-ne-pas-pécher. Nous, héritiers du péché originel, nous parvenons tout juste, avec la grâce, à n'être pas dominés par le péché ; notre ressemblance avec Dieu est cependant réelle – nous participons à la vraie sagesse –, mais elle est au degré le plus bas et, jamais sur terre, nous ne serons sans péché ni misère.

– *L'image en enfer*

Pour Bernard, le nœud de la psychologie des damnés est dans l'impossibilité où ils sont de se repentir (31) – impossibilité qu'ils voudraient nous faire partager, eux qui ont en commun avec nous le fait de ne-pas-pouvoir-ne-pas-pécher[83]. Dans le bref exposé de Bernard sur la persistance de la volonté mauvaise en enfer, se trouvent les éléments essentiels d'une théologie de l'enfer : le refus

Bernard, cf. É. GILSON, *La liberté chez Descartes et la théologie*, Paris 1913, p. 240.

82. M. SIMONETTI, Introduction, p. 356.

83. *EpiV* 3 (*SBO* VI-1, 22, l. 27).

absolu de Dieu et la peine sensible. Les théologiens de la première moitié du XIIIe siècle, Philippe le Chancelier et les franciscains, Richard Rufus, Alexandre de Halès ne manqueront pas de s'y référer[84].

– *Restauration de l'image*

La parabole évangélique de la femme qui cherche dans la poussière la monnaie qu'elle a perdue – celle-ci est marquée à l'effigie de Dieu – est un lieu commun du thème de l'image dans la tradition patristique. C'est, aux yeux des Pères, une allégorie de la rédemption de l'homme par la Sagesse incarnée. Dans les quelques lignes de Bernard sur ce sujet, poésie et précision technique vont de pair : égarée, « déformée », l'image est retrouvée, « re-formée » et « conformée » à la Sagesse elle-même dans les splendeurs des saints.

Dans ce contexte, l'auteur introduit l'expression « région de la dissemblance », d'origine platonicienne, accréditée au moyen âge par les *Confessions* d'Augustin, qui la relie à la « région lointaine » où le fils prodigue de la parabole lucanienne (faisant suite à celle de la drachme perdue) s'en est allé loin de son père[85]. Bernard amalgame si bien les deux formules que parfois elles n'en font plus qu'une seule : « La région lointaine de la dissemblance[86] » ; ou encore, suivant le contexte, il les prend l'une pour l'autre : « La part d'héritage qui nous revenait, nous l'avons dilapidée avec le fils prodigue, dans la région de la dissemblance[87]. » Elles ont en effet le même sens, elles

84. O. LOTTIN, *Psychologie et morale*, t. 2, p. 154 et 177.

85. AUG., *Conf.*, 7, 10, 16 (*BA* 13, p. 616 et la note 26, p. 689). Pour une histoire de cette expression, cf. AUBERGER, *L'Unanimité*, p. 302-303.

86. *Sent* III, 94 (*SBO* VI-2, 151, l. 25); *Par* 1, 2 (*SBO* VI-2, 262, l. 1).

87. *Div* 40, 4 (*SBO* VI-1, 237, l. 15) et *Par* 1, 3 (*SBO* VI-2, 262, l. 9) : en effet, « convoquer ses amis » appartient à la parabole de la

expriment la condition pécheresse de l'homme qui, malgré tout, aussi longtemps qu'il est sur terre, est en dialectique avec la ressemblance. L'enfer, au contraire, est la «région de la géhenne» d'où la dialectique dissemblance-ressemblance a tellement disparu qu'il n'y a même plus à en parler[88].

Si Bernard ponctue son paragraphe en présentant le Fils de Dieu d'après l'Épître aux Hébreux[89], c'est pour préciser, une fois encore, par un texte scripturaire et christologique, que la restauration de l'image doit s'effectuer sur deux points (32).

– *La Sagesse créatrice*

Une convenance existe entre la Sagesse, Forme divine, créatrice de l'univers et son incarnation-rédemption pour re-former celui qu'elle avait formé, le libre arbitre, image de Dieu en l'homme. A partir de cela, Bernard commente l'action de la Sagesse qui, dans la force et la douceur, poursuit son œuvre dans le cosmos (33); puis il transpose ce qu'il vient de dire au plan de l'action ascétique du libre arbitre et de sa maîtrise sur son petit univers: la personne humaine. Bernard lui assigne un programme paulinien tout imprégné de joie rayonnante et de paix (34).

– *Note pascale*

L'antithèse biblique, «tomber»–«ne pas se relever sans le secours de Dieu[90]» (23-25) prépare la conclusion

drachme (*Lc* 15, 9). En *Gra*, on peut penser que la région de la dissemblance constitue une allusion à la parabole du prodigue.

88. *Div* 42, 2 (*SBO* VI-1, 259, l. 21).

89. *Hébr.* 1, 3.

90. *Jér.* 8, 4; *Ps.* 40, 9b. L'image de la fosse que Bernard introduit est significative. ANSELME fait de même (*Pourquoi Dieu s'est-il fait homme?*, 1, 24, *SC* 91, p. 334, 396 C).

pascale des chapitres centraux du traité : comme le Christ, le libre arbitre ne « se relève » (*resurgere*) que par l'Esprit du Seigneur[91] (35). Cela s'effectue quand il « émerge », quand il « respire », c'est-à-dire passe du mal au bien (25). Tout cela est de source paulinienne, liturgique, patristique.

Autre note pascale par une allusion à l'*Exultet* du Samedi-Saint. Comme l'Étoile du matin (Lucifer), le libre arbitre « ne connaît pas de couchant[92] ». Or la tradition patristique parle également d'un autre Lucifer qui, tombé du ciel[93], est devenu *noctifer, mortifer* parce qu'il a voulu s'égaler au Très-Haut[94]. Dans le contexte d'image et ressemblance où s'insère l'allusion au Lucifer pascal (28), celle-ci signifie que, marqué d'éternité, le libre arbitre est appelé à se conformer à son modèle, c'est-à-dire que l'image est tendue vers la ressemblance.

91. Selon la théologie, c'est l'Esprit qui a ressuscité le Christ. Deux oraisons de l'ancien bréviaire cistercien en font l'application à notre résurrection spirituelle : « invocatione tui Spiritus a morte animae resurgamus » (*ad Sextam, in die Paschalis*); « ipsi per amorem Spiritus a morte animae resurgamus » (*ad Sextam Tempore paschali*). – De son côté, ANSELME, (*DLA*, c. 10, p. 222) avait dit qu'il y a, de la part de Dieu, un bien plus grand miracle à rendre à la volonté la droiture qu'à rendre la vie à un mort.

92. Bernard orchestre l'image. Il la prépare : « Defectum seu diminutionem non patitur » (*Gra* 28, *infra*, p. 304, l. 6), et la complète : « Nec ... capit augmentum. nec ... detrimentum » (*Gra* 28, *infra*, p. 304, l. 10-12), ce dernier terme appartenant aussi à l'*Exultet* : « Mutuati luminis detrimenta non novit. »

93. Interprétation patristique d'*Is.* 14, 12-13.

94. C'est ainsi que Bernard le présente dans le *De gradibus humilitatis et superbiae*, traité qui a précédé *Gra*; cf. *Hum* 36 (*SBO* III, 44, l. 10).

Examens de la volonté en cas de pressions

– *Sui iuris*

Avant d'aborder le problème difficile des pressions qui s'exercent sur la volonté, Bernard révise à grands traits son enseignement. Il introduit l'expression juridique *sui iuris* pour signifier l'autonomie de l'homme qui, par là, jouit de la dignité divine. Bernard rejoint Grégoire de Nysse qui disait : «L'autarcie et l'autonomie sont le propre de la nature divine, contraindre l'homme à quelque chose serait la suppression de sa dignité[95].» Salut ou condamnation sera octroyé à la créature raisonnable, en toute justice, selon sa propre détermination. Bernard répercutera ce même enseignement au début de la partie conclusive du traité, mais dans une optique nouvelle, celle de la miséricorde (42).

La citation paulinienne de la fin du chapitre XI : «il n'y a pas de condamnation pour ceux qui sont dans le Christ Jésus» (37) est à mettre en regard du *sui iuris* initial (36). Ce n'est pas sans une certaine ironie, semble-t-il, que l'étude sur le reniement de Pierre se trouve incluse entre deux réminiscences du verset paulinien qui prend sa place, une dernière fois, au début du chapitre suivant.

– *Deux expériences de S. Paul*

Il y a deux cas où le libre arbitre semble forcé : celui de l'action de Dieu et celui des tentations. L'un et l'autre sont résolus par la définition du libre arbitre comme consentement volontaire. Ni la grâce lorsqu'elle «répand l'effroi ou frappe» en vue de provoquer la conversion, ni la tyrannie des convoitises ne paralysent la volonté :

95. GRÉGOIRE DE NYSSE, *De mortuis* (éd. G. Heil, t. 9, Leiden 1967, p. 53 s.) : citation empruntée au *DSp* 9 (1976), col. 812.

elle reste toujours affranchie de la nécessité. Paul, terrassé sur la route de Damas, témoigne de sa liberté quand, se relevant converti, il se laisse mener, pleinement consentant, jusqu'à la ville. C'est, commente Augustin, «qu'on est tiré par des voies merveilleuses à vouloir, tiré par celui qui sait agir intérieurement dans le cœur des hommes, non pour les faire croire sans qu'ils ne le veuillent, ce qui ne se peut pas, mais pour les amener à vouloir, alors qu'ils ne le voulaient pas[96].»

La doctrine des trois libertés permet de déceler une défectuosité dans les libertés de conseil et de bon plaisir en Paul, qui se plaint d'être captif sous la loi du péché (37). Cela confirme ce qui a été dit : la liberté spirituelle, sur terre, n'est que partielle. Elle voisine toujours avec une certaine captivité de l'âme. Paul toutefois se félicite d'être déjà libre «en grande partie» car, dans sa lutte intérieure, son consentement au bien fait preuve de santé. C'est en ce sens, et en ce sens seulement, qu'il faut entendre la déclaration triomphale de l'Épître aux Romains : «Il n'y a pas de condamnation pour ceux qui sont dans le Christ Jésus» (*Rom.* 5, 16). Bernard la commente ailleurs en disant que le poison ne nuira pas aux disciples du Christ car, l'ayant goûté, ils n'en voudront pas, c'est-à-dire, sentant la convoitise, ils n'y consentiront pas[97]. Celle-ci n'est là que pour entretenir dans l'humilité et faire aspirer au secours de la grâce[98].

– *Le reniement de Pierre*

Bernard étudie le cas des renégats qui voulaient échapper au martyre et plus particulièrement celui de S. Pierre reniant le Christ sous l'effet de la peur. Il y a

96. AUG., *C. Pelag.*, 1, 19, 37 (*BA* 23, p. 387).
97. Cf. *Asc* 1, 3 (*SBO* V, 125, l. 20-22).
98. *HM5* 5 (*SBO* V, 72, l. 9-10).

deux manières pour les déculpabiliser : soit en disant que, leur volonté n'étant pas mauvaise, leur reniement purement verbal ne méritait pas condamnation ; soit en objectant que, forcés de faire ce qu'ils ne voulaient pas, ils avaient perdu le libre arbitre. Mais Bernard ne pense pas ainsi. La nature de la volonté est telle qu'elle ne peut pas, dans le même temps, vouloir et ne pas vouloir la même chose (5). Sous l'effet de la contrainte, la volonté peut changer d'objet : c'est alors une autre volonté, tout aussi libre que la précédente et, de ce fait, elle mérite ou démérite. De façon concrète, Bernard montre en Pierre le conflit de deux volontés et le résout comme Anselme : la volonté la plus forte l'emporte toujours, manifestant le vouloir profond de la personne[99]. Pierre, qui aimait le Christ, a montré qu'il s'aimait davantage lui-même, au point de mentir et de renier consciemment et volontairement la vérité. Mais, après la Pentecôte, parvenu dans la force de l'Esprit à la liberté de l'amour, aucune considération humaine ne fera fléchir sa volonté : il aimera « de tout son cœur, de toute son âme, de toute sa force ». N'est-ce pas là la triple liberté de nature, de conseil et de bon plaisir[100] ?

Pour M. Simonetti, le raisonnement de Bernard peut paraître recherché et sophistiqué[101], et B. McGinn n'apprécie pas la démonstration, pas plus que le développement qui suit sur les pressions passives ou actives que subit la volonté. Il trouve que Bernard ne tient pas compte des facteurs qui peuvent atténuer la responsabilité de la volonté[102].

99. ANSELME, *DLA*, c. 7, p. 219 et c. 9, p. 221.

100. Tout en substituant *virtus* à *fortitudo*, Bernard préfère la formule trilogique du *Deut.* 6, 5 à celle de *Mc* 12, 30 qui a quatre membres ; et à celle de *Matth.* 22, 37 dont le troisième terme est *mens*. Cf. *QH* 3, 2 (*SBO* IV, 393, l. 24) ; *SCt* 20, 5 (*SBO* I, 116, l. 25) ; *Div* 29, 1 (*SBO* VI-1, 210, l. 13).

101. M. SIMONETTI, Introduction, p. 346.

102. B. MCGINN, Introduction, p. 34.

D'autres pensent que le discernement de Bernard est subtil et limpide. Il met à nu le mal profond sans l'édulcorer, mais en cherchant à faire la part des choses. Loin de dramatiser, il constate que, si Pierre aimait réellement le Christ, il s'aimait cependant un peu plus lui-même quand il renia[103].

– *Deux sortes de pressions sur la volonté*

Pour déterminer en quel cas le mal est imputable à la volonté, Bernard distingue deux sortes de contraintes ou pressions qui s'exercent sur elle. L'une est passive : la volonté souffre ce qui lui déplaît sans aucunement consentir au mal ; l'autre est active et toujours condamnable. En effet, par celle-ci, la volonté, faible et non pas « saine », se contraint elle-même quand, par exemple, à la menace des bourreaux, elle renie. En tout cas, la volonté, toujours affranchie de la nécessité – même sous le double poids du péché originel et des mauvaises habitudes –, encourt salut ou condamnation suivant le consentement qu'elle donne aux inspirations de l'Esprit ou à la « chair ». Elle se trouve, en effet, dans une situation inconfortable entre les deux.

La coopération

– *Mérites et miséricorde*

Un ton nouveau caractérise la fin du *De gratia* où le salut n'est plus envisagé en tant que libération, mais comme récompense due à des mérites[104]. Deux mots

103. Les Pères avaient aussi évité de dramatiser la faute des renégats. Cf. CYPRIEN, *Lettre* 55, 16, 3 (Les Belles Lettres, t. 2, p. 141) ; AMBROISE, *La pénitence*, 1, 11, 52 (*SC* 179, p. 99).

104. Le mot « salaire » (*merces*) qu'avait avancé l'objecteur de Bernard est totalement éliminé.

apparemment contradictoires – mérites et miséricorde – raniment la discussion ouverte à la première page du traité : ils indiquent bien quelle sera la synthèse finale, puisqu'ils reparaîtront tous deux à la dernière page (51). La terminologie fait plus largement appel à celle de l'Épître aux Romains : justice, justification, miséricorde, promesse. Il y a cependant continuité avec ce qui précède car Bernard met en application sa doctrine sur le libre arbitre et la grâce. Elle peut se résumer en deux points : la grâce laisse à l'acte humain sa structure propre, c'est-à-dire que la volonté s'exerce normalement et qu'elle est pleinement responsable[105]; la grâce confère à la volonté le pouvoir qui lui manque, celui de réaliser un acte valable pour le salut. L'esprit a donc été longuement préparé à assumer les paradoxes qui se multiplient : l'alternative où se trouve le libre arbitre d'être justement condamné ou au contraire miséricordieusement sauvé (42); la reconnaissance de dons divins aussi bien dans les mérites que dans leurs récompenses (43); l'activité omniprésente de la grâce en faveur du libre arbitre dont toute la tâche, si élevée soit-elle, est de consentir (46); l'entière liberté de l'homme qui se mesure à l'absolu de la dépendance envers Dieu (47), etc.

– *Le salut, œuvre du Père, du Fils et de l'Esprit*

Comme Augustin qui affirme : « En couronnant nos mérites, Dieu ne couronne que ses dons[106] », Bernard met désormais l'accent sur l'œuvre divine dans la sanc-

105. En cette partie du *De gratia*, l'accent est mis sur l'action de la grâce, mais la pensée de l'auteur garde son équilibre : elle réserve avec soin à l'exercice de la volonté humaine la marge, si minime soit-elle, qui permet de conclure qu'en aucun cas le libre arbitre ne disparaît : cf. M. SIMONETTI, Introduction, p. 347.

106. AUG., *Ep.* 194, 19 (*CSEL* 57, p. 190 s.); *Conf.*, 9, 13, 34 (*BA* 14, p. 135; *CCL* 27, p. 152).

tification de l'homme. Bien loin de provenir du libre arbitre, mérites et récompenses « descendent du Père des lumières ». Moyennant notre consentement, ils sont mis à notre disposition en vertu du mystère pascal du Christ qui, remontant vers le Père, nous a laissé des dons de deux espèces : ceux de la grâce auxquels correspondront ceux de la gloire. Donc le Christ pourvoit aux deux phases de notre vie divine : il nous envoie les prémices de l'Esprit qui engendrent l'adoption (43).

– *Dieu crée les mérites des hommes*

Ouvrant une sorte d'enquête sur la nature des mérites, Bernard s'attache à dissiper et à poursuivre sans merci toutes les illusions à ce sujet. Le tableau qu'il brosse dissocie le fait d'être un instrument de Dieu et celui du mérite. Tous ceux dont Dieu se sert ne sont pas méritants. Seuls méritent ceux qui exécutent avec amour sa volonté. Bernard n'a pas assez de mots pour dire à quel degré d'union à Dieu ils parviennent : ils sont pour Dieu comme des « compagnons d'armes », ses coadjuteurs, les coopérateurs du Saint-Esprit[107].

– *Le siège du mérite*

Par une analyse minutieuse de l'acte de vertu, où l'emprise divine est telle qu'elle le prévient, l'accompagne et l'accomplit, Bernard parvient cependant à dégager le point de jonction de l'homme et de Dieu : l'intention ou volonté bonne (46). Il nous est donc impossible de juger

107. Cf. J.-A. CUTTAT, «Expérience chrétienne et spiritualité orientale», dans *La mystique et les mystiques*, DDB, 1965 : « La *via purgativa* sanctifiante ne se borne pas à exposer *passivement* au Seigneur toutes les suggestions (les *logismoi* d'Évagre) qui sourdent de l'inconscient. C'est que Dieu ne nous traite pas en 'matière à consacrer'. Il nous 'envisage' et nous transforme toujours en tant que personne, c'est-à-dire comme

du mérite d'une personne; elle peut poser des actes apparemment bons, mais Dieu seul en connaît la valeur qui, paradoxalement, peut être nulle! C'est l'application du principe précédent : il ne suffit pas d'être un instrument de Dieu pour être son ami. Ce qui fait le mérite, aux yeux de Dieu, c'est la plénitude du consentement.

– *La grâce et le libre arbitre*

Indivisible est l'alliance entre la grâce et le libre arbitre dans l'accomplissement d'un acte salutaire (47). On a parlé, à propos des *Sermons sur le Cantique,* des «Noces de la nature et de la grâce[108]». Ici, le paragraphe pourrait s'intituler : «Danse de la grâce et du libre arbitre». En effet, acquiesçant à l'invitation de la grâce, le libre arbitre se laisse mener par elle sans être cependant entièrement passif car il fait tout et elle fait tout. A. Babolin remarque que le libre arbitre atteint une nouvelle dimension ontologique, ses actes prenant une valeur divine[109]. Dans la communion avec Dieu, l'homme accède à la plénitude de la liberté et de l'amour, il réalise sa destinée métaphysique qui n'est autre que la vie en Dieu. Nous sommes ici en présence de l'homme tel que Dieu le veut, c'est-à-dire de l'homme créé pour la gloire. Bernard, parlant ailleurs de l'œuvre thérapeutique de la grâce, aime à dire : «Elle m'a rendu à moi-même[110].»

B. McGinn qui, avec G. Venuta, admire la clarté de ce texte, en regrette les limites. Tout en comportant une

sujets d'une liberté qui est notre essence même, autrement dit – et c'est saint Paul qui le dit – il nous traite en *synergoi* : 'co-opérateurs' de Son œuvre en nous et avec nous» (p. 933).

108. I. VALLERY-RADOT, *Le prophète de l'Occident : Bernard de Fontaines, abbé de Clairvaux,* Desclée 1969, p. 120.

109. Cf. A. BABOLIN, *Grazia e libero arbitrio,* Padoue 1968, p. 39.

110. *Dil* 15, *supra,* p. 96, l. 5-6; *SCt* 67, 10 (*SBO* II, 195, l. 10-11); *QH* 8, 5 (*SBO* IV, 429, l. 17).

clarification doctrinale précise, il n'apporte pas d'explication spéculative sur la nature de la coopération entre la grâce et le libre arbitre[111]. U. Faust remarque que Bernard ne connaît pas la doctrine de l'analogie à laquelle les scolastiques feront appel[112]. Mais L. Sartori considère ce texte comme un chef-d'œuvre de théologie, digne d'Augustin, comme une merveilleuse analyse qui touche le mystère en le laissant intact, et il dit qu'en usant de jeux de mots, d'adverbes et de prépositions, Bernard procède déjà à une recherche de précision conceptuelle[113]. Lorsque Maurice Blondel parle des limites de la «philosophie catholique», d'un «surnaturel innaturalisable», «d'une symbiose dans une hétérogénéité irréductible», il ajoute en note : «Je ne résiste pas à l'attrait de citer ce texte si précis et si lumineux où saint Bernard condense la doctrine dont je me suis constamment inspiré et qui, semble-t-il, peut servir d'admonition et de sauvegarde en même temps que de ressort et de justification à la pensée chrétienne[114].»

– *Toute la gloire est à Dieu*

L'illusion de celui qui se justifie lui-même est dénoncée en termes pauliniens : il méconnaît la justice de Dieu et présume pour lui de mérites venant d'ailleurs que de la grâce. Bernard lui oppose les témoignages de S. Paul et de S. Augustin[115], de Jérémie et de David. Ce dernier, ayant pris la mesure de son impuissance à rendre grâce en proportion des dons reçus, cherche, pour Dieu, un

111. B. McGinn, Introduction, p. 37.
112. U. Faust, *op. cit.*, p. 49.
113. L. Sartori, «Natura e grazia nella dottrina di San Bernardo», *Studia Patavina*, 1 (1954), p. 58.
114. M. Blondel, *Le problème de la philosophie catholique*, Paris 1932, p. 168, n. 1.
115. Cf. Aug., *Serm.* 169, 13 (*PL* 38, 922-923).

don en retour de ses dons : il annonce prophétiquement l'offrande du vin eucharistique (48).

Puis, en trois vagues successives s'élargissant jusqu'à faire apparaître dans la gloire l'homme parfait, le Christ et ses membres, l'œuvre divine – elle-même ternaire – est présentée. Le tableau constitue en quelque sorte le point d'orgue du traité.

Cependant, un dernier mouvement prend les choses à rebours : du point final au point de départ, de l'achèvement eschatologique à la création pour se centrer sur l'entre-deux. Celui-ci est la « re-formation », point d'ancrage de la participation active de l'homme à son propre salut, par laquelle il acquiert des mérites.

– *Les mérites*

Après des lignes aussi denses, l'énumération de nos modestes mérites – jeûnes, veilles, continence – pourrait laisser une impression de retombée, si la profondeur des transformations auxquelles ceux-ci donnent lieu n'était affirmée : l'homme intérieur se renouvelle de jour en jour (49). D'après les *Sermons sur le Cantique,* c'est à l'expérience des modifications qui se produisent dans leur âme que les mystiques reconnaissent la présence de l'Époux[115].

Il faut noter qu'au terme du *De gratia*, l'ascèse monastique est non seulement maintenue, mais présentée comme la coopération de l'homme à l'œuvre du salut[116].

– *Mise en garde*

Constamment, dans son œuvre ultérieure, Bernard entrera en guerre, non contre les mérites, mais contre la

116. *SCt* 74, 6 (*SBO* II, 243, l. 19).
117. U. Faust, *op. cit.*, p. 49-50.

disposition foncière à les exagérer et, pis encore, à nous les attribuer. C'est l'attitude des ouvriers de la parabole qui se vantent d'avoir porté le poids du jour et de la chaleur. A l'opposé, l'esprit filial de ceux dont les mérites sont réels – car ils se sont donnés sans réserve et de plein gré à la tâche – les préserve de trouver lourd le joug du Seigneur[118]. Ils se sentent redevables envers la Miséricorde et estiment peu de chose ce qu'ils ont pu endurer. Les noms que Bernard attribue aux mérites abondent en ce sens : ils ne sont que des semences, des indices, des présages (51). Cela manifeste leur aspect microscopique, inchoatif et fragile. C'est pourquoi il ne faut en aucune manière se prévaloir de mérites. Quels qu'ils soient, ils ne sont que matière à espérer en Dieu sans un regard sur soi-même[119].

– *Participant de la nature divine*

Bernard a réservé pour sa page finale le mot *consortes* qu'il répète deux fois. C'est le mot de S. Pierre pour marquer l'adoption filiale par laquelle l'homme devient participant de la nature divine ou, dans le vocabulaire paulinien, participant de la «justice» de Dieu, c'est-à-dire de sa sainteté. Bien qu'il ne soit pas, ici, dans le contexte d'une citation ou allusion, c'est un mot consacré de la théologie de la grâce chez les Pères. Il résume tout le *De gratia* où le pécheur est élevé par la grâce jusqu'à la gloire au prix de son consentement volontaire : ce dernier constituant son «mérite». Ce consentement est la quote-part minimale, mais indispensable, pour que l'homme soit respecté dans sa liberté et participe de plein gré à la miséricorde qui lui est offerte. Miséricorde et

118. Cf. *Dil* 36, *supra*, p. 154, l. 36; *SCt* 14, 4 (*SBO* I, 78, l. 1-4).
119. *SCt* 68, 6 (*SBO* II, 200, l. 24-27).

justice, en Dieu, se recouvrent. Bien que l'homme ait réellement mérité, que sa volonté ait été l'apport auxiliaire[120] qui a permis à l'œuvre de s'accomplir, qu'il soit vraiment «coadjuteur de Dieu», il n'a mérité que par un don gratuit de la Miséricorde. C'est elle qui a promis une récompense et qui, dans sa justice, s'en acquitte, mais c'est elle également qui a conçu l'alliance et donne au pécheur de devenir un saint, d'être exalté auprès de Dieu (*magnificavit*). Tout le traité était une préparation à reconnaître et à proclamer que le salut, don gratuit, est l'œuvre de Dieu.

V. Les Sources du *De gratia*

Nous avons signalé les sources au cours de l'introduction et ajouterons des compléments dans les notes textuelles. Voici les deux principales.

La source scripturaire

Dans ce traité plus spéculatif, la Bible tient une place moindre : il y a là 1/90 du texte de l'œuvre entière et 1/122 des 30 000 citations et allusions bibliques. L'Épître aux Romains (mais non celle aux Galates) est surreprésentée, en particulier les chapitres 6, 7, et 8, qui totalisent 1/6 des citations et allusions de ce traité au lieu de 1/44 dans l'œuvre. Jean (Évangile, plus Épîtres) est peut-être sous-représenté, avec 1/19 au regard de 1/13 dans l'œuvre. Bernard a cependant puisé son bien à travers toute la Bible, a utilisé tous les textes centraux

120. Seule fois où le mot *auxilium* est employé en *Gra* : il signifie notre coopération à l'action de Dieu.

sur la grâce, ne s'est pas singularisé (il eût pu faire une théologie johannique de la grâce) et a suivi, en ce domaine aussi, Augustin.

Quel est le rôle de la Bible ici? un ornement? ou bien la source même de la pensée? – L'un et l'autre. Avec dom Leclercq, on peut dire de ce «parler biblique», comme du style littéraire de Bernard, que sa spontanéité évidente est en réalité le résultat d'un travail savant et que ses artifices n'excluent pas l'élan sincère : une lecture en rapport avec ce texte suppose une bonne fréquentation de la Bible, le recours à un bon apparat biblique, mais encore un travail personnel, concordance en main, une deuxième, une troisième lecture du texte et le temps d'une réflexion sur le fond.

Moins fréquentes dans le *De gratia*, les allusions ténues s'y comptent cependant par dizaines. Les éditeurs du texte latin ont signalé (*SBO* III, 161, note) comment Bernard «s'écarte (volontairement) du texte biblique tout en l'évoquant» avec le *everteret* (*domum*) à la place du *everreret* pris à Luc (32, l. 4, p. 312; *Lc* 15, 8); ainsi, au lieu de balayer la maison, il s'agit de la bouleverser; mais cela se redouble d'une allusion à S. Grégoire[121].

Autre exemple : au § 38, un simple *notus* (= connu), répété 3 fois, fait allusion au *non novi* («Je ne connais pas») de Pierre (*Matth.* 26, 72 et 74; *Lc* 22, 57) et évoque, par sa forme et son régime – *notum non Christo, sed Petro* – le *notus pontifici* («connu par le grand prêtre») de *Jn* 18, 16, tout en étant un des termes d'un jeu de mots, *nota, non orta* («connaissance, et non naissance»). N'y a-t-il pas en filigrane : «Le Seigneur connaît ceux qui lui appartiennent», «Novit Dominus qui sunt eius» (*II Tim.* 2, 19), selon la version Vieille latine que Bernard utilise 11 fois?

121. Cf. *infra*, p. 312, n. 3.

Autre exemple, cette fois par accumulation : au début du § 13 (l. 1-7, p. 274), presque tous les mots sont tirés de six références données dans l'apparat et ils sont enchâssés continûment dans une phrase dont la structure propre absorbe sans heurt tous ces matériaux.

Il ne s'agit d'ailleurs pas d'un cliquetis verbal ou d'images fortuites : ces six versets concourent tous à dire le poids du mal, l'aspiration au bien et le salut par le secours de l'Esprit. De même, le jeu de mots *nota-orta* n'est pas seulement verbal : il s'agit de l'homme qui se connaît – mal – et de Dieu qui le connaît bien, ainsi que de la différence entre « porté à la connaissance » (*nota*) et « cause de » (*orta*), notions qui importent dans le propos de Bernard.

L'ensemble des 100 citations et une partie des allusions du *De gratia* ont un lien étroit avec la structure de l'œuvre. L'Écriture n'est pas proposée comme la preuve d'une idée, d'une affirmation déjà fournie par la raison ou l'expérience ; c'est elle qui donne la réponse à l'interrogation humaine en suspens.

L'organisation du livre est biblique : à l'entrée et à la sortie (7 et 49), on trouve une esquisse de l'histoire du salut, semblable à celle du § 13 qui vient d'être analysé, mais où les termes sont plutôt ceux de la théologie biblique que ceux du texte biblique. Au centre, deux personnages, Adam et le Christ (21-26) et le thème image-ressemblance (28-33). Semblablement, le *Ps.* 73, 12 est à l'entrée (l. 9-10, p. 244-246), renforcé par le verbe si important *cooperari,* et à la sortie (l. 1-2, p. 338), introduisant la notion finale de mérite.

Si l'on veut chercher un palmarès, le verset de *Romains* 7, 18 est l'un des plus cités ici, mais c'est aussi l'un de ceux qui disent le mieux « le problème » central : comment l'homme pourra-t-il passer du désir du bien à sa réalisation? C'est pourquoi il est utilisé un peu partout, aux paragraphes 1, 17, 20 et 46.

Pour parler de la Bible chez Bernard, il n'y a personne de mieux placé que Bernard. Après une formule bien frappée, faite de mots très simples mais à visée philosophique (fin de 47), Bernard se tourne vers son lecteur (début de 48) pour obtenir de lui un satisfecit d'orthodoxie paulinienne. Sans doute veut-il détourner notre attention de la philosophie qu'il vient de faire en nous rappelant qu'il «parle Bible». Il affirme «plaire au lecteur», mais le moyen est un recours fidèle à la Bible, ici spécialement à Paul; on comprend le présupposé : il est exclu de s'écarter de la pensée de Paul. Bernard distingue fond et forme, pensées et expressions; pour lui, le fond est essentiel et la pensée intangible, alors que les expressions, secondaires, sont celles qui se présentent d'elles-mêmes à sa plume, et auxquelles il revient sans cesse, non sans bonheur. Ajoutons que le choix biblique immédiat que fait Bernard est excellent : pour résumer à la fois ses dires («nos paroles») et la question, c'est un des textes les plus profonds de Paul qu'il apporte : «Ce n'est pas là l'affaire de l'effort humain, mais celle de la pitié de Dieu», texte déjà cité au premier paragraphe.

Dans un tel traité, le procédé de commentaire dit anaphorique – «par vagues successives» – ne semble pas de circonstance. Et pourtant, le texte : «La Sagesse s'étend d'une extrémité du monde à l'autre avec force; elle gouverne l'univers avec bonté» est l'occasion de belles variations (33, l. 5, p. 314-316) qui, bien entendu, ne s'écartent en rien du sujet. Pour nous, Bernard tire du Livre, des trésors : de l'ancien et du neuf.

122. J. DANIÉLOU, «Saint Bernard et les Pères grecs» dans *Saint Bernard théologien*, p. 52.

123. JAVELET, «Réintroduction», p. 5-9.

124. H. RONDET, *Gratia Christi*, Beauchesne, Paris 1948, p. 185, n. 5.

Sources patristiques

D'après J. Daniélou, cinq éléments du *De gratia* de Bernard peuvent «devoir quelque chose» à Grégoire de Nysse : les degrés d'être (3), le lien mérite et liberté (5), la parabole de la drachme perdue pour désigner l'obscurcissement de la ressemblance (32), l'accent sur la dignité de l'homme en son «autonomie» (36), la conception de la place du libre arbitre situé, au milieu, entre Dieu et le monde animal (41)[122]. R. Javelet ajoute à cela la définition du libre arbitre comme liberté qui affranchit de la nécessité (6). Plus largement, Grégoire de Nysse a tracé la voie à Bernard, «en ce qu'il a pressenti que la raison d'image réside dans la liberté inaliénable : il a deviné que la personne humaine est de Dieu et face à Dieu, qu'elle est libre comme lui et par lui, aussi libre que lui en sa dépendance même de créature bien que de misérable *posse* (pouvoir) et de médiocre 'conseil'.» Cependant, pour R. Javelet encore, par sa spiritualité volontariste, par sa distinction entre image et ressemblance, par le lien qu'il établit entre liberté et image, Bernard est un autre Basile, tandis que Guillaume de Saint-Thierry un autre Grégoire; mais l'un et l'autre ont emprunté à Grégoire de Nysse[123].

Il reste que le *De gratia* est surtout d'inspiration augustinienne et même, en ce qui concerne le mérite, H. Rondet a pu dire que Bernard ne fait guère que répéter Augustin[124]. Ajoutons : avec sa note particulière qui insiste sur la participation active de l'homme à la grâce. Par ailleurs, bien qu'aboutissant à la même conclusion sur le mérite – il est un don de Dieu –, la démarche du *De gratia* de Bernard est neuve par rapport à celle du propre *De gratia* d'Augustin. Celui-ci se cantonne dans une démonstration toute scripturaire et ne tente pas de montrer comment se concilient l'action de la grâce et celle du libre arbitre. Et lors même qu'il se fait très proche de sa source, Bernard s'en écarte. En voici un exemple : dans la succession de *Jac.* 1, 17 – *Ps.* 73, 12 – *Éphés.* 4, 8 des paragraphes 42-43, Bernard substitue le *Psaume* 73 à *Jn* 3, 27 d'Augustin (15)[125]. Cela est significatif de sa spiritualité christocentrique et de l'importance qu'il donne à ce verset psalmique dans le traité[126] et dans la suite de son œuvre.

Bernard puise dans Augustin, mais non de façon servile. Il fait même preuve d'un discernement d'autant plus remarquable à nos yeux que nous savons, maintenant, combien d'autres se sont fourvoyés en croyant le suivre pour traiter de semblables sujets. L'orthodoxie de l'abbé de Clairvaux, au contraire, lui a valu des éloges et il est reconnu comme un excellent théologien. Dans le domaine de la grâce et du libre arbitre, on ne peut nier qu'il a réussi son propos de clarté. Il ne risque pas d'essuyer la critique suivante : « Malgré les assertions répétées d'Augustin, on hésite généralement à reconnaître de quelle manière précise sa doctrine assure les droits du libre arbitre[127]. »

Plus profondément encore, l'abbé de Clairvaux se distingue de l'évêque d'Hippone. A. Babolin découvre que le mouvement est radicalement différent chez Augustin et chez Bernard. Le premier, conditionné par sa polémique avec les pélagiens qui veulent fonder une anthropologie où l'homme et non la grâce a l'initiative du salut, insiste sur la transcendance divine ; le second, sans souci de polémique, considère l'homme dans son consentement à Dieu par lequel il accède à une nouvelle dimension d'être, celle qui, allant de la grâce à la gloire, débouche dans l'eschatologie. Ainsi, chez Bernard, la réalité de la per-

125. Cf. AUG., *Grat.*, 6, 15 (*BA* 24, p. 125).
126. Cf. *supra*, p. 215.
127. É. GILSON, *Introduction à l'étude de saint Augustin*, Paris 1943, p. 212.

sonne humaine devient fondamentale quand il s'agit d'interpréter le monde et l'histoire[128].

D'après S. Vanni Rovighi, Bernard doit quelque chose à Anselme en deux sens. Cet auteur remarque d'abord un embarras patent chez Anselme quand il doit appliquer sa doctrine du libre arbitre – qui est seulement pouvoir de faire le bien – à ce qui concerne le péché du premier homme ou de l'ange[129] C'est cet embarras même qui aurait contraint Bernard à poser le problème et à le résoudre par sa doctrine des trois libertés. De son côté, M. Simonetti pense que Bernard a mûri sa notion de libre arbitre sous l'influence d'Anselme[130]. En second lieu, S. Vanni Rovighi remarque deux thèses qui leur sont communes : l'insistance sur le *consensus* comme acte de la volonté libre, par laquelle celle-ci se distingue des êtres irrationnels, et l'affirmation que la volonté ne peut pas être contrainte, pas même par la peur, car alors elle se change en une autre volonté, tout aussi libre que la première[131].

VI. Influence du *De gratia*

Après avoir succinctement présenté la « spiritualité noétique », « essentialiste », des contemporains de Bernard, plus ou moins influencés par l'école de Chartres ou par l'enseignement d'Abélard, R. Javelet parle, à propos du *De gratia,* d'une « rupture saisissante avec le rationalisme », c'est-à-dire avec ceux qui considéraient, à la suite

128. Cf. A. Babolin, *Grazia,* p. 41.

129. Cf. S. Vanni Rovighi, « Notes », p. 56. L'auteur compare *DLA*, c. 2 (éd. M. Corbin, p. 210, l. 6-7) : « Or ils ont péché par leur propre choix qui était libre, mais non par cela d'où il était libre » et *Gra* 22, *infra,* p. 296, l. 17-18 : « Il pécha parce qu'il en avait la liberté, liberté qui ne lui venait pas d'ailleurs, bien entendu, que du libre arbitre. »

130. M. Simonetti, Introduction, p. 354.

131. Cf. S. Vanni Rovighi, « Notes », p. 56, et *supra,* p. 205.

d'Athanase, que «la raison de l'homme est l'image de la Raison divine». Et il nomme des «théologiens»: Anselme de Laon, Rupert de Deutz, Jean de Salisbury, Hugues de Saint-Victor – qui donne à cette doctrine une ampleur admirable –, Pierre Lombard, Alain de Lille, etc. Guillaume de Saint-Thierry fait transition. Il situe l'originalité de Bernard dans sa «spiritualité volontariste»; par là, il renoue avec Basile, Grégoire de Nysse et Augustin; pour lui, l'image de Dieu, nous l'avons dit, est dans la volonté, la liberté de nature. Il aura de nombreux disciples. Parmi eux, R. Javelet fait état de Richard de Saint-Victor, «ce noétique victorin», disciple d'Hugues, qui s'écarte de son maître et s'inspire du *De gratia* bernardin dans son traité *De statu interioris hominis*, consacré à la liberté[132].

Dans le pullulement des Sententiaires, des Sommes, des Traités qui caractérise les XIIe et XIIIe siècles, le *De gratia* bernardin fait sentir son influence. On peut le vérifier par soi-même dans les œuvres publiées; dom Lottin et Mgr Landgraf, qui ont examiné quantité d'ouvrages inédits, affirment qu'il en est de même en ces derniers. J. Châtillon aussi écrit que le *De gratia*, «dont les analyses apportent à la psychologie et à la morale des données vraiment neuves, reste toujours l'ouvrage le plus fréquemment cité et le plus constamment utilisé». Il ajoute qu'on trouve ses traces dans de nombreuses Sommes anonymes et cite huit auteurs, allant jusqu'à 1225, dont les œuvres accusent une dépendance, au moins indirecte, envers Bernard[133]. Cette action diffuse du *De gratia* se prolongera même dans la littérature scolastique[134].

132. Pour tout ce passage, cf. JAVELET, «Réintroduction», p. 11-12 et 27.

133. J. CHÂTILLON, «Influence», dans *Saint Bernard théologien*, p. 268-288. Les personnages cités sont: Odon d'Ourscamp, Pierre de Poitiers, Richard de Saint-Victor, Geoffroy de Poitiers, Raoul Ardent, Hugues d'Amiens, Guillaume d'Auxerre et Pierre de Capoue (p. 281).

134. Idem, p. 281, n. 1.

O. Lottin indique six ouvrages qui témoignent d'une influence immédiate du traité de Bernard[135]. C'est d'abord la *Summa sententiarum* qui est d'inspiration abélardienne. Mais on y trouve les idées de Bernard sur la prééminence de la volonté, que la raison suit comme une servante, sur la bonté foncière ou l'inamissibilité du libre arbitre et enfin sur «la liberté affranchie de la nécessité» dont Bernard est le premier, dit J. Châtillon, à donner une définition correcte[136]. Cette Somme, qui connaîtra elle-même un assez grand retentissement, contribuera à propager la doctrine bernardine. Quant à l'*Inter duos controversia de libertate*, ce n'est qu'une compilation du *De gratia* à laquelle s'ajoutent quelques passages de la *Summa sententiarum*. Les *Sententiae divinitatis*, dont le *Traité du libre arbitre* (ou *Harmonia*) de Vivien le Prémontré est très proche, s'inspirent surtout de Gilbert de la Porrée, mais, par souci d'orthodoxie, elles reproduisent fidèlement S. Bernard au sujet des rôles respectifs de la volonté et de la raison. Le quatrième ouvrage est la *Summa de bono* de Philippe le Chancelier (vers 1232), tout imprégnée des traités d'Anselme et de Bernard sur le libre arbitre; le Chancelier recommande par ailleurs Bernard aux maîtres parisiens. Quant au *Commentaire sur les Sentences* de Richard Fishacre, il fait connaître aux franciscains Bernard, qui devient un de leurs auteurs préférés et une de leurs autorités doctrinales; c'est ainsi qu'Alexandre de Halès cite jusqu'à 105 fois le *De gratia* dans sa *Summa theologica*. En dernier lieu, O. Lottin mentionne la *Summa de homine* d'Albert le Grand; bien qu'une des sources de celui-ci soit Bernard, les dominicains ne portent pas grand intérêt à l'œuvre bernardine. Mais ils commentent le *Livre des Sentences* de Pierre

135. O. LOTTIN, *Psychologie et morale*, t. 4, 2 (1954), p. 832 s.
136. J. CHÂTILLON, *op. cit.*, p. 280.

Lombard qui intègre la doctrine des trois libertés; ils sont par là en contact avec Bernard. C'est ainsi que Thomas d'Aquin défend la triple distinction et semble même influencé par la définition du libre arbitre[137]. Mais le sujet prend, par la suite, de moins en moins de place dans la pensée de S. Thomas, qui opte même pour une autre conception de la volonté : bien que toutes les actions de la volonté soient volontaires, elles ne sont pas toutes libres. Il reste que, dans son ensemble, le XIIIe siècle a assuré à l'abbé de Clairvaux «un surcroît de prestige» (J. Châtillon).

A partir du XVIe siècle, les éditions des *Opera omnia* de Bernard et de quelques traités montrent l'intérêt qu'on lui porte. Luther lui-même cite assez souvent Bernard. B. McGinn rapporte la distinction de Luther entre Bernard prêcheur et Bernard théologien : «Son admiration pour le premier ne s'étend pas au second[138].» Luther apprécie la vigueur de la foi personnelle de Bernard dans le Christ; mais bien des aspects de l'enseignement bernardin sur la grâce ne sont pas à son goût; ses vues sur les relations de la grâce et de la volonté humaine s'accordent mal avec plusieurs principes du *De gratia*, telles la doctrine sur les bonnes œuvres et le mérite et l'affirmation sans ambage de la permanence du libre arbitre dans l'homme déchu.

Quant à Calvin – nous suivons toujours B. McGinn[139] –, son penchant pour la scolastique ainsi que pour la précision le rend plus compréhensif envers Bernard. Il cite 47 passages des écrits de S. Bernard dans l'*Institution chrétienne* et montre une bonne connaissance du *De gratia*. Calvin connaît la distinction des trois états de

137. B. McGinn, Introduction, p. 43.

138. Expression de R. Mousnier, cité par B. McGinn, Introduction, p. 46, n. 147.

139. B. McGinn, Introduction, p. 48-49.

liberté et l'accepte, mais il ne veut pas qu'on confonde nécessité et contrainte[140]. Il fait l'éloge de la pensée d'Augustin que l'on trouve au paragraphe 16 du *De gratia* : le libre arbitre nous fait vouloir, et la grâce vouloir le bien. Il accepte même la doctrine du mérite, mais ne cite que les *Sermons*[141]. Par contre, Calvin critique la distinction entre image et ressemblance comme non biblique. Il condamne explicitement la doctrine de la coopération de l'homme à la grâce, mais ne cite pas littéralement le texte de Bernard (47)[142].

Au XVIIe siècle, l'influence de Bernard se poursuit. D'après B. Jacqueline[143], quand François de Sales compose son *Traité de l'amour de Dieu*, l'action de Bernard se fait sentir à l'intérieur de sa pensée et se trahit à maints indices ; entre autres, le chapitre sur la liberté est tout imprégné des paragraphes 36 et 47 du *De gratia*[144]. Pascal, lui, s'enferme des journées entières pour lire Bernard, mais dans ses *Écrits sur la grâce*, il cite Augustin ou

140. CALVIN, *Institution chrétienne*, 3, 12, 3.

141. CALVIN, *op. cit.*, 3, 12, 3 ; cf. *SCt* 61, 3 et 5 (*SBO* II, 150, l. 10-11 et 151, l. 12) ; *QH* 15, 5 (*SBO* IV, 479, l. 11) ; *SCt* 13, 4 (*SBO* I, 71, l. 12) ; *SCt* 68, 6 (*SBO* II, 200, l. 14). La doctrine des *Sermons* est celle même de *Gra* : la confiance du chrétien pour son salut repose sur la justice et la miséricorde de Dieu, non sur ses propres mérites.

142. Bernard dit, d'après CALVIN (*op. cit.*, 2, 2, 6), « que toute bonne volonté est œuvre de Dieu, néantmoins que l'homme de son propre mouvement peut appéter (désirer) bonne volonté ». G. BAVAUD (« Les rapports de la grâce et du libre arbitre. Un dialogue entre saint Bernard, saint Thomas d'Aquin et Calvin », *Verbum caro*, 56, p. 333, n° 21) commente ainsi : Calvin pense que le bien en nous est l'œuvre de Dieu seul. Bernard affirme que, comme cause subordonnée à Dieu, l'homme accomplit vraiment le bien, donc appète bonne volonté.

143. B. JACQUELINE, « L'influence de saint Bernard au XVIIe siècle », *Coll Cist* 42 (1980), p. 22-25 ; « Les milieux jansénistes français au XVIIe siècle et saint Bernard », *Cîteaux* 6 (1955), p. 28-30.

144. Fr. de SALES, *Traité de l'amour de Dieu*, 2, 12, dans *Œuvres*, Gallimard 1969, p. 444-446.

Thomas, non Bernard. Dans son *Traité du libre arbitre*, Bossuet non plus ne cite pas Bernard, même s'il lui emprunte. S'inspirant nettement du *De gratia* (47), Fénelon « ne pense plus à philosopher sur la grâce, mais à s'abandonner à elle en silence[145]. »

Avec la « rationalisation » de la théologie, aux XVIIIe et XIXe siècles, l'influence bernardine s'éclipse quelque peu. Cependant, on trouve au siècle dernier, deux traductions des *Opera omnia* et plusieurs rééditions successives. Dès 1891, avec Maurice Blondel, l'intérêt se renouvelle. Quand le philosophe « rencontre » Bernard, il est séduit par sa personne ; et Bernard se l'attache définitivement par sa doctrine. On trouve dans les « Notes semailles » onze textes du *De gratia* dont trois seront intégrés dans l'*Action* de 1893[146]. La plus importante citation est celle, intégrale, du paragraphe 47, dans l'avant-dernier chapitre du livre. Voici comment M. Sales la présente : « En développant ce qui, dans la question du désir, de l'attente, de l'atteinte, de l'étreinte, a trait à toutes les relations antérieures, concomitantes et conséquentes au Don de Dieu et de la Foi, (Blondel) retrouvait surtout une conception des rapports de l'homme à Dieu, elle-même profondément traditionnelle pour la foi catholique et dont il trouvait la synthèse en quelques formules admirables de saint Bernard[147]. »

En 1953, dans une conférence sur « S. Bernard et notre temps », A. Forest notait l'influence de Bernard sur le développement de la philosophie contemporaine dont les recherches se situent aux frontières de la religion. Après

145. FÉNELON, *Instructions sur la morale et la perfection chrétienne*, c. 18 (*Œuvres complètes*, Paris 1852, t. 6, p. 106).

146. C. MAHAME, « Les auteurs spirituels dans l'élaboration de la philosophie blondélienne », *RecSR* 56 (1968), p. 236.

147. M. SALES, « Les marches d'approche de la foi », *Communio* 13 (1988), p. 24. – Il faut remarquer que c'est une fois encore le § 47 (cf. ci-dessus, Calvin, Fr. de Sales, Fénelon).

avoir longuement cité Blondel, il présentait Louis Lavelle dont toute l'œuvre montre ce que sont les valeurs de l'accueil, du consentement et de la paix. Or, dans les analyses du philosophe sur les idées de simplicité et de consentement, se fait sentir l'influence de Fénelon, lui-même lecteur assidu, nous l'avons dit, de S. Bernard. En ce sens, A. Forest voit en L. Lavelle un témoin de l'influence indirecte de Bernard en notre temps. Nous mesurons la parenté de la pensée de L. Lavelle avec celle de Bernard dans le *De gratia* par la citation suivante : « Il n'y a pas d'initiative que nous puissions exercer qui ne procède d'une activité reçue et qui ne s'achève dans un consentement pur[148]. » A. Forest nomme aussi Vladimir Jankélévitch qui cite souvent Bernard dans son *Traité des vertus*. Quant à A. Forest lui-même, il suffit de donner le titre de sa conférence au Congrès bernardin de Mayence pour rendre évident l'intérêt qu'il porte au *De gratia* : « L'expérience du consentement selon S. Bernard[149] ».

Il reste un mot à dire sur les rapports de l'existentialisme chrétien avec Bernard. Il ne semble pas que Gabriel Marcel ait connu Bernard; mais on a dit que Bernard était un existentialiste avant la lettre[150]. Cela est patent dans le *De gratia* qui commence sur une expérience et s'achève sur la participation.

Parmi les théologiens contemporains qui se sont intéressés au *De gratia*, citons Henri de Lubac[151] et Jean

148. A. FOREST, « S. Bernard et notre temps », *Saint Bernard théologien*, p. 294.

149. A. FOREST, « L'expérience du consentement selon S. Bernard », *CollCist* 18 (1956), p. 269-275.

150. A. SOLIGNAC (« L'existentialisme de S. Augustin », *NRTh* 70, 1948, p. 3-19) note l'indéniable parenté qui existe entre Socrate, Marc-Aurèle, Augustin dans l'Antiquité et, après S. Bernard : S. Bonaventure, Montaigne, Pascal, Maine de Biran et enfin Kierkegaard. On peut parler de l'existentialisme de ces auteurs « sans aucune contradiction par anachronisme ».

151. H. de LUBAC, *Surnaturel*, Paris 1946, p. 197 s.

Mouroux. Ce dernier est thomiste, mais il admire les analyses de S. Bernard sur la captivité de la liberté. Il reconnaît que, si c'est «Augustin qui a, le premier, construit la solution de ce problème, c'est peut-être Bernard qui l'a traduite de la façon la plus étonnante, précise et tragique à la fois[152].»

Conclusion

L'histoire nous montre donc que le *De gratia* de S. Bernard a relevé le défi du temps. Sa lumière, encore vive aujourd'hui, est appréciée des philosophes chrétiens, des théologiens, des étudiants[153] et, comme il se doit, des cisterciens et cisterciennes «de toute nation et langue». Dans sa brièveté, dans la netteté et la vigueur de ses lignes, ce traité pourrait s'intituler: «Charte de la liberté des fils de Dieu»[154]; car il détaille les structures et les chemins qui permettent d'accéder à la vraie liberté en «consentant» à la grâce de Jésus-Christ. Le Christ, en effet, dans sa double nature[155], nous instruit par sa

152. J. Mouroux, *Sens chrétien de l'homme*, p. 158 s. L'auteur ne cite pas le *De gratia*, mais un passage des *Sermons* qui en est comme un commentaire. On reconnaît aussi l'influence du traité de S. Bernard dans les distinctions de l'auteur entre «la grâce qui fait voir» et celle qui est «une énergie véritable qui vient fortifier du dedans la liberté vaincue» (p. 159-160).

153. Dom Jean Leclercq a donné deux cours sur le *De gratia*: l'un à Hauterive, en Suisse, en 1987, l'autre à New Melleray (U.S.A).

154. P. Guilluy, art. «Liberté», *Catholicisme* 7 (1973), col. 644 (L'auteur fait allusion au fait que l'Ordre cistercien repose sur la «Charte de charité»). Parmi tous les témoins du sens de la liberté chrétienne, P. Guilluy prend le parti de nommer un mystique, un seul (il eût fallu les nommer tous), il choisit S. Bernard avec son *Traité sur la grâce et le libre arbitre*.

155. Cf. *SCt* 15, 6 (*SBO* I, 87, l. 11). Bernard monnaie ainsi dans les *Sermons sur le Cantique* la doctrine de *Gra*, quand il dit de Jésus-

doctrine et ses exemples – il est la Sagesse incarnée –; et, Fils de Dieu accomplissant le mystère pascal, il nous communique la force libératrice qui nous transforme intérieurement et nous permet d'accomplir librement ce qui est au-dessus de la nature humaine.

Je tiens ici à exprimer ma reconnaissance à tous ceux qui m'ont aidée et spécialement à Jean Figuet qui, avec une patience inlassable, a suivi les diverses étapes de ce travail, Introduction et traduction; familier de la Bible dans S. Bernard, c'est lui qui a écrit le paragraphe sur la tenue scripturaire du *De gratia*.

VII. Les Manuscrits[156]

Date du *De gratia*

Dans la *Lettre* 52, que l'on peut dater, semble-t-il, de 1128, Bernard propose au chancelier Aimeric de lui envoyer le petit livre (*libellum*) sur *La grâce et le libre arbitre* qu'il a récemment publié. «Il n'existe pas d'autres indices permettant de préciser la date où fut édité *Gra*. De larges extraits en seront insérés dans l'*Harmonia* de Vivien le Prémontré[157]; mais ni la date, ni l'auteur de ce traité ne sont encore connus avec certitude. Vers avril 1135, Gerhoh de Reichersberg mentionnera également *Gra.*»

Christ: «C'est de l'homme que je prends pour moi des exemples, et du Puissant un secours». – M. Blondel qualifiait de «sagesse a-chrétienne», «celle qui ne verrait dans le Christ qu'un paradigme moral valant par ses exemples, non par son action intime et transformante, proprement déificatrice» (cité par H. de Lubac, *Petite catéchèse sur nature et grâce*, Communio-Fayard, 1980, p. 61).

156. Tout ce qui suit est emprunté à l'Introduction du *Gra* dans l'édition critique (1963), ou encore à l'Introduction générale de ce même tome. Nous mettons entre guillemets ce qui est littéral.

157. *PL* 166, 1321-1336.

Le *De gratia* n'a eu qu'une seule rédaction

« Dans la préface, Bernard déclare soumettre son écrit au jugement de Guillaume de Saint-Thierry, qui pourra soit le corriger lui-même, soit le renvoyer à l'auteur pour qu'il le fasse. La tradition manuscrite permet-elle de déceler des traces d'un travail de révision? Les manuscrits qui offrent le plus de variantes sont ceux que des critères paléographiques ou autres autorisent à considérer comme étant des plus anciens. Or beaucoup de ces variantes se présentent comme des bévues ou des leçons dérivées, attribuables à des copistes beaucoup plus qu'à l'auteur ou à un réviseur attentif. De plus, il est rare que ces variantes concordent entre elles. On peut discerner des groupes mineurs, dépendant d'un même *exemplar* et généralement constitués de manuscrits d'une même région; mais rien ne révèle deux recensions du texte dont les différences soient comparables aux recensions successives que l'on peut avec certitude attribuer à S. Bernard, celles des *Sermons sur le Cantique*, de l'*Apologie* et des *Sermons sur le Psaume 'Qui habite'*. Cependant, il est des cas où plusieurs témoins archaïques et provenant de régions différentes s'accordent contre le texte représenté par les collections anciennes et les témoins qui leur ressemblent; s'il y a eu des corrections authentiques, c'est dans ces cas qu'on a quelque chance de les retrouver. »

Les manuscrits

Dom Leclercq, qui dresse une liste de 57 manuscrits du XIIe siècle ou du commencement du XIIIe, retient 12 témoins archaïques pour l'apparat critique. En voici la liste et les sigles :

B Bamberg, *patr.* 41, f. 37-66. Cathédrale de Bamberg.

Ca Bruxelles, Bibliothèque royale, II 955, f. 15v-29v. Cambron, O. Cist. (Clairvaux).

Ct Dijon, 658, f. 40v-54. Il a appartenu à Cîteaux; sa reliure, qui est du XVIe siècle, porte la pièce ovale aux armes de Cîteaux que cette abbaye fit apposer sur tous ses livres au XVIIe siècle. Aucun ex-libris n'en indique la provenance; il s'en trouvait peut-être un à la fin des derniers feuillets, qui manquent.

A Douai, 372, I, f. 141v-148. Ce manuscrit est constitué de trois volumes de grand format (490 x 320 mm) qui ont été copiés à l'abbaye bénédictine d'Anchin, dans l'ancien diocèse d'Arras. C'est le plus ancien recueil d'Œuvres complètes de S. Bernard. Le texte est dans l'ensemble de bonne qualité et proche de *Ct*.

F Fulda, Priesterseminar. Fritzlarcodex, f. 52-62. Ce manuscrit, qui ne porte pas de cote, vient du monastère de chanoines réguliers de Fritzlar, au diocèse de Fulda.

Ar Luxembourg, 22, f. 26-39. Orval, O. Cist. (Clairvaux).

T Munich, *lat.* 18646, f. 67-82v. Ce manuscrit vient de l'abbaye bénédictine de Tegernsee, dans l'ancien diocèse de Freising.

W Oxford, Bodleian Library, Bodley 633. Le volume, qui vient de Worcester, Cathédrale O.S.B., est constitué par divers manuscrits.

M Paris, Bibliothèque nationale, *lat.* 2883, f. 22-33. Le volume vient de la chartreuse du Mont-Dieu, avec laquelle le destinataire de *Gra*, Guillaume de Saint-Thierry, fut en relations étroites (cf. J.-M. DÉCHANET, «Les manuscrits de la lettre aux frères du Mont-Dieu», *Scriptorium,* 8 (1954), p. 252).

Cl Troyes, 426, f. 19-33v. Ce manuscrit est un archétype de Clairvaux.

Cl[1] Troyes, 799, f. 19-33^{v}. Ce manuscrit dépend du précédent, mais la copie n'a pas fait l'objet d'autant de soin que le modèle.

«Les manuscrits les plus importants, du point de vue de l'histoire du texte, ceux qui ont le plus de chances de révéler un état antérieur à des corrections éventuelles ou ces corrections mêmes, sont ceux dont l'origine ou le contenu indiquent peut-être qu'ils ont été copiés dans des milieux où l'on était en relation avec Guillaume de Saint-Thierry. Ceci est le cas de *M*, *F*, et *Ar.*»

Les variantes des manuscrits de Clairvaux «trahissent non seulement de la négligence, mais de l'arbitraire et parfois de l'incohérence (...) Bref, elles ne présentent aucun titre à être considérées comme répondant aux intentions de Bernard: elles sont l'œuvre du milieu claravallien durant les générations qui ont suivi sa mort.»

Pour le *De gratia*, «la recension de Clairvaux ne se distingue que par une variante importante; au n° 40, *Cl* donne, sans rature, un passage de plusieurs lignes selon un texte modifié: une citation de *Mc* 9, 12, a été rendue conforme à sa teneur littérale exacte dans la Vulgate, et le développement qui la suit a été adapté à sa forme nouvelle[158]. S'il est peut-être devenu plus clair et plus précis, le texte de ce passage est également moins vigoureux, moins dense.»

158. Texte dans l'apparat, l. 6-9, *SBO* III, 195 (C, *Ca*): «Hoc est ... quid faciant»: «Hoc est quod dictum est de Ioanne: *Fecerunt ei quaecumque voluerunt.* Numquid quod voluit ille? Ita et in reliquos martyres fecerunt, non quod martyres voluerunt, sed quod ipsi. Fecerunt, inquam, in eos quae voluerunt, sed in membra, non in corda. Membra cruciaverunt, sed voluntatem non mutaverunt. Saevierunt in carnem, animae autem non habuerunt quid facerent», «C'est ce qui a été dit de Jean (Baptiste): 'Ils lui ont fait tout ce qu'ils ont voulu.' Que voulaient-ils donc? Comme dans les autres martyrs, non pas ce que les

Les capitula

«Très tôt furent introduits dans le texte de nombreux sous-titres ou *capitula*: ils sont au nombre de 47, et sont généralement extraits du texte lui-même. Sans doute a-t-on senti la nécessité de faciliter ainsi la lecture du traité. Ces *capitula* manquent dans de nombreux témoins de la zone de Morimond, où ils sont cependant quelquefois attestés: on les trouve en toutes les régions; ils sont déjà dans un exemplaire aussi archaïque que *Ar.* Ils manquent dans *Cl*, où, pourtant, le copiste a laissé leur place vacante; une main contemporaine a inscrit dans la marge, en tête du traité: *Desunt capitula.* Ces sous-titres sont donc anciens; rien n'exclut qu'ils aient existé du vivant même de S. Bernard.» De toute façon, ils ne sauraient lui être attribués: on y rencontre une dizaine de fois les verbes: *dicit*, *conclusit*, *loquitur*, *ostendit*, *deputat* et même *pulchre discernit* dont le sujet sous-entendu est Bernard lui-même (7. 14. 28 [3 fois]. 29. 30. 38. 39). Les *capitula*, nombreux pour le *De gratia*, ont été mis en sous-titres, dans le texte et la traduction de notre édition.

Quant à la division en paragraphes, avec la numérotation afférente (ici, en chiffres arabes), elle date de l'édition de Horstius (1641). Mabillon a, de son côté, introduit des *capitula* que les *SBO* ont conservés comme divisions (chiffres romains) sans en garder les intitulés. D'autres, on vient de le lire, ont été insérés. Enfin, pour mieux rendre le mouvement de la pensée, nous avons introduit des alinéas dans certains paragraphes de l'édition de Jean Leclercq.

martyrs voulaient, mais ce que eux voulaient. Ils ont fait, dis-je, contre eux ce qu'ils ont voulu, mais contre leurs membres, non pas contre leur cœur. Aux membres, ils ont infligé des supplices, mais ils n'ont pas changé la volonté: ils ont exercé leur fureur contre la chair, mais n'ont rien pu contre l'âme.»

Manuscrit de base utilisé pour l'édition critique de 1963

C'est le manuscrit *Ct*, présenté ci-dessus. «Du point de vue paléographique, le codex, à l'exception des f. 23-24v, présente les caractères des manuscrits cisterciens copiés en France vers le milieu du XIIe siècle ou peu après. Il est en tout cas antérieur à la canonisation de S. Bernard en 1174, peut-être même à l'année 1163, date où l'abbaye de Clairvaux reçut l'autorisation de célébrer son culte et où l'on commença à lui donner le titre de *beatus*. La première main ne lui attribue que le titre d'*abbé*. (...) Le manuscrit se recommande donc par son ancienneté. (...) Il se recommande aussi par la qualité de son texte.»

VIII. ÉDITIONS ET TRADUCTIONS[159]

Éditions latines

Outre les *SBO*:

Tractatus selecti (*Gra – Dil*) 1771; Landshut 1842 (éd. Krabinger).

Gra; *SCt* 81, dans *S. Augustini Opera*, Louvain 1648, p. 620 s.

Opuscula (*Hum – Dil – Gra – Prae – Miss – QH – Csi* – etc.) 1495.

Opuscula (*Dil – Apo – Prae – Gra – Csi*) vers 1470.

Tractatus diversi (Anvers chez M. van der Goes entre 1481 et 1490; Paris, incunable BNat. *Reg*. C 1901, n 86 dans ELLIOTT-LOOSE, *Les incunables...*, Bordeaux 1976).

Gra dans *S. Leonis Liber de vocatione gentium*, Naples 1867, p. 205-289.

159. Extrait de H. ROCHAIS et E. MANNING, *Bibliographie générale de l'ordre cistercien*, Rochefort 1980 (tant pour les éditions latines que pour les traductions en français).

Gra... commentariis illustratus, éd. Ignace Huart, Louvain 1649.

Gra vers 1534.

Traductions françaises

– *Dans les traductions des Œuvres complètes*

Paris 1787.

Paris 1865 et Bar-le-Duc 1870 par Ravelet.

Paris 1873, 1874, 1877, 1878 par Charpentier et Dion-Charpentier.

– *Traductions particulières*

Gra, tr. fr. vers 1657 (Parisot, *Theop. trad.*).

Traités doctrinaux, Gabriel Desprez, Paris 1675.

Gra, tr. fr. par Gerberon, dans *Lettre d'un théologien à M*gr *l'Év. de Meaux...*, Toulouse 1698.

Gra, tr. fr., Amsterdam 1767.

IX. Le texte latin

Nous donnons ici la liste des corrections, dressées par dom Jean Leclercq (Leclercq, *Recueil*, t. 4, p. 413), pour les pages du *De gratia et libero arbitrio*, publiées dans l'édition critique de 1963 (*SBO* III, 165-203). Cependant, nous omettons ici les corrections concernant les citations scripturaires. Et nous ajoutons à cette liste trois corrections indiquées par D. Farkasfalvy, dans l'édition en allemand, et trois dans une correspondance plus récente[160];

160. Toutes les corrections de D. Farkasfalvy sont fondées sur l'unanimité des mss utilisés pour l'édition des *SBO*, sauf le ms *M* qu'il n'a pas pu consulter.

toutefois nous ne retenons pas l'addition *merita* qu'il propose au § 42, l. 16, ni celle du point d'interrogation *rependeret?* au § 48, l. 40.

Corrections à apporter au texte critique du *De gratia*.
(* = corrections déjà proposées par dom Leclercq).

§	ligne	au lieu de	leçon proposée	par
*2	14	optemperet	obtemperet	
*4	14	abque	absque	
*4	17	deeset	deesset	
15		*libertati (capit.)*	*libertate*	Farkasfalvy
*26	8	utramque	utraque	
*26	10	quatucumque	quantumcumque	
27	8	trangressus	transgressus	Figuet
*31	5	potes	potest	
*31	28	Cet-terum	Ceterum	
*32	12	*aparuerit*	*apparuerit*	
32	20	potentem efficeret	efficeret?	Figuet
38	19	volebat, lingua	volebat. Lingua	Farkasfalvy
38	32	*nempe*	nempe	Farkasfalvy
*43	9	*ingesmicimus*	*ingemiscimus*	
*46	15	immitendo	immittendo	
47	9	cooperetur	cooperentur	Farkasfalvy
48	11	*formatio*	*reformatio*	Figuet
48	20	constituire	constituere	Farkasfalvy
*48	29	sciliet	scilicet	
*48	32	qui est	quis est	
48	43	praesumis	praesumis?	Farkasfalvy
*50	19	*sive invitus*	*si invitus*	
51	29	nostra, merita	nostra merita	Farkasfalvy

X. Bibliographie

A. BABOLIN, *Grazia e libero arbitrio,* «Testi e saggi», Liviana editrice, Padoue 1968 (= A. BABOLIN, *Grazia*).

G. BAVAUD, «Les rapports de la grâce et du libre arbitre. Un dialogue entre saint bernard, saint Thomas d'Aquin et Calvin», *Verbum Caro,* 56 (1960).

J. CHÂTILLON, «L'influence de S. Bernard sur la pensée scolastique au XIIe et XIIIe siècles» dans *Saint Bernard théologien,* p. 268-288.

M.-M. DAVY, *Saint Bernard. Œuvres,* t. 1, Paris 1945

U. FAUST, «Bernhards 'Liber de gratia et libero arbitrio': Bedeutung, Quellen und Einfluss», dans *Analecta monastica, Studia anselmiana,* 50, Rome 1962.

A. FOREST, «S. Bernard et notre temps», dans *Saint Bernard théologien,* p. 288-289.

– «L'expérience du consentement selon s. Bernard, dans *CollCist,* t. 18, 1956, p. 269-275.

E. GILSON, *La théologie mystique de S. Bernard,* Paris 1934.

– *Introduction à l'étude de S. Augustin,* Paris 1943².

– *L'esprit de la philosophie médiévale,* Paris 1948².

B. JACQUELINE, «L'influence de saint Bernard au XVIIe siècle», *CollCist* 42 (1980), p. 22-25.

R. JAVELET, *Psychologie des auteurs du XIIe siècle,* Strasbourg 1959.

– *Image et ressemblance au douzième siècle,* 2 t., Paris 1967.

– «La réintroduction de la liberté dans les notions d'image et de ressemblance conçues comme dynamisme», dans *Miscellanea mediaevalia,* Berlin 1971 (= JAVELET, «Réintroduction»).

E. KLEINEIDAM, «De triplici libertate. Anselm von Laon oder Bernhard von Clairvaux?», *Cîteaux* 11 (1960), p. 56-62.

J. LECLERCQ, *Saint Bernard et l'esprit cistercien,* Seuil, Paris 1966.

– «Conseil et conseillers spirituels selon S. Bernard», dans *Studia monastica* 25 (1983), p. 77-78.

O. LOTTIN, *Psychologie et morale aux XIIe et XIIIe siècles,* 6 t., Louvain-Gembloux 1942-1960 (= O. LOTTIN, *Psychologie et morale*).

H. DE LUBAC, *Surnaturel* (*Théologie* 8), Aubier, Paris 1946.

H.-I. MARROU, «Les attaches orientales du pélagianisme», dans *Patristique et humanisme,* Mélanges, (*Patristica Sorboniensia* 9), Seuil, 1976.

B. MCGINN, Introduction au *De gratia,* dans *The works of Bernard of Clairvaux,* t. 7; *Treatises* III, Kalamazoo (Michigan) 1977, p. 3-50 (= B. MCGINN, Introduction).

J. MOUROUX, *Le sens chrétien de l'homme,* Aubier, Paris 1945.

L. SARTORI, «Natura e grazia nella dottrina di S. Bernado» dans *Studia patavina,* t. 1, 1954, p. 41-64.

M. SIMONETTI, Introduction au *De gratia,* dans *Opere di san Bernardo,* t. 1, *Trattati,* A cura di Ferrucio GASTALDELLI, Milan 1984 (= M. SIMONETTI, Introduction).

M. STANDAERT, «Le principe de l'ordination dans la théologie spirituelle de saint Bernard», *CollCist,* t. 8, p. 178-216.

– «La doctrine de l'image chez saint Bernard», *Ephemerides Theologicae,* 23 (1947), p. 70-129.

S. VANNI ROVIGHI, «Notes sur l'influence de saint Anselme au XIIe siècle», *Cahiers de civilisation médiévale,* 8 (1965), p. 43-58 (= S. VANNI ROVIGHI, «Notes»).

G. VENUTA, *Libero arbitrio e liberta della grazia nel pensiero di s. Bernardo,* Ferrari, Rome 1953.

XI. ABRÉVIATIONS ET SIGLES

Œuvres de S. Augustin

C. Iulian. op. imperf. : Contra secundam Iuliani responsionem opus imperfectum
Conf. : Confessionum libri XIII
Corr. : De correptione et gratia
C. Pelag. : Contra duas epistulas Pelagianorum
Ep. : Epistolae
Gen. Litt. : De Genesi ad litteram
Grat. Christ. : De Gratia Christi et de peccato originali
Grat. : De gratia et libero arbitrio
Enchir. : Enchiridion de fide, spe, et caritate
Lib. arb. : De liberio arbitrio
Nat. et grat. : De natura et gratia
Peccat. merit. : De peccatorum meritis
Persev. : De dono perseverantiae
Quaest. : De diversis quaestionibus
Retract. : Retractationes
Serm. : Sermones
Simpl. : De diversis quaestionibus ad Simplicianum
Spir. et litt. : De spiritu et littera
Tract. Eu. Io. : Tractatus in Iohannis evangelium
Trin. : De Trinitate

Œuvre de S. Anselme de Cantorbery

DLA : De libertate arbitrii. *L'œuvre de S. Anselme de Cantorbery,* traduction par Rémy Ravinel s.j. ; introduction et notes par Michel Corbin, t. 2, Cerf, 1986 (édition critique, F. Schmitt). Nous donnerons toujours la pagination du texte latin, en haut des pages de gauche.

TEXTE ET TRADUCTION

LIBER DE GRATIA ET LIBERO ARBITRIO

Prologus

165 Domno Guillelmo, abbati sancti Theoderici, frater Bernardus.

Opusculum de gratia et libero arbitrio, quod illa, qua scitis, occasione nuper aggressus sum, Deo adiuvante
5 peregi, ut potui. Vereor autem, ne aut grandia minus digne locutus inveniar, aut pertractata a pluribus superfluo retractasse.

Legite illud proinde primus et, si iudicatis, solus, ne si proferatur in medium, magis forte scriptoris publicetur
10 temeritas, quam lectoris caritas aedificetur.

Quod si palam fieri utile probaveritis, tunc si quid obscurius dictum adverteritis, quod in re obscura, servata congrua brevitate, dici planius potuisset, non sit vobis pigrum aut emendare per vos, aut mihi resignare emen-
15 dandum, si fraudari non vultis promissione illa Sapientiae, qua ait : *Qui elucidant me, vitam aeternam habebunt*[a].

Explicit prologus.

Prol. a. Sir. 24, 31

---

1. Citons Augustin, Prosper d'Aquitaine, Hilaire d'Arles, Fauste de Riez, les Pères du concile d'Orange, Anselme.

2. Au temps de Bernard, le verbe *legere* (lire) employé seul signifie toujours lire à haute voix, même quand on est seul. D'où la recom-

LIVRE DE LA GRÂCE ET DU LIBRE ARBITRE

Prologue

A Dom Guillaume, abbé de Saint-Thierry, frère Bernard.

Avec l'aide de Dieu, j'ai terminé comme j'ai pu le petit ouvrage sur la grâce et le libre arbitre, commencé il y a quelque temps, vous savez en quelle occasion. Mais je crains de n'être pas trouvé à la hauteur de ce grand sujet ou d'avoir inutilement exposé de nouveau ce que beaucoup d'autres ont déjà traité à fond[1].

Lisez-le[2] donc le premier, et, si vous le voulez, tout seul, pour éviter qu'il ne soit divulgué et ne contribue davantage à dénoncer la témérité de son auteur qu'à profiter à la charité du lecteur.

Au cas où vous jugeriez utile qu'il soit publié, notez ce que vous auriez remarqué de trop obscur, qui, tout en gardant la concision voulue, pourrait en cette matière obscure être plus clairement exprimé. N'hésitez pas à faire vous-même des corrections ou à me signaler celles que vous souhaitez pour ne pas vous priver de la récompense promise par la Sagesse : «Ceux qui me mettent en lumière, dit-elle, auront la vie éternelle[a].»

Fin du prologue.

mandation de Bernard à son ami. Cf. J. LECLERCQ, *L'amour des lettres et le désir de Dieu,* Paris 1957, p. 21 : «On se livre à une véritable lecture acoustique : *legere* signifie en même temps *audire.*»

I. 1. Loquente me coram aliquando, et *Dei in me gratiam commendante*[b], quod scilicet ab ipsa me in bono et praeventum agnoscerem, et provehi sentirem, et sperarem perficiendum: «Quid tu ergo», ait unus ex cir-
5 cumstantibus, «operaris, aut quid mercedis speras vel praemii, si totum facit Deus?» – «Quid enim», inquam, «tu consulis?» – «*Da*», inquit, «*gloriam Deo*[c], qui gratis te praevenit, excitavit, initiavit, et vive digne de cetero, quo te probes et perceptis beneficiis non ingratum, et
10 percipiendis idoneum». Et ego: «Bonum consilium das,
166 sed si dederis et posse teneri. Siquidem non est eiusdem facilitatis scire quod faciendum sit et facere, quoniam et diversa sunt caeco ducatum ac fesso praebere vehiculum. Non quicumque ostendit viam, praebet etiam viaticum iti-
15 neranti. Aliud illi exhibet qui facit ne deviet, et aliud qui praestat *ne deficiat in via*[d]. Ita nec quivis doctor, statim et dator erit boni, quodcumque docuerit. Porro mihi duo necessaria sunt, doceri ac iuvari. Tu, homo, recte quidem consulis ignorantiae, sed, si verum sentit Apostolus, *Spi-*
20 *ritus adiuvat infirmitatem nostram*[e]. Immo vero qui mihi per os tuum ministrat consilium, ipse necesse est ministret et per suum Spiritum adiutorium, quo valeam implere

1. b Rom. 5, 8 ≠ || c. Jn 9, 24 || d. Matth. 15, 32 ≠ || e. Rom. 8, 26

---

1. L'expression, *loquente me coram aliquando,* n'est peut-être pas parfaitement traduisible en français. Voir FREUND, *Grand dictionnaire de la langue latine,* trad. N. Theil, Paris 1855, *Coram :* «B. Métaph. appliqué au temps, sur-le-champ, à l'instant; séance tenante, incontinent, immédiatement»; F. CALONGHI, *Dizionario latino-italiano,* Turin 1967[3] : *Coram loqui*: parler personnellement, directement, en personne, étant personnellement présent.

2. Dans ce contexte où est évoquée la controverse pélagienne ou semi-pélagienne, ce mot serait pour se démarquer des semi-pélagiens appelés, autrefois, les «Ingrats», cf. PROSPER D'AQUITAINE, *Chant sur les Ingrats* (*PL* 51, 91-94).

I. 1. Une fois, dans une conversation[1], «je faisais l'éloge de la grâce de Dieu en moi[b]». Dans sa prévenance, disais-je, je le reconnais, elle m'a porté au bien; elle me fait progresser, je le sens; et c'est d'elle que j'espère la perfection.

– Toi, que fais-tu donc? me dit l'un des assistants. Quel salaire, quelle récompense espères-tu, si c'est Dieu qui fait tout?

– Toi-même, dis-je, que conseilles-tu?

– «Rends gloire à Dieu[c]», me dit-il, de t'avoir gratuitement prévenu, éveillé, initié, Ensuite, vis de manière à montrer que les bienfaits reçus ne te laissent pas ingrat[2] et que tu es digne d'en recevoir d'autres.

– Tu donnes un bon conseil, lui répliquai-je, à condition que tu donnes également le pouvoir de le suivre. Car il n'est pas aussi facile de savoir ce qu'il faut faire et de le faire; ce n'est pas la même chose de guider un aveugle et d'offrir à un homme fatigué une monture. Quiconque montre le chemin n'offre pas pour autant un viatique au voyageur. Autre chose est de le renseigner et d'empêcher qu'il ne dévie, autre chose de le mettre en mesure «de ne pas défaillir en chemin[d]». De même, qui se veut docteur, ne sera pas du même coup «donneur[3]» du bien qu'il enseigne, quelle qu'en soit la matière. Or quant à moi, deux choses me sont nécessaires[4]: être enseigné et être aidé. Homme que tu es, tu conseilles correctement, certes, l'ignorant que je suis, mais si la pensée de l'Apôtre est vraie, «c'est l'Esprit qui vient en aide à notre faiblesse[e].» Je dirais même: celui qui, par ta bouche, m'octroie un conseil, doit nécessairement m'octroyer aussi, par son Esprit, le secours grâce auquel je serai capable de mettre en pratique ce que tu me conseilles. Voici que

3. Jeu de mots: «Doctor ... dator».
4. Cf. *supra,* «Introd.», p. 180, n. 28.

quod consulis. Ecce enim iam ex eius munere *velle adiacet mihi, perficere autem non invenio*[f]; sed nec aliquando
25 me inventurum confido, nisi qui dedit *velle*, det *et perficere pro bona voluntate*[g]». – «Ubi ergo», ait, «sunt merita nostra, aut ubi est spes nostra?» – «Audi», inquam : «*Non ex operibus iustitiae quae fecimus nos, sed secundum suam misericordiam salvos nos fecit*[h]. Quid enim? Tu forte
30 putaveras tua te creasse merita, tua posse salvari iustitia, qui *nec* saltem *Dominum Iesum dicere potes nisi in Spiritu Sancto*[i]? Itane oblitus es qui dixerit : *Sine me nihil potestis facere*[j] et : *Neque currentis, neque volentis, sed miserentis est Dei*[k]?»

2. «Quid igitur agit», ais, «liberum arbitrium?»

Breviter respondeo : Salvatur. Tolle liberum arbitrium : non erit quod salvetur; tolle gratiam : non erit unde salvetur. Opus hoc sine duobus effici non potest : uno a
5 quo fit, altero cui vel in quo fit. Deus *auctor salutis*[l] est, liberum arbitrium tantum capax : nec dare illam nisi Deus, nec capere valet nisi liberum arbitrium. Quod ergo a solo Deo et soli datur libero arbitrio, tam absque consensu esse non potest accipientis, quam absque gratia dantis.

f. Rom. 7, 18 ≠ ‖ g. Phil. 2, 13 ≠ ‖ h. Tite 3, 5 ‖ i. I Cor. 12, 3 ≠ ‖ j. Jn 15, 5 ‖ k. Rom. 9, 16 ≠
2. l. Hébr. 2, 10 ≠

---

1. ** En trois passages de *Gra* (ici et §§ 18 et 20), Bernard, qui entend généraliser la formule paulinienne de *Rom.* 7, 18, supprime le mot bonum; cf. *supra*, «Introduction», p. 215. Dans l'unique autre citation de ce texte, il suit la Vulgate (*Div* 5, 2, SBO VI-1, 99, l. 11). – Un peu plus loin (§ 3), Bernard bouleverse l'ordre du texte de *Luc* 16, 8, en particulier en changeant la place de *sunt*. Or, d'une part, nous ne connaissons aucune variante de ce genre à ce verset; d'autre part, l'unique autre citation que Bernard en fait est conforme à la Vulgate. Ici, il semble donc vouloir donner plus de vivacité à sa citation.

2. * Les deux citations de *Jn* 15, 5 et *Rom.* 9, 16 ne forment pas un couple très courant dans les écrits antérieurs sur la prédestination. Il est curieux de noter qu'on les rencontre ensemble chez Jean Scot

déjà, par un de ses dons, «vouloir[1] est à ma portée, mais je ne trouve pas le moyen d'accomplir[f].» Et je n'ai pas non plus l'assurance d'y parvenir un jour à moins que celui qui m'a donné «de vouloir, ne me donne aussi d'accomplir selon son bienveillant dessein[g].»

– Où sont donc nos mérites et où est notre espérance? dit-il.

– Écoute, dis-je: «Ce n'est pas par les œuvres de justice que nous avons faites, mais selon sa miséricorde qu'il nous a sauvés[h].» Quoi donc? Avais-tu pensé, par hasard, qu'après avoir créé toi-même tes mérites, tu pourrais être sauvé par ta propre justice, toi «qui ne peux même pas dire: Seigneur Jésus, si ce n'est dans l'Esprit-Saint[i]»? As-tu donc oublié qui a dit: «Sans moi, vous ne pouvez rien faire[j]», et: «Ce n'est au pouvoir ni de celui qui court, ni de celui qui veut, mais de Dieu qui fait miséricorde[k2]»?

2. Que fait donc le libre arbitre? dis-tu.

Je réponds d'un mot: il est sauvé. Ôte le libre arbitre, il n'y a plus rien à sauver; ôte la grâce, il n'y a plus rien qui vienne sauver. Cette œuvre du salut ne peut se réaliser sans l'intervention des deux: la grâce par qui elle est réalisée, le libre arbitre pour qui ou en qui elle est réalisée. Dieu est «l'auteur du salut[l]», le libre arbitre en est seulement le sujet capable[3]: nul ne peut donner le salut sinon Dieu; nul ne peut le recevoir sinon le libre arbitre. Donc, donné par Dieu seul au seul libre arbitre, le salut ne peut pas plus exister sans le consentement de celui qui reçoit que sans la grâce de celui qui donne.

ÉRIGÈNE, *Liber de Praed.*, 8 (*PL* 122, 374 C). Bernard aurait-il eu connaissance de la pensée de l'Érigène par Guillaume de Saint-Thierry, qui aura pu les consulter à Reims et à Laon?

3. *Capax,* ce mot appartient au vocabulaire patristique du thème de l'image; cf. AUG., *Trin.*, 14, 8, 11 (*BA* 16, p. 375 et Note complémentaire p. 630): «Ce qui fait que l'(âme) est image, c'est qu'elle est capacité de Dieu, qu'elle peut participer à Dieu.»

167 10 Et ita gratiae operanti salutem[m] cooperari dicitur liberum arbitrium, dum consentit, hoc est dum salvatur. Consentire enim salvari est. Proinde pecoris spiritus salutem huiuscemodi minime capit, quod illi voluntarius consensus desit, quo salvanti videlicet Deo placide obtemperet, sive iubenti 15 acquiescendo, sive pollicenti credendo, sive reddenti gratias agendo.

Quod aliud sit voluntarius consensus, aliud naturalis appetitus

Enimvero aliud est voluntarius consensus, aliud natu- 20 ralis appetitus. Posterior quippe nobis communis est cum irrationalibus, nec valet consentire spiritui, carnis irretitus illecebris. Et fortasse ipse est, qui alio nomine ab Apostolo sapientia carnis appellatur, ubi ait : *Sapientia carnis inimica est Deo; legi enim Dei non est subiecta, nec enim* 25 *potest*[n]. Hunc ergo, ut dixi, communem habentes cum bestiis, consensus voluntarius nos discernit.

Diffinitio consensus voluntarii

Est enim habitus animi, liber sui. Siquidem non cogitur, non extorquetur. Est quippe voluntatis, non necessitatis,

m. Cf. Ps. 73, 12 || n. Rom. 8, 7 ≠

1. «Opérer le salut», formule théologique qui a une attache scripturaire dans le *Ps.* 73, 12. Ce dernier trouvera place au § 43 (cf. *supra,* «Introd.», p. 215).

2. ** Dans cette citation de quatorze mots, Bernard s'oppose par trois mots au texte de *VgN,* rejoignant chaque fois la «Bible d'Alcuin» (les mss Φ) et la Vulgate Clémentine, ainsi que divers autres mss : «ennemie», et non «inimitié»; «de Dieu», et non «contre Dieu»; le résultat actuel d'une soumission effectuée auparavant, et non la soumission en train de s'effectuer. Lorsque Bernard cite brièvement ce verset (deux fois) ou lorsqu'il le transforme pour l'insérer dans la phrase (huit fois), c'est toujours à partir de ce même texte.

On dit par conséquent que le libre arbitre coopère à la grâce opérant le salut[m1] quand il consent, c'est-à-dire quand il est sauvé. En effet, consentir c'est être sauvé. Par suite, l'esprit d'une bête ne peut absolument pas recevoir un tel salut : il lui manque le consentement volontaire par lequel il se soumettrait paisiblement à un sauveur, Dieu, soit en acquiesçant à ses ordres, soit en croyant à ses promesses, soit en lui rendant grâce pour ses dons.

Le consentement volontaire est une chose, l'appétit naturel une autre

Effectivement, le consentement volontaire est une chose, l'appétit naturel une autre. Ce dernier, en effet, nous est commun avec les êtres sans raison; il ne peut consentir à l'esprit, retenu qu'il est par les séductions de la chair. Peut-être est-ce lui qui, sous un autre nom, est appelé par l'Apôtre «sagesse de la chair» quand il dit : «La sagesse de la chair est ennemie de Dieu, car elle n'est pas soumise à la loi de Dieu et ne peut l'être[n2].» L'appétit naturel, comme je l'ai dit, nous est donc commun avec les animaux; le consentement volontaire nous en différencie.

Définition du consentement volontaire

Le consentement volontaire est, en effet, une disposition de l'esprit[3], libre de soi-même. On ne le contraint pas, on ne l'arrache pas. Il est le fait de la volonté, non

3. A propos d'*habitus*, cf. AUG., *Divers. Quaest.* 73, 1 (*BA* 10, p. 321) et THOMAS D'AQUIN, *Somme théologique,* I^a, q. 83, a. 2, ad 2um (Desclée, 1949, t. 9, p. 327) : «S. Bernard parle d'*habitus* non pas en tant qu'il s'oppose à la puissance, mais en tant qu'il signifie une disposition quelconque à agir. Ce qui est donné aussi bien par la puissance que par l'*habitus* : par la puissance, l'homme se trouve capable d'agir; par l'*habitus,* apte à agir bien ou mal.»

30 nec negat se, nec praebet cuiquam, nisi ex voluntate. Alioquin si compelli valet invitus, violentus est, non voluntarius. Ubi autem voluntas non est, nec consensus. Non enim est consensus, nisi voluntarius. Ubi ergo consensus, ibi voluntas. Porro ubi voluntas, ibi libertas. Et hoc est 35 quod dici puto liberum arbitrium.

II. 3. Sed ut manifestius fiat quod dicitur, et competentius ad id quod volumus veniamus, paulo altius aestimo repetendum.

In rebus naturalibus non est id vita quod sensus, non 5 sensus quod appetitus, nec ille quod consensus. Quod ex singulorum diffinitionibus clarius elucebit.

Est enim in quolibet corpore vita, internus ac naturalis motus, vigens tantum intrinsecus.

Diffinitio sensus

10 Sensus vero, vitalis in corpore motus, vigilans et extrinsecus.

Diffinitio naturalis appetitus

Appetitus autem naturalis, vis in animante, movendis avide sensibus attributa.

15 *Diffinitio consensus*

Verum consensus, nutus est voluntatis spontaneus, vel certe, quod superius dixisse me memini, habitus animi, liber sui.

Diffinitio voluntatis

168 20 Porro voluntas est motus rationalis, et sensui praesidens,

1. Par «nécessité», il faut entendre contrainte.

de la nécessité[1]. Il ne se refuse ni ne se donne à quiconque, si ce n'est volontairement. Autrement, si on parvient à la forcer, il est violenté et non pas volontaire. Mais où il n'y a pas volonté, il n'y a pas consentement. En effet, il n'y a pas de consentement s'il n'est pas volontaire. Donc, où il y a consentement, il y a volonté. Par suite, où il y a volonté, il y a liberté. Voilà pourquoi, je pense, on l'appelle libre arbitre.

II. 3. Mais pour rendre plus évident ce qui est dit, et arriver de façon plus adaptée à ce que nous voulons, j'estime qu'il faut remonter un peu plus haut.

Dans les choses naturelles, la vie et le sens, le sens et l'appétit, l'appétit et le consentement ne sont pas la même chose. Cela s'éclairera davantage par les définitions de chacun.

La vie, en effet, dans n'importe quel corps, est un mouvement interne et naturel dont la vigueur est seulement intérieure.

Définition du sens

Le sens, lui, est un mouvement vital dans le corps, dont l'éveil est aussi extérieur.

Définition de l'appétit naturel

Quant à l'appétit naturel, c'est une force dans l'être animé, force attribuée aux sens qui ont à se mouvoir sous la poussée de l'avidité.

Définition du consentement

Ensuite, le consentement est l'acquiescement spontané de la volonté, ou alors – je me souviens de l'avoir dit plus haut –, une disposition de l'esprit, libre de soi.

Définition de la volonté

Enfin, la volonté est un mouvement rationnel qui com-

et appetitui. Habet sane, quocumque se volverit, rationem semper comitem et quodammodo pedissequam : non quod semper ex ratione, sed quod numquam absque ratione moveatur, ita ut multa faciat per ipsam contra ipsam, hoc
25 est per eius quasi ministerium, contra eius consilium sive iudicium. Unde est illud : *Prudentiores sunt filii saeculi huius filiis lucis in generatione sua* [o], et rursum : *Sapientes sunt ut faciant mala* [p]. Neque enim prudentia seu sapientia inesse creaturae potest, vel in malo, nisi utique per
30 rationem.

4. Est vero ratio data voluntati ut instruat illam, non destruat. Destrueret autem, si necessitatem ei ullam imponeret, quominus libere pro arbitrio sese volveret, sive in malum consentiens appetitui aut nequam spiritui, ut sit
5 *animalis non percipiens,* vel certe et persequens *ea quae sunt Spiritus Dei* [q], sive ad bonum gratiam sequens, et fiat *spiritualis* : quae *omnia diiudicans, ipsa a nemine iudicetur* [r]. Si, inquam, horum quodlibet, prohibente ratione, voluntas non posset, voluntas iam non esset. Ubi
10 quippe necessitas, iam non voluntas.

3. o. Lc 16, 8 ≠ || p. Jér. 4, 22
4. q. I Cor. 2, 14 ≠ || r. I Cor. 2, 15 (Patr.)

1. Les citations scripturaires, ici, visent à montrer la complicité de la raison et de la volonté dans le mal. Mais la volonté porte la responsabilité de l'acte mauvais, et la raison se désolidarise d'elle pour la juger et la désapprouver. C'est le sujet du paragraphe suivant.

2. * Bernard emprunte sans doute cette leçon *diiudicat* à un homéliaire « carolingien » : Haymon d'Auxerre commente en effet « diiudicat omnia » (*PL* 117, 523 A-B). – ** *Diiudicare,* ce verbe, moins fréquent dans la littérature classique que dans la tradition biblique et patristique, semble revêtir dans celle-ci non seulement la nuance de « discerner », « distinguer », mais celle de « décider » *(statuere)* d'après les textes cités

mande à la fois au sens et à l'appétit. Où qu'elle se tourne, elle a toujours bien certainement la raison comme compagne et en quelque sorte comme servante. Ce n'est pas que la volonté se meuve toujours d'après la raison, mais elle ne se meut jamais sans elle : elle fait donc nombre de choses par la raison à l'encontre de celle-ci, comme si elle profitait de ses services sans tenir compte de son conseil ou de son jugement. D'où ceci : « Les fils de ce siècle, eux et leur génération, sont plus prudents que les fils de la lumière[o] », et encore : « Ils sont sages pour mal faire[p]. » En effet, il ne peut y avoir de prudence ou de sagesse dans la créature, même dans le domaine du mal, si ce n'est par la raison[1].

4. Or la raison a été donnée à la volonté pour l'instruire et non pour la détruire. Elle la détruirait si elle lui imposait une quelconque nécessité qui l'empêche de se tourner librement, à son gré, soit vers le mal en consentant à l'appétit ou à l'esprit mauvais – elle serait alors « animale : ne percevant pas » ou même ne recherchant pas « ce qui est de l'Esprit de Dieu[q] » –, soit vers le bien en suivant la grâce – elle deviendrait alors « spirituelle : celle qui décide[2] de tout et n'est elle-même jugée par personne[r]. » Si, dis-je, empêchée par la raison, la volonté ne pouvait se porter soit au bien soit au mal, elle ne serait plus la volonté. Car où il y a nécessité, il n'y a plus volonté.

dans *TLL* V-1, col. 1156-1157. Pour citer ce verset de S. Paul, Bernard emploie 11 fois sur 12 *diiudicat,* qui se trouve dans une ancienne version, au lieu du *iudicat* de la Vulgate. Dans un des *Sermons divers* (34, 3 [en entier], *SBO* VI-1, 215), à propos de *I Cor.* 2, 15, il dit : « [Paul] n'a pas mis : juger, mais : prendre une décision, c.-à-d. discerner et approuver (*non enim* iudicare *hic posuit, sed* diiudicare, *quod utique* discernere *et* probare *est*). »

Quod absque consensu propriae voluntatis iusta iniustave fieri nequit creatura rationalis

Quod si ex necessitate, et absque consensu propriae
15 voluntatis, iusta iniustave fieri posset rationalis creatura, aut misera profecto esse nulla ratione deberet, aut beata penitus non posset, cui nimirum in utravis parte id deesset, quod solum in ea miseriae sive beatitudinis capax est, id est voluntas. Cetera siquidem, quae supra memorata sunt,
20 vita, sensus, vel appetitus, nec miserum per se faciunt, nec beatum. Alioquin et arbores ex vita, et pecudes etiam ex reliquis duobus, vel miseriae possent esse obnoxiae, vel idoneae beatitudini, quod omnino impossibile est. Communem itaque habentes vitam quidem cum arboribus,
169 25 sensum vero et appetitum et aeque vitam cum pecoribus, id quod dicitur voluntas nos ab utrisque discernit. Cuius voluntatis consensus, utique voluntarius, non necessarius, dum aut iustos probat aut iniustos, etiam merito beatos facit vel miseros. Is ergo talis consensus ob voluntatis
30 inamissibilem libertatem, et rationis, quod secum semper et ubique portat, indeclinabile iudicium, non incongrue dicetur, ut arbitror, liberum arbitrium, ipse liber sui propter voluntatem, ipse iudex sui propter rationem. Et merito libertatem comitatur iudicium, quoniam quidem quod
35 liberum sui est, profecto ubi peccat, ibi se iudicat. Est autem iudicium, quia iuste profecto, si peccat, patitur quod nolit, qui non peccat nisi velit.

1. La *miseria,* chez Bernard, a un sens technique : c'est l'état de l'homme pécheur depuis la chute originelle qui a entraîné avec elle la souffrance et la mort. Mais la misère a attiré la miséricorde divine. L'incarnation du Verbe est considérée comme un déploiement de la Miséricorde.

Sans le consentement de la propre volonté, la créature raisonnable ne saurait devenir juste ou injuste

Si, par la nécessité, et en dehors du consentement de la propre volonté, la créature raisonnable pouvait devenir juste ou injuste, ou bien elle ne devrait d'aucune façon être misérable, ou bien elle ne pourrait absolument pas être bienheureuse : il lui manquerait en effet dans un cas comme dans l'autre, ce qui, en elle, est seul capable de misère[1] ou de béatitude, c'est-à-dire la volonté. De fait, les autres dons nommés plus haut : vie, sens ou appétit ne rendent, par eux-mêmes, ni misérables ni bienheureux. Autrement, les arbres, du fait qu'ils ont la vie, les animaux également, du fait qu'ils ont le sens et l'appétit, pourraient être sujets à la misère ou dignes de béatitude, ce qui est tout à fait impossible. C'est pourquoi, ayant en commun la vie avec les arbres, et de plus le sens, l'appétit et la vie aussi avec les animaux, nous nous différencions des uns et des autres par ce qu'on appelle la volonté. Et le consentement de cette volonté, consentement bel et bien volontaire et non pas nécessaire, en montrant quels sont les justes ou les injustes, fait aussi, à bon droit, les uns bienheureux et les autres misérables. Donc, un tel consentement – à cause de la liberté inamissible de la volonté et du jugement de la raison qu'elle ne peut éviter, le portant toujours et partout avec elle – sera appelé, non sans exactitude, à mon avis, libre arbitre : il est libre de soi à cause de la volonté et il est juge de soi à cause de la raison. Et c'est à bon droit que le jugement accompagne la liberté, parce que ce qui est libre de soi-même est juge de soi-même là où il pèche. Et c'est un jugement, parce qu'il est juste qu'il souffre, s'il pèche, ce qu'il ne voudrait pas, lui qui ne pèche que s'il le veut.

5. Ceterum quod sui liberum non esse cognoscitur, quo pacto vel bonum ei vel malum imputatur? Excusat nempe utrumque necessitas. Porro ubi necessitas est, libertas non est; ubi libertas non est, nec meritum, ac per hoc nec iudicium, excepto sane per omnia originali peccato, quod aliam constat habere rationem. De cetero quidquid hanc non habet voluntarii consensus libertatem, procul dubio et merito caret, et iudicio. Proinde universa quae hominis sunt, praeter solam voluntatem, ab utroque libera sunt, quia sui libera non sunt : vita, sensus, appetitus, memoria, ingenium, et si qua talia sunt, eo ipso subiacent necessitati, quo non plene sunt subdita voluntati. Ipsam vero, quia impossibile est de seipsa sibi non oboedire, – nemo quippe aut non vult quod vult, aut vult quod non vult –, etiam impossibile est sua privari libertate.

Quod voluntas mutari non potest nisi in aliam voluntatem

Potest quidem mutari voluntas, sed non nisi in aliam voluntatem, ut numquam amittat libertatem. Tam ergo non potest privari illa, quam nec seipsa. Si poterit homo aliquando aut nihil omnino velle, aut velle aliquid, et non voluntate, poterit et carere libertate voluntas. Hinc est quod insanis, infantibus, itemque dormientibus, nihil quod faciant, vel bonum, vel malum, imputatur, quia nimirum sicut suae non sunt compotes rationis, sic nec usum retinent propriae voluntatis, ac per hoc nec iudicium

5. D'ailleurs, à ce qui est reconnu n'être pas libre de soi-même, de quel droit imputer le bien ou le mal? La nécessité met les deux hors de cause. Par suite, où il y a nécessité, il n'y a pas liberté; où il n'y a pas liberté, il n'y a pas mérite et, par là, il n'y a pas place pour un jugement – en tout cas, le péché originel est totalement mis à part : il est évidemment d'un autre ordre. Pour le reste, tout ce qui n'a pas cette liberté du consentement volontaire est, sans aucun doute, dépourvu de mérite et n'est pas sujet au jugement. Voilà pourquoi tout en l'homme, à l'exception de la seule volonté, est exempt de mérite et de jugement, faute d'être libre de soi-même. Vie, sens, appétit, mémoire, intelligence et ce qu'il peut y avoir de semblable, n'étant pas soumis à la nécessité n'est pas de ce fait pleinement soumis à la volonté. Au contraire, parce qu'il est impossible que, d'elle-même, la volonté ne s'obéisse pas à elle-même – personne, en effet, ou bien ne veut pas ce qu'il veut, ou bien veut ce qu'il ne veut pas –, il est également impossible qu'elle soit privée de sa liberté.

La volonté ne peut être changée qu'en une autre volonté

La volonté, certes, peut être changée, mais uniquement en une autre volonté, de sorte qu'elle ne perde jamais la liberté. Elle ne peut donc pas plus être privée de la liberté que d'elle-même. Si jamais un homme pouvait, soit ne rien vouloir du tout, soit vouloir quelque chose, mais non par la volonté, la volonté pourrait alors aussi être dépourvue de liberté. C'est pourquoi aux insensés, aux enfants et de même aux dormeurs, rien de ce qu'ils font en bien ou en mal n'est imputé. Évidemment, comme ils ne sont pas en possession de leur raison, ils n'ont pas non plus l'usage de leur propre volonté, ni non plus,

libertatis. Cum igitur voluntas nil liberum habeat nisi se,
170 merito non iudicatur nisi ex se. Siquidem nec tardum ingenium, nec labilis memoria, nec inquietus appetitus,
30 nec sensus obtusus, nec vita languens, reum per se statuunt hominem, sicut nec contraria innocentem, et hoc non ob aliud, nisi quia haec necessarie ac praeter voluntatem posse provenire probantur.

III. 6. Sola ergo voluntas, quoniam pro sui ingenita libertate aut dissentire sibi, aut praeter se in aliquo consentire, nulla vi, nulla cogitur necessitate, non immerito iustam vel iniustam, beatitudine seu miseria dignam ac
5 capacem creaturam constituit, prout scilicet iustitiae iniustitiaeve consenserit. Quapropter huiusmodi voluntarium liberumque consensum, ex quo et omne sui, ex his quae dicta sunt, constat pendere iudicium, puto non incongrue id supra diffinivimus esse, quod solet liberum arbitrium
10 appellari, ut liberum ad voluntatem, arbitrium referatur ad rationem, sed sane liberum, non illa libertate, de qua dicit Apostolus : *Ubi Spiritus Domini, ibi libertas*[s].

De libertate a peccato

Est enim illa libertas a peccato, sicut alibi ait : *Cum*
15 *enim servi essetis peccati, liberi fuistis iustitiae*[t]. *Nunc* autem *liberati a peccato, servi autem facti Deo, habetis fructum vestrum in sanctificationem, finem vero vitam aeternam*[u]. Quis vero in carne peccati[v] a peccato sibi vindicat libertatem? Hac igitur libertate dictum merito
20 nequaquam opinor liberum arbitrium.

6. s. II Cor. 3, 17 || t. Rom. 6, 20 || u. Rom. 6, 22 ≠ || v. Cf. Rom. 8, 3

de ce fait, le jugement qui provient de la liberté. Donc, puisque la volonté n'a rien de libre qu'elle-même, elle n'est, à juste titre, jugée que d'après elle-même. De fait, ni une intelligence lente, ni une mémoire infidèle, ni un appétit insatisfait, ni un sens défaillant, ni une vie languissante ne constituent, par eux-mêmes, l'homme coupable, de même que leurs contraires ne le rendent innocent. Le seul motif en est que tout cela peut provenir de la nécessité, en dehors de la volonté.

III. 6. Seule, donc, la volonté, en vertu de sa liberté innée, n'est contrainte par aucune violence, aucune nécessité à être en opposition avec elle-même ou à consentir à quelque chose en dehors d'elle-même. De ce fait, c'est la volonté qui, à bon droit, constitue la créature juste ou injuste, digne et capable de béatitude ou de misère suivant son consentement à la justice ou à l'injustice. C'est pourquoi, ce genre de consentement volontaire et libre – dont dépend aussi, c'est certain d'après ce qui a été dit, tout le jugement qu'on porte sur soi-même – est, nous l'avons défini ci-dessus, non sans exactitude, je pense, ce que l'on a coutume d'appeler le libre arbitre : libre se rapportant à la volonté et arbitre à la raison. En tout cas, il n'est pas libre de la liberté dont l'Apôtre dit : « Où est l'Esprit du Seigneur, là est la liberté[s]. »

La liberté qui affranchit du péché

Car cette liberté-là affranchit du péché comme il le dit ailleurs : « Lorsque vous étiez esclaves du péché, vous étiez libres à l'égard de la justice[t] » ; « maintenant, affranchis du péché, vous êtes devenus esclaves de Dieu ; le fruit que vous en avez est la sanctification, et votre fin est la vie éternelle[u]. » Mais qui peut, en cette chair de péché[v], revendiquer pour lui-même la liberté qui affranchit du péché ? Donc, on ne dit jamais, et à juste titre, me semble-t-il, que le libre arbitre relève de cette liberté-là.

De libertate a miseria

Est item libertas a miseria, de qua itidem Apostolus : *Et ipsa,* inquit, *creatura liberabitur a servitute corruptionis in libertatem gloriae filiorum Dei*[w]. Sed numquid et istam 25 sibi quispiam in hac mortalitate praesumit? Et hac itaque liberum nominari arbitrium non immerito abnuimus.

De libertate a necessitate

Est vero, quam magis ei congruere arbitror libertatem, quam dicere possumus a necessitate, eo quod necessarium 30 voluntario contrarium esse videatur : siquidem quod ex necessitate fit, iam non est ex voluntate, et e converso similiter.

De triplici libertate

171 **7.** Cum igitur prout interim potuit occurrere nobis, triplex sit proposita libertas, a peccato, a miseria, a necessitate, hanc ultimo loco positam contulit nobis in conditione natura, in primam restauramur a gratia, media nobis 5 reservatur in patria.

Tres dicit libertates esse, primam naturae, secundam gratiae, tertiam vitae vel gloriae

Dicatur igitur prima libertas naturae, secunda gratiae, ter-10 tia vitae vel gloriae : primo nempe in liberam voluntatem

w. Rom. 8, 21

1. Le *videatur* ne semble pas signifier doute ou incertitude, mais prévenir l'opposition que pourrait susciter la nouvelle terminologie de Bernard. Anselme qui exclut, lui aussi, la contrainte, a pourtant une autre conception de la liberté de l'arbitre ; cf. G. VENUTA, *Libero arbitrio e libertà della grazia nel pensiero di S. Bernardo,* Rome 1953, p. 70, n. 4.

La liberté qui affranchit de la misère

Il y a, de même, une liberté qui affranchit de la misère. D'elle l'Apôtre dit semblablement : «Cette création, affranchie de la servitude de la corruption, accédera à la glorieuse liberté des fils de Dieu[w].» Mais, celle-là aussi, quelqu'un peut-il prétendre la posséder en cette vie mortelle? C'est pourquoi, nous refusons, à juste titre, d'admettre que le libre arbitre reçoive d'elle son nom.

La liberté qui affranchit de la nécessité

Mais il y a une liberté qui, à mon avis, convient davantage au libre arbitre, c'est celle dont nous pouvons dire qu'elle affranchit de la nécessité, du fait que *nécessaire* s'oppose évidemment[1] à *volontaire*: car ce qui se fait par nécessité ne relève plus de la volonté et inversement.

La triple liberté

7. Comme nous avons pu le constater jusqu'ici, une triple liberté nous a donc été proposée : à l'égard du péché, de la misère et de la nécessité. Cette dernière nous a été conférée par la nature dans la création; nous sommes restaurés dans la première par la grâce; celle nommée entre les deux autres nous est réservée dans la patrie.

Il dit qu'il y a trois libertés[2] : la première de nature, la seconde de grâce, la troisième de vie et de gloire

Qu'on appelle donc «première» la liberté de nature, seconde la liberté de grâce, troisième celle de vie et de gloire. Premièrement, en effet, nous avons été créés pour

2. * Cf. Pierre Lombard, *Sent.*, II, d. 25, c. 8-9 (éd. Grottaferrata 1971, t. I, 2, p. 466 et n.).

ac voluntariam libertatem conditi sumus, nobilis Deo creatura; secundo reformamur in innocentiam, *nova in Christo creatura*[x]; tertio sublimamur in gloriam, perfecta in Spiritu creatura. Prima ergo libertas habet multum
15 honoris, secunda plurimum et virtutis, novissima cumulum iucunditatis. Ex prima quippe praestamus ceteris animantibus[y]; in secunda carnem, per tertiam mortem subicimus[z]. Vel certe sicut in prima *subiecit* Deus *sub pedibus nostris oves et boves et pecora campi*[a], ita quoque per secundam
20 spirituales bestias huius aeris[b], de quibus dicitur: *Ne tradas bestiis animas confitentes tibi*[c], prosternit aeque et conterit sub pedibus nostris[d], in ultima tandem nos ipsos nobis plenius submissurus per victoriam corruptionis et mortis, quando scilicet *novissima destruetur mors*[e], et nos
25 transibimus *in libertatem gloriae filiorum Dei*[f]; *qua libertate Christus nos liberabit*[g], *cum* nos utique *tradet regnum Deo et Patri*[h]. De hac enim, et item de illa quam diximus a peccato, puto quod Iudaeis aiebat: *Si vos filius liberaverit, vere liberi eritis*[i]. Liberum arbitrium liberatore
30 indigere significabat, sed plane qui illud liberaret non a necessitate, quam, voluntatis cum esset, penitus non noverat, sed a peccato, in quod tam libere quam voluntarie corruerat, simulque a poena peccati, quam incautum incurrerat invitumque ferebat, quo utroque malo liberari

7. x. II Cor. 5, 17; Gal. 6, 15 ≠ || y. Cf. Gen. 1, 28 et 30 || z. Cf. I Cor. 15, 26 || a. Ps. 8, 8 ≠ || b. Cf. Éphés. 2, 2 || c. Ps. 73, 19 ≠ || d. Cf. Lam. 3, 34; cf. Judith 14, 5 || e. I Cor. 15, 26 ≠ || f. Rom. 8, 21 || g. Gal. 4, 31 ≠ || h. I Cor. 15, 24 ≠ || i. Jn 8, 36 ≠

1. Bien que le mot *honor* appartienne au vocabulaire chevaleresque du moyen âge, il se rattache plutôt, en ce contexte, aux *Ps.* 8, 6 et 48, 13. Ce dernier sera cité au § 22 et le mot *honor* sera repris au § 27 comme allusion à ce psaume. Dans la littérature patristique, et dans la suite de l'œuvre bernardine, ce verset psalmique est rapporté à l'état paradisiaque, suivi de la chute originelle par laquelle l'homme a échangé la ressemblance avec Dieu contre celle des animaux.

jouir d'une volonté libre et d'une liberté volontaire, création noble pour Dieu; secondement, nous retrouvons la forme de l'innocence, «création nouvelle dans le Christ[x]»; troisièmement, nous sommes élevés à la gloire, création parfaite dans l'Esprit. La première liberté a donc beaucoup d'honneur[1], la seconde davantage encore de vertu, la dernière est le comble de la joie. Par la première, en effet, nous l'emportons sur tous les êtres animés[y]; dans la seconde, nous soumettons la chair; par la troisième, la mort[z]. Ou encore, de même que, dans la première, Dieu «a mis sous nos pieds les brebis, les bœufs et les bêtes des champs[a]», de même aussi, par la seconde, il nous soumet les bêtes spirituelles de l'air[b2] dont il est dit: «Ne livre pas aux bêtes les âmes de ceux qui te confessent[c]»; il les terrasse, sans distinction, les broie sous nos pieds[d]. Dans la toute dernière, enfin, il nous soumettra plus pleinement à nous-mêmes par la victoire sur la corruption et «la mort, quand celle-ci, la dernière, sera détruite[e].» Alors, nous passerons «à la glorieuse liberté des fils de Dieu[f]» «par laquelle le Christ nous rendra libres[g]», à savoir «quand il remettra le royaume – nous – au Dieu et Père[h].» De cette liberté-là, je pense, et de celle également que nous avons appelée liberté qui affranchit du péché, il disait aux Juifs: «Si le fils vous affranchit, vous serez vraiment libres[i].» Il indiquait par là que le libre arbitre avait besoin d'un libérateur qui l'affranchît, non pas, évidemment, de la nécessité – puisqu'il relève de la volonté, il ne l'avait pas connue du tout –, mais du péché, dans lequel, aussi librement que volontairement, il s'était précipité et, en même temps, de la peine due au péché, qu'il avait imprudemment encourue et qu'il supportait malgré lui. De ces

2. Ce sont les démons qui, traditionnellement, chez les Pères, sont censés avoir leur place entre ciel et terre, dans les airs.

35 omnino non poterat, nisi per illum, qui solus hominum *factus* est *inter mortuos liber*[j], liber videlicet a peccato inter peccatores.

172 **8.** Solus namque inter filios Adam libertatem sibi vindicat a peccato *qui peccatum non fecit, nec inventus est dolus in ore eius*[k]. Porro et a miseria, quae est poena peccati, habuit nihilominus libertatem, sed potentia, non 5 actu : *nemo* quippe *tollebat animam eius ab eo, sed* ipse *ponebat eam*[l]. Denique, teste Propheta, *oblatus est quia voluit*[m], sicut et cum voluit *natus ex muliere, factus sub lege, ut eos qui sub lege erant redimeret*[n]. Fuit itaque et ipse sub lege miseriae; sed fuit quia voluit, ut liber inter 10 miseros et peccatores[o] utrumque iugum fraternis a cervicibus excuteret[p].

Quod Salvator ipsas tres habuerit libertates

Habuit itaque totas tres libertates, primam ex humana simul et divina natura, reliquas ex divina potentia. Quarum 15 duas posteriores utrum et primus homo in paradiso habuerit, vel quomodo et quatenus eas habuerit, postea videbimus.

j. Ps. 87, 5-6 ≠
8. k. I Pierre 2, 22 ≠ || l. Jn 10, 18 ≠ || m. Is. 53, 7 ≠ || n. Gal. 4, 4-5 ≠ || o. Cf. Ps. 87, 6 || p. Cf. Jér. 27, 11

---

1. L'interprétation christologique du *Ps.* 87, 6, selon les LXX, remonte à Origène. La relation entre *Jn* 8, 36, *Ps.* 87, 6, *I Pierre* 2, 22 et *Jn* 10, 18 telle qu'elle se trouve ici (§§ 7-8), est déjà dans DIDYME L'AVEUGLE, *Commentaire sur le Ps. 87* (*PG* 39, 1487 s.); cf. A. ROSE, « Versets psalmiques de Pâques et l'Ascension », dans *BEL « Subsidia »* 20, p. 222-223 (Conférences Saint-Serge, XXVIIe semaine d'Études liturgiques, Paris 1980). Bernard fait aussi une application de ce verset à l'homme en général, moyennant une transformation du texte : « Seul parmi les êtres animés, l'homme est libre » (*SCt* 81, 7, *SBO II*, 288, l. 6).

2. ** Dans cette allusion à *Gal.* 4, 4, Bernard écrit *natum,* « né », à la place du premier *factum.* Dans les 8 citations et allusions claires à

deux maux, le libre arbitre ne pouvait absolument pas être libéré sinon par celui qui, seul d'entre les hommes, «est devenu libre parmi les morts[j1]», c'est-à-dire libre à l'égard du péché parmi les pécheurs.

8. Seul, en effet, parmi les fils d'Adam, il revendique pour lui la liberté qui affranchit du péché, «lui qui n'a pas commis le péché et dans la bouche de qui on n'a pas trouvé le mensonge[k].» De plus, il a possédé tout autant la liberté qui affranchit de la misère – la misère étant la peine due au péché –, mais ce ne fut qu'en puissance, non en acte. En effet, «nul ne lui ôtait la vie, mais il la quittait de lui-même[l].» Enfin, au témoignage du prophète, «il s'est offert parce qu'il l'a voulu[m]», de même que, lorsqu'il l'a voulu, «il est né[2] d'une femme, est devenu sujet de la loi afin de racheter les sujets de la loi[n].» C'est pourquoi, il a été, lui aussi, sous la loi de la misère, mais il l'a été parce qu'il l'a voulu, afin que, libre parmi les misérables et les pécheurs[o], il fasse tomber de la nuque de ses frères l'un et l'autre joug[p].

Le Sauveur a possédé ces trois libertés

Par conséquent, il a possédé les trois libertés tout entières : la première de par sa nature à la fois humaine et divine, les deux autres de par sa puissance divine. Quant à savoir si le premier homme, au paradis, a, lui aussi, possédé les deux dernières de ces libertés, ou du moins comment et en quelle mesure il les a possédées, nous le verrons plus loin.

ce texte, Bernard suit 5 fois la Vulgate et il a 2 textes semblables à celui-ci; de plus, 2 fois il introduit *in quo,* (l'accomplissement du temps) «dans lequel»; ce peut être une réminiscence du Répons *Ecce iam venit* du IVe dimanche de l'Avent où l'on trouve *natum de Virgine* et *in quo.* Mais il faut envisager une autre source : de nombreux Pères et plusieurs mss Vulgate ont *natum.*

IV. 9. Hoc autem indubitanter sciendum, utramque plenam atque perfectam perfectis inesse animabus carne solutis, cum Deo pariter et Christo eius, atque angelis supercaelestibus. Nam sanctis animabus, etsi necdum
5 corpora receperunt, deest quidem de gloria, sed nihil prorsus inest de miseria.

Quod libertas a necessitate tam bonae quam malae rationali creaturae inest

10 Verum libertas a necessitate aeque et indifferenter Deo universaeque tam malae quam bonae, rationali convenit creaturae. Nec peccato, nec miseria amittitur vel minuitur; nec maior in iusto est quam in peccatore, nec plenior in angelo quam in homine. Quomodo namque ad bonum
15 conversus per gratiam humanae voluntatis consensus, eo libere bonum et, in bono, liberum hominem facit, quo voluntarius efficitur, non invitus pertrahitur, sic sponte devolutus in malum, in malo nihilominus tam liberum quam spontaneum constituit, sua utique voluntate ductum,
20 non aliunde coactum ut malus sit. Et sicut caelestis angelus, aut etiam ipse Deus, permanet libere bonus, propria videlicet voluntate, non aliqua extrinseca necessitate, sic profecto diabolus aeque libere in malum et corruit, et

1. Dénomination qui se trouve chez Augustin pour différencier ces anges de ceux qui sont chargés des affaires du monde ; cf. AUG., *Conf.* 13, 15, 18 (*BA* 14, p. 256, *CCL* 27, p. 251 s.) ; *Gen. Litt.* 11, 17, 22 (*BA* 49, p. 266).

2. Bernard considère qu'en attendant la résurrection générale, au jour eschatologique, les saints ne jouissent pas encore de la gloire de la vision béatifique. Ils connaissent la libération du mal plutôt qu'à proprement parler le bonheur (cf. *Ded* 4, 5, *SBO* V, 387, l. 6-7). Cette doctrine qui s'appuie sur Ambroise et Augustin, mais que Grégoire le Grand n'avait pas retenue, a été condamnée par Benoît XII. Voir B. de VRE-

IV. 9. Mais il faut savoir indubitablement que ces deux libertés se trouvent pleines et parfaites dans les âmes parfaites, dégagées de la chair comme il en est pour Dieu et son Christ, ainsi que pour les anges placés au-dessus des cieux[1]. Car, pour les âmes saintes, même si elles n'ont pas encore recouvré leur corps, il y a, certes, manque de gloire, mais il n'y a plus en elles la moindre trace de misère[2].

La liberté qui affranchit de la nécessité est présente dans la créature raisonnable bonne ou mauvaise

Quant à la liberté qui affranchit de la nécessité, elle convient également et indifféremment à Dieu et à toute créature raisonnable, la mauvaise comme la bonne. Elle n'est perdue ou diminuée ni par le péché, ni par la misère : elle n'est pas plus grande chez le juste que chez le pécheur, ni plus pleine chez l'ange que chez l'homme. De même, en effet, que le consentement de la volonté humaine, lorsqu'il est tourné vers le bien par la grâce, fait qu'en toute liberté l'homme est bon et libre dans le bien – du fait qu'il l'est devenu volontairement et n'a pas été entraîné au bien malgré lui – de même aussi, lorsque le consentement se jette spontanément dans le mal, il établit pareillement l'homme dans le mal de façon aussi libre que spontanée : c'est, en effet, par sa propre volonté qu'il a été conduit à être mauvais et non par une contrainte extérieure. Et de même qu'un ange du ciel, ou encore Dieu lui-même, demeure bon en toute liberté, c'est-à-dire par sa propre volonté, non par quelque nécessité extrinsèque, de même, c'est également en toute liberté que le diable s'est précipité dans le mal et qu'il

GILLE, « L'attente des saints d'après saint Bernard », *NRTh* 70 (1948), p. 225-244.

persistit, suo utique voluntario nutu, non alieno impulsu.
25 Manet ergo libertas voluntatis, ubi etiam sit captivitas mentis, tam plena quidem in malis quam et in bonis,
173 sed in bonis ordinatior, tam integra quoque pro suo modo in creatura quam in Creatore, sed in illo potentior.

10. Quod autem solent homines conqueri, et dicere : «Volo habere bonam voluntatem, et non possum», nequaquam huic praescribit libertati, ut quasi vim aut necessitatem in hac parte voluntas patiatur, sed plane illa
5 libertate, quae dicitur a peccato, se carere testantur. Nam qui vult habere bonam voluntatem, probat se habere voluntatem : non enim vult habere bonam, nisi per voluntatem. Quod si voluntatem, et libertatem, sed libertatem a necessitate, non a peccato. Nempe ut non valeat, cum
10 velit, habere bonam, sentit quidem sibi deesse libertatem, sed profecto libertatem a peccato, quo utique dolet premi, non perimi voluntatem. Quamquam iam procul dubio utcumque bonam habet, ubi habere vult. Bonum quippe est quod vult, nec posset bonum velle, nisi bona voluntate,
15 sicut nec velle malum, nisi mala voluntate. Cum bonum volumus, bona est voluntas; cum malum volumus, mala est voluntas. Utrobique voluntas, et ubique libertas : cedit siquidem voluntati necessitas. Cum autem non valemus

1. DESCARTES (*Méditations métaphysiques,* 4, 9, PUF, trad. F. Khodoss, Paris 1974, p. 87-88) rejoint Bernard quand il écrit : «En même façon, si j'examine la mémoire ou l'imagination, ou quelqu'autre puissance, je n'en trouve aucune qui ne soit en moi très petite et bornée, et qui en Dieu ne soit immense et infinie. Il n'y a que la seule volonté, que j'expérimente en moi être si grande que je ne conçois point l'idée d'aucune autre plus ample et plus étendue. En sorte que c'est elle principalement qui me fait connaître que je porte l'image et la ressemblance de Dieu. Car, encore qu'elle soit incomparablement plus grande dans Dieu que dans moi, (...) elle ne me semble pas toutefois plus grande, si je la considère formellement et précisément en elle-même.»

y persiste par son acquiescement tout à fait volontaire, non par une impulsion étrangère. Donc, la liberté de la volonté demeure, même s'il y a captivité de l'esprit, aussi pleine chez les mauvais que chez les bons, mais plus ordonnée chez les bons; aussi entière, selon son mode, dans la créature que dans le Créateur, mais plus puissante en celui-ci[1].

10. Mais les hommes ont l'habitude de se plaindre et de dire: «Je veux avoir une volonté bonne et je ne le peux pas». Cela n'infirme en aucune manière l'existence de la liberté de la volonté, comme si la volonté souffrait violence ou nécessité dans ce domaine[2]. Ils montrent tout simplement qu'ils sont dépourvus de la liberté qui affranchit du péché. Car celui qui veut avoir une volonté bonne prouve qu'il a la volonté: il ne la veut bonne, en effet, que par la volonté. Et s'il a la volonté, il a aussi la liberté, mais la liberté qui affranchit de la nécessité, non du péché. C'est ainsi que son impuissance à avoir, quoiqu'il le veuille, une volonté bonne, lui fait sentir, certes, son manque de liberté, mais précisément de la liberté qui affranchit du péché: en tout état de cause, il se plaint de ce que le péché opprime sa volonté, non qu'il la supprime. Pourtant, sans aucun doute, il a déjà, d'une certaine manière, une volonté bonne dès qu'il veut l'avoir bonne. C'est, en effet, le bien qu'il veut, et il ne pourrait vouloir le bien si ce n'est par une volonté bonne, comme il ne pourrait vouloir le mal que par une volonté mauvaise. Voulons-nous le bien, notre volonté est bonne; voulons-nous le mal, notre volonté est mauvaise. Dans les deux cas, il y a volonté et partout liberté; c'est que la nécessité le cède à la volonté. Mais quand

2. Cf. AUG., *Grat.*, 15, 31 (*BA* 24, p. 160-161): «Il y a toujours en nous une volonté libre, mais elle n'est pas toujours bonne ...»

quod volumus, sentimus quidem ipsam quodammodo
20 libertatem peccato esse captivam, vel miseram, non tamen
amissam.

11. Ex hac ergo tantum libertate, qua liberum est
voluntati seipsam iudicare vel bonam, si bono, vel malam,
si malo consenserit, – quippe quae in neutro, nisi certe
volendo, consentire se sentit –, liberum arbitrium cre-
5 dimus nominari. Nam ex illa quae dicitur a peccato,
congruentius forsitan liberum consilium, et item ex illa
quae dicta est a miseria, liberum potius complacitum
posset dici quam liberum arbitrium.

Quid sit iudicium seu consilium
10 *seu complacitum*

Arbitrium quippe iudicium est. Sicut vero iudicii est
discernere quid liceat vel non liceat, sic profecto consilii
probare quid expediat vel non expediat, sic complaciti
quoque experiri quid libeat vel non libeat. Utinam tam
174 15 libere nobis consuleremus, quam libere de nobis iudi-
camus, ut quemadmodum libere per iudicium licita illici-
taque decernimus, ita per consilium et licita, tamquam
commoda, nobis eligere, et illicita, tamquam noxia,
respuere liberum haberemus! Iam enim non solum liberi

1. Jeu de mots, *cum non valemus quod volumus*: le changement de deux voyelles suffit à marquer la carence du vouloir; ou encore, celui d'une seule voyelle: *volens sed non valens* (*SCt* 84, 4, *SBO* II, 304, l. 28). Ce jeu était familier à Augustin. La plénitude de la liberté peut s'exprimer en ces deux mots: *volens et valens.*

2. Cf. *supra*, «Introd.», p. 188-190.

nous n'avons pas la force de faire ce que nous voulons[1], nous sentons, certes, que notre liberté elle-même, d'une certaine manière, est captive du péché ou de la misère, mais qu'elle n'est cependant pas perdue.

11. C'est donc de cette liberté-là seulement, croyons-nous – celle qui rend la volonté libre de se juger elle-même bonne ou mauvaise selon son consentement au bien ou au mal, car elle sent qu'elle ne consent à l'un ou à l'autre que parce qu'elle le veut – que le libre arbitre tire son nom. Mais plutôt que le nom de libre arbitre, on tire, peut-être plus à propos, de la liberté qui affranchit du péché, le nom de libre conseil; et pareillement, de celle qui affranchit de la misère, celui de libre bon plaisir[2].

Ce que sont le jugement, le conseil, le bon plaisir

L'arbitre, en effet, c'est le jugement. Mais, de même qu'il appartient au jugement de discerner ce qui est permis ou ne l'est pas, ainsi il revient au conseil d'éprouver ce qui est avantageux ou ne l'est pas, et au bon plaisir, également, de faire l'expérience de ce qui plaît ou ne plaît pas[3]. Ah! si notre conseil nous éclairait aussi librement que librement s'exerce notre jugement en ce qui nous concerne! Alors, de même que librement, grâce au jugement, nous distinguons le licite de l'illicite, ainsi, grâce au conseil, nous serions libres de choisir pour nous le licite comme profitable et de rejeter l'illicite comme nuisible. Alors, en effet, nous n'aurions plus seulement

3. Cf. THOMAS D'AQUIN, *Somme théologique*, I^a^, q. 5, a. 6: «Le bien est-il correctement divisé par l'honnête, l'utile et le délectable?»; cf. *supra*, «Introd.», p. 192, n. 56.

20 arbitrii, sed et liberi procul dubio consilii, ac per hoc et a peccato liberi essemus. Sed quid si totum, solumque quod expediret vel liceret etiam liberet? Nonne liberi quoque esse complaciti merito diceremur, quippe qui ab omni perinde, quod displicere potest, hoc est ab omni 25 nos miseria liberos sentiremus? Nunc autem, cum multa per iudicium vel admittenda, vel omittenda esse decernamus, quae tamen per consilium nequaquam pro iudicii rectitudine aut eligimus, aut contemnimus, rursumque non omnia, quae tamquam recta et commoda consulte obser- 30 vamus, etiam ut beneplacita libenter amplectamur, sed insuper quasi dura ac molesta vix aequanimiter ferre perduremus, liquet quia liberum nec consilium habemus, nec complacitum.

12. Alia quaestio est, si vel ante peccatum in primo homine habuimus, quod suo loco discutietur. Certissime autem habituri sumus, cum, Deo miserante, obtinebimus quod oramus : *Fiat voluntas tua, sicut in caelo et in terra* [q]. 5 Hoc nempe complebitur, quando id quod nunc cunctae passim rationali, ut iam dictum est, creaturae commune videtur, liberum scilicet a necessitate arbitrium, erit etiam in electis hominibus, – uti iam in sanctis est angelis –, et cautum a peccato, et tutum a miseria, *probantibus* 10 tandem triplicis libertatis felici experientia, *quae sit bona voluntas Dei,* ac *beneplacens et perfecta* [r]. Quod quia

12. q. Matth. 6, 10 || r. Rom. 12, 2 ≠

---

1. En ce contexte, la *rectitudo* appartient au vocabulaire d'ANSELME, *DLA*, IV (éd. M. Corbin, Cerf 1986, t. 2, p. 214).

le libre arbitre, mais également, à n'en pas douter, le libre conseil, et par lui nous serions aussi affranchis du péché. Mais que serait-ce, si, en sa totalité et seul, ce qui est avantageux ou du moins permis nous plaisait aussi? Ne dirait-on pas, à juste titre, que nous aurions également le libre bon plaisir, nous qui nous sentirions à l'avenant affranchis de tout ce qui peut déplaire, c'est-à-dire de toute misère? Or, actuellement, tandis que nous distinguons par le jugement que nombre de choses sont soit à admettre soit à omettre, c'est cependant sans tenir aucun compte de la droiture[1] du jugement que, par le conseil, nous les choisissons ou les négligeons. Et encore, tout ce qu'après délibération nous regardons comme droit et profitable, nous sommes loin de l'embrasser volontiers comme agréable; bien plus, c'est à peine si nous continuons à le supporter avec patience comme étant dur et pénible. Il est donc clair que nous n'avons de libre ni le conseil, ni le bon plaisir.

12. C'est une autre question de savoir si, du moins avant le péché, dans le premier homme, nous avons eu ces deux libertés. Elle sera examinée en son lieu. Mais très certainement, nous les aurons, nous les obtiendrons lorsque Dieu, dans sa miséricorde, exaucera notre prière : «Que ta volonté soit faite, sur la terre comme au ciel[q].» Oui, cela s'accomplira quand ce qui semble maintenant, nous l'avons déjà dit, indifféremment commun à toutes les créatures raisonnables – c'est-à-dire le libre arbitre affranchi de la nécessité – sera, même dans les élus du genre humain, comme déjà dans les saints anges, à la fois hors d'atteinte du péché et entièrement soustrait à la misère, les élus «éprouvant» enfin, par l'heureuse expérience de la triple liberté, «quelle est la volonté de Dieu – bonne et agréable et parfaite[r].» Mais comme cela n'est

necdum est, sola interim plena integraque manet in hominibus libertas arbitrii. Nam libertas consilii ex parte tantum, et hoc in paucis spiritualibus, *qui carnem* suam *crucifixerunt cum vitiis et concupiscentiis*[s], quatenus iam *non*
15 *regnet peccatum in eorum mortali corpore*[t]. Porro ut non regnet, libertas facit consilii ; ut tamen non desit ex integro,
175 captivitas est liberi arbitrii. *Cum autem venerit quod perfectum est,* tunc *evacuabitur quod ex parte est*[u] ; hoc est : cum plena fuerit libertas consilii, nulla iam erit captivitas
20 arbitrii. Et hoc est quod quotidie petimus in oratione, cum dicimus Deo : *Adveniat regnum tuum*[v]. Regnum hoc necdum ex toto pervenit in nos[w]. Quotidie tamen paulatim adventat, sensimque in dies magis ac magis dilatat terminos suos[x], in his dumtaxat, quorum per Dei adiu-
25 torium *interior* homo *renovatur de die in diem*[y]. In quantum ergo regnum gratiae dilatatur, in tantum peccati potestas minuitur. In quantum vero minus est adhuc propter *corpus* mortis quod *aggravat animam,* et ob necessitatem *terrenae inhabitationis,* utique *deprimentis sensum*
30 *multa cogitantem*[z], necesse habent etiam qui perfectiores in hac mortalitate videntur, confiteri et dicere : *In multis offendimus omnes*[a], et : *Si dixerimus quia peccatum non habemus, nosipsos seducimus, et veritas in nobis non est*[b]. Quapropter *orant* et ipsi *sine intermissione*[c], dicentes :
35 *Adveniat regnum tuum*[d]. Quod non erit vel in ipsis consummatum, quousque *peccatum* non solum *non regnet in* eorum *mortali corpore*[e], sed nec sit omnino, nec esse possit in immortali iam corpore.

s. Gal. 5, 24 ≠ || t. Rom. 6, 12 ≠ || u. I Cor. 13, 10 ≠ || v. Matth. 6, 10 || w. Cf. Matth. 12, 28 || x. Cf. Ex. 34, 24, etc. || y. II Cor. 4, 16 ≠ || z. Sag. 9, 15 ≠ || a. Jac. 3, 2 || b. I Jn 1, 8 ≠ || c. I Thess. 5, 17 ≠ || d. Matth. 6, 10 || e. Rom. 6, 12 ≠

pas encore arrivé, seule, ici-bas, la liberté de l'arbitre demeure pleine et entière en l'homme. Car la liberté de conseil n'est que partielle, et cela en peu de spirituels «qui ont crucifié leur chair avec ses vices et ses convoitises[s]» de telle sorte «que le péché ne règne plus dans leur corps mortel[t]». Or, qu'il ne règne plus, c'est l'effet de la liberté de conseil; qu'il ne soit cependant pas entièrement absent, cela tient à la captivité du libre arbitre. «Mais quand viendra ce qui est parfait, alors ce qui est partiel sera éliminé[u]», c'est-à-dire : quand il y aura pleine liberté de conseil, la captivité de l'arbitre, alors, sera nulle. Et c'est ce que nous demandons, chaque jour, dans la prière en disant à Dieu : «Que ton règne vienne[v].» Ce règne n'est pas encore totalement parvenu jusqu'à nous[w]. Chaque jour, cependant, peu à peu, il approche et insensiblement, au long des jours, de plus en plus, il dilate ses frontières[x], en ceux du moins chez qui, grâce au secours de Dieu, «l'homme intérieur se renouvelle de jour en jour[y]». Donc, dans la mesure même où le royaume de la grâce se dilate, le pouvoir du péché s'amenuise. Mais dans la mesure où à présent il est moindre, à cause de «ce corps» de mort qui «appesantit l'âme», et en raison de la nécessité de «l'habitation terrestre qui accable l'esprit de multiples pensées[z]», même ceux qui paraissent plus parfaits en cette condition mortelle sont dans la nécessité de confesser et de dire : «Tous, nous tombons en de nombreuses fautes[a]», et : «Si nous disons que nous n'avons pas de péché, nous nous trompons nous-mêmes et la vérité n'est pas en nous[b].» C'est pourquoi «ils prient», eux aussi, «sans arrêt[c]», en disant : «Que ton règne vienne[d].» Mais le règne ne sera pas accompli, même en eux, jusqu'au jour où «le péché non seulement ne régnera plus dans leur corps mortel[e]», mais où il ne sera plus du tout et ne pourra plus être dans leur corps désormais immortel.

V. 13. Iam de libertate complaciti in hoc *saeculo nequam*[f] quid dicemus, ubi vix *sufficit diei malitia sua*[g], ubi *omnis creatura ingemiscit et parturit usque adhuc*[h], *vanitati* nimirum *subiecta non volens*[i], ubi *vita hominis*
5 *tentatio est super terram*[j], ubi viri quoque spirituales, qui *primitias Spiritus* iam acceperunt, *ingemiscunt* et *ipsi intra semetipsos, exspectantes redemptionem corporis* sui[k]? Numquidnam inter ista locus ullus est huiuscemodi libertati? Quid, inquam, liberum nostro relinquitur complacito, ubi
10 totum occupare videtur miseria? Neque enim vel innocentia seu iustitia, quemadmodum a peccato, ita etiam a
176 miseria tutae esse hic poterunt, ubi iustus exclamat : *Infelix ego homo, quis me liberabit de corpore mortis huius*[l]*?* et item : *Factae sunt mihi lacrimae meae panes die ac nocte*[m];
15 ubi noctes diesque in maerore continuantur[n], nullum profecto temporis spatium complacito vacuum relinquitur. Denique *qui volunt pie vivere in Christo*, ipsi magis *persecutionem patiuntur*[o], *quoniam iudicium a domo Dei incipit*[p], quod et praecipit : *A meis*, inquiens, *incipite*[q].

14. Sed etsi non virtus, vitium forte in tuto est, et aliqua interim ex parte frui potest complacito, cavere

13. f. Gal. 1, 4 ≠ || g. Matth. 6, 34 || h. Rom. 8, 22 || i. Rom. 8, 20 ≠ || j. Job 7, 1 (Patr.) || k. Rom. 8, 23 ≠ || l. Rom. 7, 24 || m. Ps. 41, 4 ≠ || n. Cf. Lam. 1, 13 || o. II Tim. 3, 12 ≠ || p. I Pierre 4, 17 ≠ || q. Éz. 9, 6 (Patr.)

---

1. ** Dans ce texte, le terme général «épreuve» (Septante : πειρατήριον) avait été rendu par *tentatio* (c'est l'épreuve subie) dans la Vieille Latine, suivie par de nombreux Pères, et par *militia,* combat (c'est la réponse active à l'épreuve) dans la Vulgate. Bernard, qui utilise 16 fois le texte, emploie 9 fois *tentatio* et 5 fois *militia.* L'ordre même des mots dans sa phrase est assez fixe, sauf ici où le contexte *ubi...* a commandé un changement. L'analyse des contextes des utilisations significatives montre bien que Bernard choisit – instinctivement ou à dessein? – Vulgate ou Vieille Latine soit en fonction du sujet précis qu'il traite,

V. 13. Maintenant, que dire de la liberté du bon plaisir «en ce monde mauvais[f]», où «à chaque jour suffit sa peine[g]», et tout juste; où «toute la création gémit encore dans les douleurs de l'enfantement[h]», «assujettie qu'elle est, contre son gré, à la vanité[i]»; où «la vie de l'homme, sur la terre, est une tentation[j1]»; où même les hommes spirituels qui ont déjà reçu «les prémices de l'Esprit gémissent, eux aussi, en eux-mêmes, attendant la rédemption de leur corps[k]»? Dans une telle situation, y a-t-il place pour ce genre de liberté? Que reste-t-il de libre, je le demande, pour notre bon plaisir, quand la misère semble tout envahir? En effet, même l'innocence ou la justice ne peuvent être à l'abri de la misère – comme elles le sont du péché – ici-bas où le juste s'écrie: «Malheureux homme que je suis! qui me délivrera de ce corps de mort[l]?», et encore: «Mes larmes sont devenues[2] mon pain, la nuit et le jour[m].» Quand les nuits et les jours se passent dans l'amertume[n], il ne reste, vraiment, aucun moment disponible pour le bon plaisir. Enfin, «ils souffriront davantage persécution, ceux qui veulent vivre pieusement dans le Christ[o]», «car le jugement commence par la maison de Dieu[p]»; lui-même le prescrit en disant: «Commencez par les miens[q3].»

14. Mais si la vertu n'est pas à l'abri, le vice l'est peut-être et peut, au moins en partie, présentement, jouir du

tentation ou combat, soit en écho aux mots qui entourent la citation: «tentation, tenter» ou bien «guerre, combattre, victoire».

2. ** A la place du *fuerunt* de la Vulgate, qu'il n'emploie jamais, Bernard cite ce verset, ici et en 3 autres endroits, avec *factae sunt* (à peu près synonyme), lequel n'a été trouvé que dans Augustin (à 15 reprises). Bernard emploie 2 fois *erunt*: c'est alors qu'il adapte le texte au futur.

3. ** Bernard cite ce texte d'Ézéchiel (unique fois dans son œuvre) sous une forme très différente de la Vulgate et qui se rapproche de quelques citations patristiques.

miseriam. Absit. Nam *qui laetantur, cum male fecerint, et exultant in rebus pessimis*[r], tale est quod faciunt, quale
5 cum rident phrenetici. Nulla autem verior miseria, quam falsa laetitia. Denique in tantum miseria est, quod videtur felicitas in hoc saeculo, ut Sapiens dicat : *Melius est ire ad domum luctus quam ad domum convivii*[s].

Quod nec corporis iucunditas sit sine miseria

10 Est quidem in bonis corporis nonnulla iucunditas, videlicet in edendo, bibendo, calefaciendo, ceterisque talibus fomentis vel tegumentis carnis. Sed numquid vel ista vacant aliquatenus a miseria? Bonus est panis, sed esurienti; potus delectat, sed sitientem; denique saturato cibus
15 potusque iam nequaquam sunt grata, sed gravia. Tolle famem, et panem non curabis; tolle sitim, et limpidissimum fontem, ac si paludem, respicies. Similiter umbram non quaerit nisi aestuans, solem non curat nisi algens sive caligans. Alioquin nihil horum libebit, si non prae-
20 cesserit urgens necessitas. Quae si perfecte tollatur e rebus, statim in taedium atque molestiam convertetur ipsa, quae videtur in his esse, iucunditas.

Concludit

Fatendum igitur et in hac parte, omne quod est prae-
25 sentis vitae occupare miseriam, nisi quod in continuis tribulationibus graviorum laborum, leviores utique qualis-
177 cumque sunt consolatio, et dum forte pro tempore ac

14. r. Prov. 2, 14 || s. Eccl. 7, 3

bon plaisir et se garder de la misère. Loin de là! En effet, «ceux qui se réjouissent bien qu'ils fassent le mal et qui mettent leur allégresse dans les pires horreurs[r]», font la même chose que les fous quand ils rient. Or, il n'y a pas de misère plus véritable que la fausse joie. Bref, il y a une telle misère en ce qui paraît bonheur en ce monde que le Sage dit: «Mieux vaut aller à la maison du deuil qu'à la maison du festin[s].»

L'agrément corporel n'est pas non plus sans misère

Il y a, certes, dans les biens du corps quelque agrément, par exemple à manger, à boire, à se chauffer, ainsi que dans les autres soins et protections accordées à la chair. Mais tout cela du moins est-il, jusqu'à un certain point, exempt de misère? Le pain est bon, mais à l'affamé; la boisson délectable, mais à l'assoiffé; finalement, nourriture et boisson ne sont plus du tout agréables, mais pesantes à qui est rassasié. Ôte la faim, et tu n'auras cure de pain; ôte la soif, et tu regarderas la source la plus limpide comme une mare. Pareillement, on ne recherche pas l'ombre à moins d'avoir trop chaud; on ne se préoccupe pas du soleil à moins d'avoir froid ou de ne pas voir clair. Au reste, rien de tout cela ne plaît sans la pression antérieure d'une nécessité. L'ôterait-on tout à fait, aussitôt se changerait en dégoût et en peine l'agrément qu'il paraît y avoir en tout cela.

Il conclut

On doit donc avouer que, même dans ce domaine, la misère envahit tout ce qui appartient à la vie présente. Pourtant, parmi les tribulations continuelles de travaux si lourds, les plus légers sont bel et bien une certaine consolation. Et quand, d'aventure, selon les temps et les

rerum eventibus vicissim sibi gravia leviaque succedunt, minorum experientia, aliqua miseriae videtur interpolatio,
30 ut cum aliquando, post experta plura gravissima, in minus forte molesta evaditur, felicitas putetur.

Quod libertate complaciti fruuntur qui in contemplatione eriguntur

15. An tamen fatendum est eos, qui per excessum contemplationis rapti quandoque in Spiritu, quantulumcumque de supernae felicitatis dulcedine degustare sufficiunt, toties esse liberos a miseria, quoties sic excedunt?
5 Hi plane, quod negandum non est, etiam in hac carne, raro licet raptimque complaciti libertate fruuntur, qui cum *Maria optimam partem elegerunt, quae non auferetur ab eis*[t]. Qui enim iam tenent quod auferendum non est, experiuntur utique quod futurum est. Sed quod futurum
10 est felicitas est; porro felicitas et miseria eodem tempore simul esse non possunt. Quoties igitur per Spiritum illam participant, toties istam non sentiunt. Itaque in hac vita soli contemplativi possunt utcumque frui libertate complaciti, et hoc ex parte, et parte satis modica, viceque
15 rarissima[u].

15. t. Lc 10, 42 ≠ || u. Cf. I Cor. 13, 9. 12

---

1. Cf. *QH* 10, 1 (*SBO* IV, 443, l. 15-17); *Ded* 4, 5 (*SBO* V, 387, l. 6-7).

2. «Libertate» (Farkasfalvy) du lieu de «libertati »: *A, Ca, Ct* (les seuls mss qui aient les *capitula*).

3. Cf. Christine MOHRMANN, «Observations sur la langue et le style de saint Bernard» dans *SBO* II, XXI : «C'est Cassien surtout qui donne régulièrement à *excessus* un sens mystique, et par là il a exercé, très probablement, de l'influence sur S. Bernard. Ce dernier mot était assez répandu dans la littérature patristique occidentale, et singulièrement chez Cassien, pour qu'on n'ait pas à penser que Bernard l'ait emprunté à

événements, se succèdent tour à tour peines lourdes et légères, l'expérience des moindres semble un répit à la misère. Ainsi parfois, quand, après avoir expérimenté un grand nombre de maux très lourds, on passe à d'autres peut-être moins pénibles, on prend cela pour le bonheur[1].

Ceux qui sont élevés à la contemplation jouissent de la liberté de bon plaisir[2]

15. Faut-il pourtant avouer – à propos de ceux qui, parfois ravis dans l'Esprit par l'extase[3] de la contemplation, parviennent si peu que ce soit à savourer la douceur de la félicité d'en haut – qu'ils sont toutes les fois affranchis de la misère, aussi souvent qu'ils sont ainsi transportés hors d'eux-mêmes? Oui, on ne peut le nier : même en cette chair, quoique rarement et pour un bref instant, il jouissent de la liberté de bon plaisir, «eux qui, avec Marie, ont choisi la meilleure part qui ne leur sera pas ôtée[t].» Tenant déjà ce qui ne doit pas leur être ôté, ils expérimentent bel et bien ce qui est à venir. Mais ce qui est à venir, c'est la félicité. Or, félicité et misère ne peuvent exister simultanément. Donc, aussi souvent que, par l'Esprit, ils participent à la félicité, ils ne sentent plus la misère. Ainsi, en cette vie, seuls les contemplatifs peuvent jouir quelque peu de la liberté de bon plaisir, mais en partie – en partie très mesurée – et en de très rares occasions[u].

Maxime, ainsi qu'a pu le croire É. Gilson.» – * La tradition monastique d'Occident considère en effet l'extase comme un *excessus mentis* : cf. HAYMON D'AUXERRE, *In Apoc.* (*PL* 117, 939 A). Sans doute faudrait-il réévaluer à cette lumière ce que dit plus haut Bernard sur la vision béatifique (c. 9 et n. 2), en le confrontant avec la tradition du Ps.-Denys relu par Maxime le Confesseur et Jean Scot Érigène (*PL* 122, 1219-1222).

Quod libertate consilii fruuntur iusti non modica ex parte

Porro libertate consilii fruuntur etiam quilibet iusti, ex parte quidem, sed non modica.

20

De libertate arbitrii

Ceterum libertas arbitrii, ut supra liquido apparuit, cunctis pariter ratione utentibus convenit, non minor, quantum in se est, in malis quam in bonis, tam plena in hoc saeculo quam et in futuro.

VI. 16. Sed et hoc aperte monstratum esse puto, quod haec ipsa tamen libertas tamdiu quodammodo captiva tenetur, quamdiu illam duae aliae libertates minime aut minus plene comitantur; nec aliunde noster ille defectus
5 venit, de quo Apostolus : *Ut non quaecumque vultis,* ait, *illa faciatis*[v]. Velle siquidem inest nobis ex libero arbitrio, non etiam posse quod volumus. Non dico velle bonum
178 aut velle malum, sed velle tantum. Velle etenim bonum, profectus est; velle malum, defectus. Velle vero simpli-
10 citer, ipsum est quod vel proficit, vel deficit. Porro ipsum ut esset, creans gratia fecit; ut proficiat, salvans gratia facit; ut deficiat, ipsum se deicit. Itaque liberum arbitrium nos facit volentes, gratia benevolos. Ex ipso nobis est velle, ex ipsa bonum velle. Quemadmodum namque aliud
15 est timere simpliciter, aliud timere Deum, et aliud amare, aliud amare Deum, – timere quippe et amare, simpliciter

16. v. Gal. 5, 17

1. Cf. *supra,* «Introd.», p. 192, n. 57.

2. Les Grecs et les Latins les avaient appelées les «passions». Cf. Platon, *Phédon,* 83 B; Virgile, *Énéide,* VI, 733-734; Cicéron, *Tusculanes,* IV, 6, 11; *Des biens et des maux,* X, 35.

Les justes jouissent de la liberté de conseil, en partie, mais dans une large mesure

Quant à la liberté de conseil, n'importe quel juste en jouit, en partie, certes, mais dans une large mesure.

La liberté de l'arbitre

Par ailleurs, la liberté de l'arbitre – on l'a nettement vu plus haut – est indistinctement le partage de tous ceux qui ont l'usage de la raison. Elle n'est pas moindre, pour ce qui dépend d'elle, dans les mauvais que dans les bons ; elle est aussi pleine en ce monde que dans le monde à venir.

VI. 16. Mais je pense avoir clairement montré que la liberté de l'arbitre est pourtant, elle-même, d'une certaine façon, tenue captive aussi longtemps qu'elle n'est pas ou pas assez pleinement accompagnée des deux autres libertés. La déficience que l'Apôtre nous signale ne vient pas d'ailleurs : «De sorte, dit-il, que vous ne faites pas tout ce que vous voudriez[v].» Car par le libre arbitre, il nous appartient de vouloir, mais non de pouvoir ce que nous voulons. Je ne dis pas vouloir le bien ou vouloir le mal, mais seulement vouloir. En effet, vouloir le bien est un progrès, vouloir le mal une déficience. Or, le simple vouloir est ce qui progresse ou régresse. Ajoutons qu'il tient son existence de la grâce créatrice ; son progrès, de la grâce salvatrice[1] ; sa déficience, de sa propre précipitation dans la chute. C'est pourquoi le libre arbitre fait de nous des êtres qui veulent ; la grâce, des êtres qui veulent le bien. De lui, nous tenons le vouloir, et d'elle le bon vouloir. En effet, comme c'est une chose de craindre, simplement, et une autre de craindre Dieu ; comme c'est une chose d'aimer, et une autre d'aimer Dieu – car craindre et aimer simplement énoncés signifient des affections[2], mais avec le

quidem prolata, affectiones, cum additamento autem virtutes significant –, ita quoque aliud est velle, aliud velle bonum.

17. Simplices namque affectiones insunt naturaliter nobis, tamquam ex nobis, additamenta ex gratia. Nec aliud profecto est, nisi quod gratia ordinat, quas donavit creatio, ut nil aliud sint virtutes nisi ordinatae affectiones.
5 Scriptum est de quibusdam, quod *illic trepidassent timore, ubi non erat timor* [w]: timor fuit, sed inordinatus. Ordinare illum volebat Dominus in discipulis, cum diceret : *Ostendam vobis quem timere debeatis* [x], et David : *Venite,* ait, *filii, audite me; timorem Domini docebo vos* [y]. Item
10 de amore inordinato arguebat homines qui dicebat : *Ego lux veni in hunc mundum, et dilexerunt homines magis tenebras quam lucem* [z]. Idcirco postulat sponsa in Canticis, dicens : *Ordinate in me caritatem* [a]. Similiter quoque de inordinata voluntate arguebantur, quibus dicebatur :
15 *Nescitis quid petatis* [b]. Sed ad lineam rectitudinis edocti sunt distortam reducere voluntatem, cum audierunt : *Potestis bibere calicem, quem ego bibiturus sum* [c]*?* Et tunc quidem verbo, sed postmodum etiam exemplo voluntatem

17. w. Ps. 13, 5 ≠ || x. Lc 12, 5 ≠ || y. Ps. 33, 12 || z. Jn 3, 19 ≠ || a. Cant. 2, 4 (Patr.) || b. Matth. 20, 22 || c. Matth. 20, 22

---

1. *Simpliciter... cum additamento :* l'expression se trouve chez CASSIEN, *Col.,* 23, 3 (*SC* 64, p. 141-142). – A propos de l'*additamentum* dans *Gra*, cf. *supra,* « Introd. », p. 193.

2. Cf. *supra,* « Introd. », p. 194 : « Étapes de la volonté vers sa finalité. »

3. ** Le verbe hébreu de ce passage avait été rendu par l'impératif *ordinate* dans une version Vieille Latine; Jérôme a employé pour la Vulgate *ordinavit,* « il a ordonné », et c'est cette traduction que Bernard utilise le plus souvent, en particulier dans *SCt.* Mais il écrit aussi *ordinate,* ici et dans *Apo* 7 (*SBO* III, 87, l. 17) et semble s'y référer dans *Sent* III, 76 (*SBO* VI-2, 116, l. 19); il a pu le trouver dans de nombreux commentaires patristiques du *Cantique,* dont l'Origène latin (*Homélies sur le Cantique*..., 2, 8; *SC* 37 bis, p. 128), Ambroise, Augustin, Cassien.

surcroît[1], des vertus –, ainsi est-ce une chose de vouloir et une autre de vouloir le bien.

17. Car les simples affections sont naturellement en nous comme de nous; mais les surcroîts viennent de la grâce. Autrement dit, la grâce ne fait qu'ordonner les affections que la création a données, si bien que les vertus ne sont rien d'autre que les affections ordonnées[2]. L'Écriture rapporte que «certains furent secoués par la crainte, là où il n'y avait rien à craindre[w] »: il y eut donc crainte, mais crainte désordonnée. C'est celle-ci que le Seigneur voulait ordonner en ses disciples, lorsqu'il leur disait: «Je vais vous montrer qui vous devez craindre[x]»; et David aussi: «Venez fils, écoutez-moi, je vous enseignerai la crainte du Seigneur[y].» De même, celui-là reprochait aux hommes leur amour désordonné, qui disait: «Moi, la lumière, je suis venu dans le monde, et les hommes ont mieux aimé les ténèbres que la lumière[z].» C'est pourquoi l'épouse, dans le Cantique, exprime cette demande: «Ordonnez[3] en moi la charité[a].» De même encore, certains s'entendaient reprocher leur volonté désordonnée en ces termes: «Vous ne savez pas ce que vous demandez[b].» Mais ils apprirent à ramener leur volonté tortueuse à la ligne de la droiture, quand ils entendirent: «Pouvez-vous boire le calice que je vais boire[c]?» C'était alors par la parole qu'il leur enseignait à ordonner leur volonté, mais plus tard ce fut aussi par l'exemple, quand,

– Bernard, pour qui les valeurs d'ordre sont essentielles en théologie comme dans la société, a souvent traité de l'«ordre de l'amour», thème cher aux Pères, Augustin par exemple (cf. H. PÉTRÉ, *Caritas, Études sur le vocabulaire de la charité chrétienne,* Louvain 1948, p. 89-98); dans ce § 17 de *Gra,* il ne traite pas des degrés de l'amour, mais de l'amour qui est, ou n'est pas ordonné et de ce «plus» (*additamentum*) que la grâce apporte à la création; il avance même que la liberté est «plus ordonnée» chez les bons que chez les méchants (*supra,* § 9, l. 25-28).

ordinare docebat, cum *orans,* instante passione, ut *trans-*
20 *ferretur ab eo calix* [d], statim subiceret : Verumtamen *non quod ego volo, sed quod tu vis* [e].

A Deo igitur velle, quomodo et timere, quomodo et
179 amare, accepimus in conditione naturae, ut essemus aliqua creatura ; velle autem bonum, quomodo et timere Deum,
25 quomodo et amare Deum, accipimus in visitatione gratiae, ut simus Dei creatura [f].

Discrimen inter liberam et malam et bonam voluntatem

18. Creati quippe quodammodo nostri in liberam voluntatem, quasi Dei efficimur per bonam voluntatem. Porro bonam facit, qui liberam fecit, et ad hoc bonam, *ut simus aliquod initium creaturae eius* [g], quoniam expedit pro-
5 fecto nobis magis omnino non fuisse, quam nostros permanere. Nam qui voluerunt sui esse, utique *sicut dii, scientes bonum et malum* [h], facti sunt, non tantum iam sui, sed et diaboli. Itaque libera voluntas nos facit nostros, mala diaboli, bona Dei. Ad hoc pertinet quod dicitur :
10 *Novit Dominus qui sunt eius* [i]. Nam illis qui eius non sunt : *Amen dico vobis,* inquit, *nescio vos* [j]. Dum ergo per malam voluntatem sumus diaboli, quodammodo interim non sumus Dei, sicut cum per bonam voluntatem

d. Mc 14, 35-36 ≠ || e. Mc 14, 36 ≠ || f. Cf. Jac. 1, 18
18. g. Jac. 1, 18 ≠ || h. Gen. 3, 5 || i. II Tim. 2, 19 (Patr.) || j. Matth. 25, 12

---

1. On remarquera l'insistance sur vouloir, craindre et aimer. Par là l'homme est une créature « élevée » (*celsa*), capable de recevoir la Majesté de Dieu (*SCt* 80, 2, *SBO* II, 278, l. 5). Ici, *aliqua creatura* est à mettre en parallèle avec la *nobilis Deo creatura* (§ 7) qui se distingue de la *nova in Christo creatura* (§ 7). Tout autre est le contexte de AUG., *Conf.*, 1, 1, 1 où l'homme est désigné comme une « parcelle quelconque (*aliqua*) » de la création, portant toujours sur lui sa mortalité (cf. *BA* 13, p. 272).

devant l'imminence de sa passion, «priant pour que le calice s'éloigne de lui[d]», il ajoutait aussitôt : Cependant, «non ce que je veux, mais ce que tu veux[e].»

Donc, vouloir, comme aussi craindre, comme aussi aimer, nous l'avons reçu dans l'état de nature pour être une certaine créature[1]; mais vouloir le bien, comme aussi craindre Dieu, comme aussi aimer Dieu, nous le recevons dans la visite de la grâce pour être la création de Dieu[f2].

Distinction entre volonté libre, volonté bonne, volonté mauvaise

18. Créés nôtres, en quelque sorte, pour jouir d'une volonté libre, nous devenons, pour ainsi dire, propriété de Dieu par la volonté bonne. Or il la rend bonne, celui qui l'a créée libre; il la rend bonne «pour que nous soyons comme les prémices de sa création[g]», car bien sûr, mieux vaudrait pour nous n'avoir jamais existé que de demeurer nôtres. En effet, ceux qui voulurent s'appartenir – oui, «comme des dieux, sachant le bien et le mal[h]» – ne furent plus seulement à eux-mêmes, mais sont devenus aussi propriété du diable. C'est pourquoi la volonté libre nous fait nôtres, la mauvaise propriété du diable, la bonne propriété de Dieu[3]. A cela se rapporte l'affirmation : «Dieu connaît[4] ceux qui sont à lui[i].» Car à ceux qui ne sont pas à lui, il déclare : «En vérité, je vous le dis, je ne vous connais pas[j].» Donc, tant que par la volonté mauvaise nous sommes propriété du diable, d'une certaine manière, durant ce temps, nous ne sommes pas celle de Dieu; de même, lorsque par la volonté bonne nous devenons propriété de Dieu, nous cessons

2. Cf. *supra*, «Introd.», p. 192.

3. Ce vocabulaire et cette opposition «de Dieu», «du diable» créent un climat johannique, celui de *I Jn*.

4. ** Bernard, qui utilise 12 fois ce texte (7 citations), n'emploie jamais le *cognovit* de la Vulgate, mais *novit*, avec de nombreux Pères.

efficimur Dei, desinimus iam esse diaboli. *Nemo* siquidem
15 *potest duobus Dominis servire*[k]. Ceterum sive Dei sumus, sive diaboli, non tamen similiter desinimus esse et nostri. Manet quippe utrobique libertas arbitrii, per quam maneat et causa meriti, quatenus merito vel puniamur mali, quod tamquam liberi ex propria voluntate efficimur, vel glori-
20 ficemur boni, quod nisi aeque voluntarii esse non possumus.

Sane diabolo nostra nos mancipat voluntas, non ipsius potestas; Deo subicit eius gratia, non nostra voluntas. Nostra quippe voluntas bona, quod fatendum est, a bono
25 Deo creata, perfecta tamen non erit, quousque suo Creatori perfecte subiecta sit. Absit autem, ut ipsi sui ipsius perfectionem, Deo autem tantum creationem tribuamus, cum longe nimirum melius sit esse perfectam quam factam, et dictu ipso nefas videatur Deo quod minus, nobis quod
30 excellentius sit attribuere. Sentiens denique Apostolus quid ex natura esset, quid ex gratia exspectaret, aiebat : *Velle*
180 *adiacet mihi, perficere non invenio*[l]. Sciebat profecto, velle quidem sibi inesse ex libero arbitrio, sed, ut ipsum velle perfectum haberet, gratiam se habere necessariam. Si enim
35 velle malum defectus quidam est voluntatis, utique bonum velle profectus eiusdem erit, sufficere autem ad omne quod volumus bonum, ipsius perfectio.

k. Matth. 6, 24 || l. Rom. 7, 18 ≠

---

1. Sur la responsabilité de la volonté dans la chute originelle et le triple renoncement au diable, au monde et à notre propre volonté, cf. *Div* 11, 2-3 (*SBO* VI-1, 125, l. 10 s.).

2. Telle était bien pourtant l'opinion du contradicteur de Bernard, à la première page.

3. Cf. AUG., *Serm.* 169, 13 (*PL* 38, 923); *Peccat. merit.*, II, 30-31 (*CSEL* 60, p. 101-103; *PL* 44, 169). Cf. *SCt* 67, 10 (*SBO* II, 195, l. 1-13).

dès lors d'être celle du diable. «Personne, en effet, ne peut servir deux maîtres[k].» Mais que nous appartenions à Dieu ou au diable, nous ne cessons pour autant d'être aussi nôtres. La liberté de l'arbitre, en effet, demeure dans les deux cas et, par elle, demeure aussi la cause du mérite qui nous vaut d'être justement punis si nous sommes mauvais – étant libres, nous le sommes devenus par notre propre volonté – ou justement glorifiés si nous sommes bons car également, nous ne pouvons l'être sans l'intervention de notre volonté[1].

Bien certainement, c'est notre volonté – non le pouvoir du diable – qui nous asservit au diable; mais c'est la grâce de Dieu – non notre volonté – qui nous soumet à Dieu. Il faut, en effet, reconnaître que notre volonté bonne, créée par Dieu qui est bon, ne sera pourtant parfaite qu'au jour où elle sera parfaitement soumise à son Créateur. Mais gardons-nous de lui attribuer à elle-même sa propre perfection et de n'attribuer à Dieu que sa seule création[2], puisqu'il est, de loin, incontestablement meilleur qu'elle soit menée à la perfection que créée. Rien qu'à le dire, il apparaît impie d'attribuer à Dieu le moindre et à nous l'excellent[3]. Enfin, dans le sentiment de ce qu'il tenait de la nature et de ce qu'il attendait de la grâce, l'Apôtre disait: «Vouloir est à ma portée, mais je ne trouve pas le moyen d'accomplir[l].» Il savait en effet que le vouloir issu du libre arbitre était en lui, mais que la grâce lui était nécessaire pour que ce vouloir s'accomplisse. Car si vouloir le mal est une certaine déficience de la volonté, à coup sûr, vouloir le bien sera pour elle un progrès, et parvenir à accomplir tout le bien que nous voulons sera sa perfection[4].

4. * Cf. Pierre Lombard, *Sententiae,* lib. II, d. 25, c. 9 (éd. Grottaferrata 1971, t. I. 2, p. 469), qui lui-même suit la *Summa Sententiarum,* III, 9.

19. Ut ergo velle nostrum, quod ex libero arbitrio habemus, perfectum habeamus, duplici gratiae munere indigemus, et vero videlicet sapere, quod est voluntatis ad bonum conversio, et pleno etiam posse, quod est
5 eiusdem in bono confirmatio.

De bonae voluntatis perfectione, quod triplex in se habeat bonum

Porro perfecta conversio est ad bonum, ut nil libeat nisi quod deceat vel liceat, perfecta in bono confirmatio,
10 ut nil desit iam quod libeat. Tunc demum perfecta erit voluntas, cum plene fuerit bona, et bene plena.

Habet siquidem duplex in se bonum ab initio sui : unum quidem generale ex sola creatione, quod a bono scilicet Deo non potuit creari nisi bona, secundum quod
15 *vidit Deus cuncta quae fecerat, et erant valde bona*[m]; alterum speciale ex libertate arbitrii, in qua ad imaginem utique ipsius, qui creavit[n], est condita. Quod si his duobus bonis accedat et tertium, conversio ad Creatorem, reputabitur non immerito perfecte bona : bona nimirum in
20 universitate, melior in suo genere, optima ex sui ordinatione. Est autem ordinatio, omnimoda conversio voluntatis ad Deum, et ex tota se voluntaria devotaque subiectio. Huic vero tam perfectae iustitiae debetur, immo iungitur, gloriae plenitudo, quia sic se comitantur duo ista, ut nec
25 iustitiae possit haberi perfectio, nisi in plena gloria, nec gloriae plenitudo, absque perfecta iustitia. Merito denique

19. m. Gen. 1, 31 ≠ || n. Cf. Gen. 1, 27

---

1. Sur le double don de la grâce pour la perfection de la volonté, cf. *SCt* 84, 3-4 (*SBO* II, 304-305); *SCt* 69, 1 (*Ibid.*, 202, l. 13-14); «una voluntas sit, et facultas non desit»; c'est recevoir une double part de l'esprit d'Élie : *Asc* 3, 4-5 (*SBO* V, 133-134).

2. Le jeu de mots *plene bona et bene plena* est presque intraduisible, surtout avec une telle concision. Il suffit à évoquer les libertés de

19. Donc, pour que notre vouloir, que nous tenons du libre arbitre, soit parfait, nous avons besoin d'un double don de la grâce : d'une vraie sagesse, qui est la conversion de la volonté au bien, et encore d'un plein pouvoir, qui est sa confirmation dans le bien[1].

La perfection de la volonté : elle a en soi un triple bien

Or, la parfaite conversion au bien, c'est que plus rien ne plaise sinon ce qui convient ou ce qui est permis ; la parfaite confirmation dans le bien, que plus rien ne manque de ce qui plaît. Alors enfin la volonté sera parfaite lorsqu'elle sera pleinement bonne et pleine de bonheur[2].

A la vérité, dès son origine, la volonté a, en elle-même, un double bien : l'un général, du seul fait de sa création – par Dieu qui est bon, elle n'a pu évidemment qu'être créée bonne, selon ce qui est écrit : « Dieu vit tout ce qu'il avait fait, et voilà que c'était très bon[m] » –, l'autre particulier, provenant de la liberté de l'arbitre dans laquelle, c'est certain, elle a été faite à l'image de celui qui l'a créée[n]. Si, à ces deux biens, s'en ajoute encore un troisième, la conversion au Créateur, elle sera considérée, non sans raison, comme parfaitement bonne : bonne, incontestablement, comme partie de l'univers ; meilleure, par son genre ; excellente, étant donné son ordination. Or, l'ordination de la volonté est sa complète conversion à Dieu et la soumission volontaire et fervente de toute elle-même[3]. Et à une aussi parfaite justice est due, ou plutôt liée, la plénitude de la gloire, car justice et gloire vont tellement de pair qu'on ne peut obtenir la perfection de la justice que dans la plénitude de la gloire, ni la plénitude de la gloire sans la perfection de la justice. C'est

conseil et de bon plaisir.

3. Sur la volonté ordonnée, cf. *AndN* 1, 8-9 (*SBO* V, 432 s.).

talis iustitia non erit sine gloria, cum gloria vera non sit, nisi de tali iustitia. Unde recte dicitur : *Beati qui esuriunt et sitiunt iustitiam, quoniam ipsi saturabuntur*[o].

20. Haec autem sunt illa duo quae supra nominavimus, verum sapere et plenum posse, ut sapere ad iustitiam, posse referatur ad gloriam. Sed «verum» et «plenum» 181 addita sunt, alterum ad distinctionem sapientiae carnis, quae 5 mors est[p], itemque *sapientiae mundi*, quae *stultitia est apud Deum*[q], qua *sapientes* sunt *apud semetipsos*[r] homines, *sapientes*, inquam, *ut faciant mala*[s], alterum ad illorum differentiam, de quibus dicitur : *Potentes potenter tormenta patientur*[t]. Nam verum sapere aut plenum posse omnino 10 non inveniuntur, nisi ubi libero arbitrio iam illa duo coniuncta sunt, quae item superius memoravimus, liberum videlicet consilium liberumque complacitum. Solum profecto dixerim vere sapientem pleneque potentem, cui iam non tantum velle adiacet ex libero arbitrio, sed ex reliquis 15 quoque duobus invenit et perficere, dum nec velle valeat quod malum sit, nec carere quod velit, quorum alterum est ex libertate consilii, verum sapere, alterum ex libertate complaciti, plenum posse.

Sed quis talis ac tantus est in hominibus, qui in hoc 20 glorietur[u]? Aut ubi, aut quando istud obtinetur? Numquidnam in hoc saeculo? Sed si quis esset eiusmodi, maior esset Paulo, qui confitetur dicens : *Perficere autem non invenio*[v]. Numquid Adam in paradiso? Sed si habuisset, numquam exsul esset a paradiso.

o. Matth. 5, 6

20. p. Cf. Rom. 8, 6 || q. I Cor. 3, 19 ≠ || r. Prov. 3, 7 ≠; Rom. 12, 16 ≠ || s. Jér. 4, 22 || t. Sag. 6, 7 || u. Cf. I Cor. 3, 21 || v. Rom. 7, 18 ≠

1. ** Dans cette quasi-citation, Bernard remplace «prudence» par «sagesse»; il le fait 4 autres fois; en 3 autres cas, on trouve bien «prudence de la chair»; mais ce sont de simples allusions. A-t-il connu un texte avec «sagesse» ou bien a-t-il cité de mémoire et pris ce mot dans le v. suivant?

à bon droit, enfin, qu'une telle justice ne sera pas sans la gloire puisqu'il n'y a de vraie gloire qu'à partir d'une telle justice. D'où il est exact de dire : «Heureux ceux qui ont faim et soif de la justice car ils seront rassasiés[o].»

20. Tels sont les deux biens que nous avons appelés ci-dessus vraie sagesse et plein pouvoir, la sagesse se rapportant à la justice et le pouvoir à la gloire. Mais «vraie» et «plein» sont des additions : la première est pour distinguer la vraie sagesse de la sagesse de la chair – c'est la mort[p] – et de «la sagesse du monde[1] – elle est folie devant Dieu[q]» –, elle qui rend les hommes «sages à leurs propres yeux[r]», oui, «sages pour mal faire[s]» ; la seconde permet de faire la différence avec ceux dont il est dit : «Les puissants seront puissamment tourmentés[t].» En effet, la vraie sagesse ou le plein pouvoir ne se rencontrent absolument pas sauf quand les deux libertés que nous avons nommées plus haut – c'est-à-dire le libre conseil et le libre bon plaisir – sont déjà unies au libre arbitre. Pour moi, je dirais que seul est vraiment sage et pleinement puissant l'homme qui, non content d'avoir à sa disposition le vouloir issu du libre arbitre, trouve aussi désormais, en vertu des deux autres libertés, le moyen d'accomplir ce qu'il veut. Il ne serait alors capable ni de vouloir ce qui est mauvais, ni d'être dépourvu de ce qu'il veut : la première alternative, découlant du libre conseil, est la vraie sagesse ; la seconde, du libre bon plaisir, le plein pouvoir.

Mais lequel d'entre les hommes a les qualités et la grandeur requises pour se glorifier de cela[u] ? Où donc et quand cela s'obtient-il ? Serait-ce par hasard en ce monde ? Mais qui en serait là serait plus grand que Paul dont voici l'aveu : «Accomplir, je n'en trouve pas le moyen[v].» Était-ce Adam au paradis ? Mais s'il avait eu cette perfection, il n'aurait jamais été exilé du paradis.

Utrum Adam in paradiso trinam hanc libertatem habuerit

VII. 21. Locus est pervidendi quod supra distulimus, utrum scilicet totas tres illas quas diximus libertates, id est, arbitrii, consilii, complaciti, vel, aliis nominibus, a necessitate, a peccato, a miseria, primi homines in paradiso
5 habuerint, an tantum duas, an unam solummodo. Et de prima quidem nulla iam quaestio est, si meminerimus quam aperte et iustis eam, et peccatoribus inesse aequaliter, ratio superior edocuerit. De duabus reliquis quaeritur non immerito, an umquam eas Adam habuerit, aut
10 ambas, aut vel unam. Nam si nullam habuit, quid amisit? Arbitrii utique libertatem, tam post peccatum quam ante, semper tenuit inconcussam. Si ergo nil amisit, quid ei obfuit eiectum fuisse de paradiso? Quod si unam quamlibet illarum habuit, quomodo amisit? Nam certum est
182 15 quia ex quo peccavit, nec a peccato prorsus, nec a miseria, manens in corpore[w], liber fuit. Ceterum nullatenus, quamcumque illarum semel acceperit, amittere potuit. Alioquin perfectum nec sapere, nec posse, iuxta quod quidem duo haec superius definita sunt, habuisse
20 convincitur, qui nimirum et velle potuit quod non debuit, et recipere quod noluit. An dicendus est aliquo quidem modo illas habuisse, sed, quia non plenarie, potuisse amittere?

21. w. Cf. II Cor. 5, 6.

Adam, au paradis, a-t-il eu la triple liberté?

VII. 21. C'est ici qu'il faut examiner à fond ce que, précédemment, nous avons différé. Il s'agit de savoir si les premiers êtres humains, au paradis, ont eu dans leur totalité les trois libertés dont nous avons parlé, c'est-à-dire les libertés de l'arbitre, de conseil et de bon plaisir qui, sous d'autres noms, sont les libertés qui affranchissent de la nécessité, du péché et de la misère, ou bien s'ils n'en ont eu que deux ou même qu'une seule. Pour la première liberté, il n'y a plus du tout de problème si nous nous rappelons avec quelle évidence le raisonnement ci-dessus a démontré qu'elle est également présente dans les justes et les pécheurs. Quant aux deux autres, on se demande non sans raison si jamais Adam les a possédées, soit toutes les deux, soit au moins l'une. Car s'il n'en a eu aucune, qu'a-t-il perdu? En tout cas, il a toujours gardé inébranlable la liberté de l'arbitre, aussi bien après qu'avant le péché. Par conséquent, s'il n'a rien perdu, quel fut pour lui le préjudice d'avoir été expulsé du paradis? Mais s'il a eu l'une ou l'autre de ces deux libertés, comment l'a-t-il perdue? Car il est certain que, depuis le péché, il n'a été libre ni à l'égard du péché, ni – demeurant en son corps[w] – à l'égard de la misère. D'ailleurs, aurait-il reçu une fois l'une ou l'autre de ces libertés, en aucune façon il n'aurait pu la perdre. Autrement, il est convaincu de n'avoir eu de parfait ni la sagesse ni le pouvoir – du moins selon les définitions qu'on en a données plus haut –, puisque en effet il a pu non seulement vouloir ce qu'il ne devait pas, mais aussi recevoir ce qu'il ne voulait pas. Ou doit-on dire qu'il les a possédées dans une certaine mesure, mais qu'il a pu les perdre, faute de les avoir en plénitude?

Quod unaquaeque duarum libertatum
25 ### *duos in se habeat gradus*

Habet siquidem unaquaeque illarum duos gradus, superiorem et inferiorem. Superior libertas consilii est non posse peccare, inferior posse non peccare. Item superior libertas complaciti non posse turbari, inferior posse non
30 turbari. Itaque inferiorem utriusque libertatis gradum simul cum plena libertate arbitrii homo in sui conditione accepit, et de utroque corruit cum peccavit. Corruit autem de posse non peccare in non posse non peccare, amissa ex toto consilii libertate. Itemque de posse non turbari in
35 non posse non turbari, amissa ex toto complaciti libertate. Sola remansit ad poenam libertas arbitrii, per quam utique ceteras amisit; ipsam tamen amittere non potuit. Per propriam quippe voluntatem *servus* factus *peccati*[x], merito perdidit libertatem consilii. Porro per peccatum factus
40 debitor mortis[y], quomodo iam retinere valebat libertatem complaciti?

22. De tribus ergo libertatibus quas acceperat, abutendo illa quae dicitur arbitrii, reliquis sese privavit. In eo autem abusus est, quod illam cum accepisset ad gloriam, convertit sibi in contumeliam, iuxta testimonium
5 Scripturae dicentis : *Homo, cum in honore esset, non intellexit; comparatus est iumentis insipientibus, et similis factus est illis*[z]. Soli inter animantia datum est homini[a] potuisse peccare, ob praerogativam liberi arbitrii. Datum est autem, non ut perinde peccaret, sed ut gloriosior appareret si

x. Jn 8, 34 ≠; Rom. 6, 17 ≠ || y. Cf. Rom. 5, 12
22. z. Ps. 48, 13 || a. Cf. Gen. 2, 20

1. A propos des diverses expressions sur pouvoir et pécher, cf. *supra*, « Introd. », p. 195-196.
2. Cf. ANSELME, *DLA*, c. 12, éd. M. Corbin, t. 2, p. 224, l. 1.

Chacune des deux libertés a en elle deux degrés

Chacune de ces libertés a, en effet, deux degrés, l'un supérieur et l'autre inférieur. La liberté de conseil, au degré supérieur, c'est de *ne-pas-pouvoir-pécher*[1]; au degré inférieur, de *pouvoir-ne-pas-pécher.* De même, la liberté de bon plaisir, au degré supérieur, c'est de *ne-pas-pouvoir-être-troublé;* au degré inférieur, de *pouvoir-n'être-pas-troublé.* Par conséquent, en même temps que la pleine liberté de l'arbitre, l'homme a reçu, à la création, le degré inférieur de ces deux libertés et lorsqu'il a péché, il s'est effondré, tombant de l'une et de l'autre. Il est donc tombé de *pouvoir-ne-pas-pécher* dans *ne-pas-pouvoir-ne-pas-pécher*[2], ayant totalement perdu la liberté de conseil. Et, de même, de *pouvoir-ne-pas-être-troublé,* il est tombé dans *ne-pas-pouvoir-ne-pas-être-troublé,* la liberté de bon plaisir ayant été totalement perdue. Seule est restée, pour le châtiment, la liberté de l'arbitre qui lui avait fait perdre les deux autres. Celle-là, pourtant, il ne put la perdre. En effet, devenu «esclave du péché[x]» par la volonté propre, il a perdu, à juste titre, la liberté de conseil. De plus, devenu par le péché débiteur de la mort[y], comment aurait-il pu, désormais, conserver la liberté de bon plaisir?

22. Donc, sur les trois libertés qu'il avait reçues, il arriva qu'en abusant de celle appelée liberté de l'arbitre, il se priva des autres. Il en abusa : alors qu'il l'avait reçue pour la gloire, il la fit tourner à sa honte, comme en témoigne l'Écriture quand elle dit : «L'homme, bien qu'il fût à l'honneur n'a pas compris; il a été comparé aux bêtes insensées et leur est devenu semblable[z].» Parmi les êtres animés, il ne fut donné qu'à l'homme[a] d'avoir pu pécher, lui qui avait la prérogative du libre arbitre. Or, ce don n'était pas pour qu'il pèche à l'avenant, mais pour qu'il n'apparaisse que plus glorieux si, pouvant

10 non peccaret, cum peccare posset. Quid namque gloriosius ei esse poterat, quam si de ipso diceretur quod Scriptura perhibet, dicens : *Quis est hic, et laudabimus eum?* Unde ita laudandus? *Fecit enim mirabilia in vita sua*[b]. Quae? *Qui potuit transgredi,* inquit, *et non est trans-*
183 15 *gressus, facere mala, et non fecit*[c]. Hunc ergo honorem quamdiu absque peccato fuit, servavit; amisit, cum peccavit. Peccavit autem, quia liberum ei fuit, nec aliunde profecto liberum, nisi ex libertate arbitrii, de qua utique inerat ei possibilitas peccandi. Nec fuit tamen culpa dantis,
20 sed abutentis, qui ipsam videlicet facultatem convertit in usum peccandi, quam acceperat ad gloriam non peccandi. Nam etsi peccavit ex posse quod accepit, non tamen quia potuit, sed quia voluit. Nec enim praevaricante diabolo et angelis eius, etiam alii praevaricati sunt[d] : non quia
25 non potuerunt, sed quia noluerunt.

23. Peccantis igitur lapsus, non dono adscribendus est potestatis, sed vitio voluntatis. Lapsus tamen ex voluntate non aeque ex voluntate resurgere iam liberum habet, quia etsi datum fuit voluntati posse *stare ne caderet*[e], non
5 tamen resurgere si caderet. Non enim tam facile quis valet exire de fovea, quam facile in eam labi. Cecidit sola voluntate homo in foveam peccati; sed non ex voluntate sufficit et posse resurgere[f], cum iam et si velit, non possit non peccare.

b. Sir. 31, 9 || c. Sir. 31, 10 ≠ || d. Cf. Is. 24, 16
23. e. I Cor. 10, 12 ≠ || f. Cf. Jér. 8, 4; cf. Ps. 40, 9

1. Pour la dialectique «tomber... ne pas se relever», cf. *supra,* «Introd.», p. 201-202. Cf. un passage parallèle : *SCt* 81, 7 (*SBO* II, 288, l. 11. – Cf. AUG., *Lib. arb.,* II, 20, 54 (*BA.* 6^3, p. 321; *CCL* 29, p. 272 s.).

pécher, il ne péchait pas. En effet, qu'est-ce qui pouvait être plus glorieux pour lui, sinon que l'on dise de lui ce que l'Écriture rapporte en ces termes : «Qui est-il et nous ferons son éloge?» Pour quelle raison faire son éloge? «Il a fait des merveilles pendant sa vie[b].» Lesquelles? «Il pouvait transgresser, dit-elle, et n'a pas transgressé, faire le mal et ne l'a pas fait[c].» Aussi longtemps qu'il fut sans péché, l'homme conserva cet honneur; il le perdit par le péché. Il pécha parce qu'il en avait la liberté, liberté qui ne lui venait pas d'ailleurs que de la liberté de l'arbitre; celle-ci mettait en lui la possibilité de pécher. Ce ne fut cependant pas la faute de celui qui avait fait don de la liberté, mais de celui qui en abusa et fit tourner à l'usage du péché la faculté qu'il avait reçue en vue de la gloire de ne pas pécher. Car, même s'il a péché de par le pouvoir qu'il avait reçu, ce n'est cependant pas parce qu'il a pu, mais parce qu'il a voulu, qu'il a péché. En effet, quand le diable et ses anges se sont écartés du droit chemin, les autres anges ne s'en sont pas écartés[d] : ce n'est pas parce qu'ils ne l'ont pas pu, mais parce qu'ils ne l'ont pas voulu.

23. Donc, la chute du pécheur n'est pas à mettre au compte du pouvoir reçu, mais du vice de la volonté. Tombé par la volonté, il n'est cependant pas libre désormais de se relever également par la volonté, car, bien que le pouvoir «de rester debout et de ne pas tomber[e]» ait été donné à la volonté, elle n'avait pourtant pas reçu celui de se relever si elle tombait[1]. En effet, sortir d'une fosse par ses propres forces n'est pas aussi facile que d'y choir. Par la seule volonté, l'homme est tombé dans la fosse du péché, mais ce n'est pas par la volonté qu'il a le moyen de pouvoir également se relever[f], puisque désormais, même s'il le voulait, il ne pourrait pas ne pas pécher.

VIII. 24. Quid ergo? Periit liberum arbitrium, quoniam non potest non peccare? Nequaquam; sed liberum perdidit consilium, per quod prius habuit posse non peccare, quomodo et quod iam non valet utique non turbari, inde
5 misero accidit, quod complaciti quoque libertatem amiserit, per quam et ante habuit posse non turbari.

Quod quamvis homo non peccare non possit, tamen liberum arbitrium non amisit

Manet ergo, etiam post peccatum, liberum arbitrium,
10 etsi miserum, tamen integrum. Et quod se per se homo non sufficit excutere a peccato sive miseria, non liberi arbitrii signat destructionem, sed duarum reliquarum libertatum privationem. Neque enim ad liberum arbitrium, quantum in se est, pertinet, aut aliquando pertinuit, posse
15 vel sapere, sed tantum velle : nec potentem facit creaturam, nec sapientem, sed tantum volentem. Non ergo si potens aut sapiens, sed tantum si volens esse desierit, liberum arbitrium amisisse putanda erit. Ubi enim non
184 est voluntas, nec libertas.
20 Non dico si velle bonum, sed si velle omnino creatura desierit, fatendum sine contradictione, ubi non iam ex voluntate bonitas, sed ipsa ex toto voluntas perit, etiam liberum deperire arbitrium. Quod si velle bonum tantum non poterit, signum est quod ei desit liberum, non arbitrium, sed
25 consilium. Si autem non quidem velle, sed ad id quod iam

1. Le § 24 n'est qu'une récapitulation sur les trois libertés; le § 25 renoue avec le § 23.

2. Sur le mot *integrum* (entier), cf. *supra,* «Introd.», p. 190, note 49.

3. Nous n'avons pas retenu la leçon de Farkasfalvy : «posse, vel».

4. * «Ubi enim non est voluntas, nec libertas » : cf. *supra,* § 2, p. 248, l. 32-34. Ce sont ces phrases bien frappées qui entrent dans la tradition scolaire du XIIe siècle, grâce à PIERRE LOMBARD, *Sent.* II, d. 25, c. 8, par. 2 (éd. Grottaferrata 1971, t. I, 2, p. 466).

VIII. 24. Quoi donc? le libre arbitre a-t-il péri parce qu'il ne peut pas ne pas pécher[1]? Pas du tout. Mais il a perdu le libre conseil grâce auquel il avait eu, auparavant, le pouvoir de ne pas pécher. De la même façon encore, il ne peut plus ne pas être troublé. Cela vient de ce que ce malheureux a également perdu la liberté de bon plaisir, grâce à laquelle il avait eu aussi, auparavant, le pouvoir de n'être pas troublé.

Bien que l'homme ne puisse pas ne pas pécher, il n'a cependant pas perdu le libre arbitre

Donc, même après le péché, le libre arbitre demeure, misérable sans doute, mais entier[2]. Et le fait que l'homme ne parvienne pas, par lui-même, à se débarrasser du péché ou de la misère ne signifie pas que le libre arbitre est détruit, mais qu'il est privé des deux autres libertés. En effet, le propre du libre arbitre, comme tel, n'est pas ou n'a jamais été le pouvoir[3] ou la sagesse, mais seulement le vouloir : il ne rend la créature ni puissante ni sage, mais simplement apte à vouloir. Ce n'est donc pas si elle a cessé d'être puissante ou sage, mais seulement si elle a cessé d'être apte à vouloir, qu'on devra penser qu'elle a perdu le libre arbitre. En effet, là où il n'y a pas volonté, il n'y a pas liberté[4].

Si la créature a cessé, je ne dis pas de vouloir le bien, mais tout simplement de vouloir – dès lors ce qui a péri, ce n'est plus la bonté issue de la volonté, mais la volonté elle-même en sa totalité –, on doit reconnaître sans risque de contradiction que le libre arbitre aussi a péri. A supposer que ce soit seulement vouloir le bien qu'elle ne puisse pas, c'est le signe qu'il lui manque non pas le libre arbitre, mais le libre conseil. Et si ce qui lui a manqué, ce n'est pas de vouloir, mais de pouvoir réaliser le bien

vult bonum, ei posse defuerit, noverit sibi deesse liberum complacitum, non liberum periisse arbitrium. Si ergo liberum arbitrium ita ubique sequitur voluntatem, ut nisi illa penitus esse desinat, isto non careat, voluntas vero
30 sicut in bono, ita etiam in malo aeque perdurat, aeque profecto et liberum arbitrium tam in malo quam in bono integrum perseverat. Et quomodo voluntas etiam posita in miseria non desinit esse voluntas, sed dicitur et est misera voluntas, sicut et beata voluntas, ita nec liberum
35 arbitrium destruere sive, quantum in se est, aliquatenus imminuere poterit quaecumque adversitas vel necessitas.

25. Sed licet ubique pariter sine sui diminutione perduret, non tamen pariter sicut de bono potuit per se in malum corruere, ita quoque per se de malo in bonum poterit respirare. Et quid mirum si iacens non valet per
5 se resurgere, quod stans in aliquod melius nullo suo conatu valebat proficere? Denique dum adhuc duas alias libertates ex aliqua parte[g] secum haberet, non potuit de inferioribus illarum gradibus ad superiores ascendere, hoc est de posse non peccare et de posse non turbari ad
10 non posse peccare et non posse turbari. Quod si libertatibus illis etiam utcumque adiutum, non praevaluit tamen de bono se in melius extendere, quanto minus eisdem prorsus destitutum, de malo iam in id, quod fuit bonum, poterit per seipsum emergere?

26. Habet igitur homo necessarium *Dei virtutem et Dei*

25. g. Cf. I Cor. 13, 9. 12

1. Le verbe *respirare*, cher à S. Bernard, est emprunté au vocabulaire des oraisons liturgiques; cf. A. PFLIEGER, *Liturgicae orationis concordantia verbalis*, Herder, Fribourg 1964.

2. Le verbe *emergere* signifie «sortir», mais d'une profondeur où l'on est immergé.

que, déjà, elle veut, qu'elle le sache : le libre bon plaisir lui manque, mais le libre arbitre n'a pas péri. Par conséquent, si le libre arbitre suit la volonté partout de telle sorte que celle-ci ne sera jamais dépourvue du libre arbitre à moins de cesser complètement d'exister, alors, c'est certain, la volonté subsiste tout autant pour le mal que pour le bien et le libre arbitre persiste tout autant, entier, pour le mal que pour le bien. Et, de même que la volonté, même fixée dans la misère, ne cesse d'être la volonté – volonté misérable, dit-on, et elle l'est, comme il y a aussi une volonté bienheureuse –, de même aussi aucune adversité ou nécessité ne pourra détruire ou diminuer en quoi que ce soit le libre arbitre, étant donné sa nature.

25. Mais bien que le libre arbitre subsiste également partout sans s'amoindrir, il ne pourra cependant pas également «respirer[1]», en passant du mal au bien, comme il a pu, par lui-même, tomber du bien dans le mal. Est-ce étonnant que, gisant, il n'ait pas la force de se relever par lui-même, lui qui, debout, n'avait pas la force, malgré toutes ses tentatives, de progresser vers un état meilleur? Enfin, tant qu'il avait encore avec lui une partie[g] des deux autres libertés, il n'a pu de leurs degrés inférieurs s'élever aux supérieurs, c'est-à-dire passer de *pouvoir-ne-pas-pécher* et *pouvoir-ne-pas-être-troublé* à *ne-pas-pouvoir-pécher* et *ne-pas-pouvoir-être-troublé*. Si recevant une certaine aide des deux libertés, il n'a cependant pas eu assez de force pour se porter du bien au mieux, encore moins pourra-t-il, totalement abandonné par elles, sortir désormais, par lui-même, du mal où il est plongé[2] pour s'élever à ce qui fut son bien.

26. A l'homme, par conséquent, est nécessaire[3] «le

3. A propos du mot «nécessaire», cf. *supra*, «Introd.», p. 196, n. 74.

sapientiam Christum[h], qui ex eo quod sapientia est, verum ei sapere reinfundat in restaurationem liberi consilii, et 185 ex eo quod virtus est, plenum posse restituat in reparationem liberi complaciti, quatenus ex altero perfecte bonus, peccatum iam nesciat, ex altero plene beatus, adversum nil sentiat. Sed sane ista perfectio in futura vita exspectetur, quando utraque nunc amissa libertas, libero arbitrio plenarie restaurabitur, non quomodo iusto cuivis in hoc saeculo, quantumcumque perfecto, non quomodo vel ipsis primis hominibus datum fuit eas habere in paradiso, sed sicut iam nunc angeli possident in caelo.

Interim vero sufficiat, in hoc *corpore mortis*[i] atque in hoc *saeculo nequam*[j], ex libertate quidem consilii peccato non oboedire in concupiscentia, ex libertate autem complaciti adversa non formidare pro iustitia. Est autem in hac carne peccati[k] et in hac diei malitia[l] non mediocre sapere, peccato, etsi non ex toto carere, certe non consentire; et est posse non parvum, adversa, etsi necdum omnino feliciter non sentire, viriliter tamen pro veritate contemnere.

27. Discendum sane hic interim nobis est ex libertate consilii iam libertate arbitrii non abuti, ut plene quandoque frui possimus libertate complaciti. Sic profecto Dei in nobis reparamus imaginem, sic antiquo honori illi

26. h. I Cor. 1, 24 ≠ || i. Rom. 7, 24 ≠ || j. Gal. 1, 4 ≠ || k. Cf. Rom. 8, 3 || l. Cf. Matth. 6, 34

1. Cf. *supra,* § 19, p. 284 et « Introd. », p. 180 et 196.
2. Cf. *supra,* « Introd. », p. 196, n. 72.

Christ, Puissance de Dieu et Sagesse de Dieu[h 1] »: lui, Sagesse, peut de nouveau répandre en l'homme la vraie sagesse pour la restauration du libre conseil; lui, Puissance, peut restituer à l'homme le plein pouvoir pour la réparation du libre bon plaisir. Il s'ensuivra que, devenu, grâce à la sagesse parfaitement bon, l'homme ne connaîtra plus le péché et que, devenu grâce à la puissance pleinement bienheureux, il ne ressentira plus rien qui lui soit contraire. Mais, bien certainement, cette perfection n'est à attendre que dans la vie future, lorsque les deux libertés maintenant perdues seront pleinement restaurées et rendues au libre arbitre, non à la manière dont, en ce monde, n'importe quel juste, si parfait soit-il, les possède, non à la manière dont, au paradis, il a du moins été donné aux premiers hommes de les avoir, mais comme dès maintenant, au ciel, les anges les possèdent.

Mais, présentement, «en ce corps de mort[i]» et «en ce monde mauvais[j]», puisse l'homme parvenir, en vertu de la liberté de conseil, à ne pas obéir au péché à la suite de ses convoitises, et en vertu de la liberté de bon plaisir, à ne pas redouter les adversités, eu égard à la justice. Car, en cette chair de péché[k] et en la malignité de ces jours[l], c'est une sagesse au-dessus de la moyenne de ne pas consentir du moins au péché, même si l'on n'en est pas totalement exempt; et c'est un pouvoir peu commun de mépriser virilement les adversités, eu égard à la vérité, même si l'on n'a pas encore le bonheur de ne plus du tout les ressentir.

27. Ici-bas, présentement, il nous faut, bien certainement, apprendre de la liberté de conseil à ne plus abuser[2] de la liberté de l'arbitre afin de pouvoir jouir pleinement, un jour, de la liberté du bon plaisir. C'est ainsi que nous réparons en nous l'image de Dieu et c'est

5 capessendo, quem per peccatum amisimus, per gratiam praeparamur. Et beatus qui de se audire merebitur : *Quis est hic, et laudabimus eum? fecit enim mirabilia in vita sua*[m] : *Qui potuit transgredi, et non est transgressus, facere mala, et non fecit*[n].

In tribus de quibus loquitur libertatibus ostendit imaginem et similitudinem Conditoris contineri

IX. 28. Puto autem in his tribus libertatibus ipsam, *ad* quam conditi sumus, Conditoris *imaginem* atque *similitudinem*[o] contineri, et imaginem quidem in libertate arbitrii, in reliquis autem duabus bipertitam quamdam consignari 5 similitudinem. Hinc est fortassis, quod solum liberum arbitrium sui omnino defectum seu diminutionem non patitur, quod in ipso potissimum aeternae et incommutabilis divinitatis substantiva quaedam imago impressa videatur.

Simile aeternitati liberum dicit arbitrium

186 10 Nam etsi habuerit initium, nescit tamen occasum, nec de iustitia vel gloria capit augmentum, nec de peccato sive miseria detrimentum. Quid aeternitati similius, quod non sit aeternitas?

Porro in aliis duabus libertatibus, quoniam non solum 15 ex parte minui, sed et ex toto amitti possunt, accidentalis quaedam magis similitudo sapientiae atque potentiae divinae, imagini superducta cognoscitur. Denique et amisimus illas per culpam, et per gratiam recuperavimus ; et

27. m. Sir. 31, 9 || n. Sir. 31, 10 ≠
28. o. Gen. 1, 26 ≠

---

1. Cf. *supra,* «Introd.», p. 194, sur *ordinatio* chez S. Bernard.
2. Allusion à l'*Exultet* de la vigile pascale : «Flammas eius lucifer matutinus inveniat. Ille, inquam, qui nescit occasum.» A ce propos, cf. *supra,* «Introd.», p. 202.

ainsi que, par la grâce, nous sommes préparés à recouvrer l'antique honneur que nous avons perdu par le péché. Et bienheureux celui qui méritera d'entendre dire de lui : «Qui est-il et nous ferons son éloge? Car il a fait des merveilles pendant sa vie»[m] : «il pouvait transgresser et n'a pas transgressé, faire le mal et ne l'a pas fait[n].»

Dans les trois libertés dont il parle, il montre que l'image et ressemblance du Créateur est contenue

IX. 28. Or, je pense que, dans ces trois libertés, est contenue «l'image et ressemblance du Créateur selon laquelle nous avons été créés[o] » : l'image est imprimée dans la liberté de l'arbitre; une certaine ressemblance sur deux points, dans les deux autres libertés[1]. C'est pour cela peut-être que le libre arbitre est le seul à ne souffrir aucune absence ni diminution, parce qu'en lui, par excellence, une certaine image substantielle de l'éternelle et immuable divinité paraît empreinte.

Il dit que le libre arbitre est semblable à l'éternité

En effet, même s'il a eu un commencement, il ne connaît pas de couchant[2]. Ni de la justice, ni de la gloire, il ne reçoit d'accroissement; ni du péché, ni de la misère, d'amoindrissement. Qu'y a-t-il de plus semblable à l'éternité, sans être l'éternité?

Au contraire, dans les deux autres libertés, parce qu'elles peuvent en partie diminuer et même totalement se perdre, on reconnaît plutôt, surajoutée à l'image, une certaine ressemblance «accidentelle» avec la sagesse et avec la puissance divine. Enfin, nous les avons perdues par la faute et les avons recouvrées par la grâce, et, chaque jour, les uns plus, les autres moins, ou bien nous pro-

quotidie alii quidem plus, alii minus, aut in ipsis profi-
20 cimus, aut ab ipsis deficimus. Possunt etiam sic amitti, ut iam non valeant recuperari; possunt et ita possideri, ut nec amitti queant aliquo modo, nec minui.

29. Huius bipertitae similitudinis sapientiae et potentiae Dei, non quidem gradu summo, sed qui ipsi tamen esset proximior, homo in paradiso conditus est. Quid enim vicinius ad non posse peccare vel turbari, – in quo utique
5 iam sanctos angelos stare et Deum semper esse dubium non est –, quam posse et non peccare, et non turbari, in quo homo profecto creatus est? A quo illo per peccatum, immo nobis in illo et cum illo corruentibus, rursus per gratiam, non quidem ipsum, sed pro ipso quemdam
10 inferiorem gradum recepimus. Neque enim hic possumus penitus esse sine peccato seu miseria : possumus tamen, gratia iuvante, nec peccato superari, nec miseria. Quamquam tamen Scriptura loquatur : *Omnis qui natus est ex Deo, non peccat*[p]; sed hoc dictum est de praedesti-
15 natis ad vitam : non quod omnino non peccent, sed quod peccatum ipsis non imputetur, quod vel punitur condigna paenitentia, vel in caritate absconditur. *Caritas* quippe *cooperit multitudinem peccatorum*[q], et : *Beati quorum remissae sunt iniquitates, et quorum tecta sunt peccata*[r],
20 et : *Beatus vir cui non imputavit Dominus peccatum*[s].

29. p. I Jn 5, 18 || q. I Pierre 4, 8 (Patr.) || r. Ps. 31, 1 || s. Ps. 31, 2 ≠

1. ** Bernard emploie 15 fois ce texte, le plus souvent sous forme d'allusions; il fait partage égal entre Vulgate (*operit,* «couvre») et Vieille Latine (*cooperit,* «recouvre»). La tradition patristique, bien fournie, est, avec une nette majorité, *cooperit,* aussi bien pour *I Pierre* que pour *Jacques* 5, 20. De tout cela, il ressort qu'il est impossible de décider si, ici ou là, Bernard s'inspire de *I Pierre* ou de *Jacques.*

gressons dans ces deux libertés, ou bien nous nous en éloignons. Elles peuvent même être si bien perdues qu'elles ne puissent plus être recouvrées; mais elles peuvent aussi être si bien possédées qu'elles ne puissent plus, en aucune façon, être perdues ou diminuées.

29. L'homme fut établi dans le paradis non pas, certes, au plus haut degré de la double ressemblance avec la sagesse et la puissance de Dieu, mais à un degré qui en était cependant tout proche. Qu'y a-t-il de plus proche de *ne-pas-pouvoir-pécher-ni-être-troublé* – tel est, c'est indubitable, le partage des saints anges; c'est et ce fut toujours le propre de Dieu – que d'être au degré de *pouvoir-ne-pas-pécher-ni-être-troublé*, degré où l'homme, assurément, a été créé? C'est de là que, par le péché, il est tombé, ou plutôt que nous, en lui et avec lui, nous sommes tombés. Et derechef, par la grâce, nous recevons, non certes ce degré-là, mais à sa place, un degré inférieur. Ici-bas en effet, nous ne pouvons pas être totalement sans péché ni misère, mais avec l'aide de la grâce, nous pouvons toutefois n'être dominés ni par le péché ni par la misère. Il est vrai, cependant, qu'au dire de l'Écriture : «Quiconque est né de Dieu ne pèche pas[p]»; mais cela a été dit des hommes qui sont prédestinés à la vie, non en ce sens qu'ils ne pèchent pas du tout, mais en ce sens que le péché ne leur est pas imputé, soit qu'une pénitence appropriée le châtie, soit que la charité le cache. «La charité, en effet, recouvre[1] la multitude des péchés[q]», et «Bienheureux ceux dont les iniquités ont été remises et dont les péchés sont couverts[r]», et encore : «Bienheureux l'homme à qui le Seigneur n'a pas imputé son péché[s2].»

2. Sur la prédestination chez S. Bernard, cf. *SCt* 23, 15 (*SBO* I, 148, l. 17 s.).

Rationalium creaturarum gradus pulchre discernit

187 Divinae igitur similitudinis summum gradum summi angeli tenent, nos infimum; Adam tenuit medium, porro daemones 25 nullum. Supernis nempe spiritibus datum est sine peccato et miseria perdurare, Adae autem absque his quidem esse, sed non etiam permanere, nobis vero ne esse quidem absque his, sed ipsis tantum non cedere. Ceterum diabolus et membra eius, sicut numquam volunt reluctari peccato, 30 sic numquam possunt poenam declinare peccati.

Liberum consilium liberumque complacitum similitudini, porro liberum arbitrium eius imagini deputat

30. Cum ergo duae istae libertates, consilii scilicet atque complaciti, per quas rationali creaturae vera sapientia et potentia ministratur, ita Deo, prout vult, dispensante, quibusque pro causis, locis, temporibus, varientur, quatenus 5 in terris modice, in caelestibus plenarie, mediocriter in paradiso, apud inferos nullatenus habeantur, libertas vero arbitrii de ipso, quo condita est, statu aliquatenus non mutetur, sed aequaliter semper, quantum in se est, a caelis, terris, inferis possideatur, merito illae similitudini, 10 haec imagini deputantur. Et quidem apud inferos, quod utraque libertas perierit, illae scilicet quae ad similitudinem pertinere dicuntur, Scripturarum testatur auctoritas. Nam verum illic sapere, quod utique de consilii libertate concipitur, omnino non esse, locus ille manifestat, ubi 15 legitur : *Quodcumque potest manus tua constanter operare,*

1. Cet en-tête, parmi d'autres, permet de dire que les *capitula* (cf. *supra,* «Introd.», p. 231) ne sont pas de Bernard, en tout cas, pas tous.

Il fait joliment une distinction entre les degrés des créatures raisonnables[1]

Les anges les plus élevés tiennent donc le degré le plus élevé de la ressemblance avec Dieu, nous le plus bas; Adam a tenu celui du milieu, mais les démons aucun. En effet, il a été donné aux esprits d'en haut de subsister sans péché ni misère; à Adam, d'exister sans eux, mais non de demeurer sans eux; à nous, pas même d'exister sans eux, mais seulement de ne pas leur céder. Quant au diable et à ses membres, de même qu'ils ne veulent jamais résister au péché, ils ne peuvent jamais non plus éviter la peine due au péché.

Il assigne le libre conseil et le libre bon plaisir à la ressemblance, puis le libre arbitre à l'image

30. Les deux libertés, celle de conseil et celle de bon plaisir, qui octroient à la créature raisonnable la vraie sagesse et la vraie puissance, connaissent donc, selon chacune des circonstances de cause, de lieu, de temps – car Dieu les dispense comme il veut –, de telles variations que leur participation est faible sur terre, plénière au ciel, moyenne au paradis, nulle en enfer. Au contraire, la liberté de l'arbitre ne subit aucune transformation de l'état où elle a été créée, mais on la possède toujours également, quant à elle, au ciel, sur terre et en enfer. Aussi est-ce à bon droit que l'on assigne aux deux premières la ressemblance et à la dernière l'image. Et certes, en enfer, les deux libertés – celles qui se rapportent à la ressemblance – ont péri : l'autorité des Écritures l'atteste. En effet, la vraie sagesse qui naît de la liberté de conseil ne s'y trouve absolument pas, comme le manifeste le passage où on lit : « Tout ce que ta main peut faire, fais-

quia nec opus, nec ratio, nec sapientia est apud inferos, quo tu properas[t]. Porro de potentia, quae per libertatem complaciti datur, Evangelium sic loquitur : *Ligatis manibus ac pedibus, proicite eum in tenebras exteriores*[u]. Quid
20 nempe est manuum pedumque ligatio, nisi omnimoda potestatis ablatio?

Quod voluntas mala in tormentis etiam perseveret, nolendo se puniri, quod iustum est

31. Sed dicit aliquis : « Quomodo non est ibi aliquod sapere, ubi mala quae tolerantur, cogunt paenitere malorum quae facta sunt? Numquid aut in tormentis quispiam non paenitere, aut paenitere mali, non esse
5 sapere potest ? » Hoc autem recte opponeretur, si opus
188 tantum peccati, et non etiam voluntas mala puniretur. Nulli quippe dubium est, quod nemo in tormentis positus actum iterare peccati delectetur. Verumtamen si voluntas etiam in tormentis mala perdurat, quid ponderis habet
10 operis abnegatio, ut ideo sapere quis putetur, quod iam in mediis flammis luxuriari non libeat? Denique *in malevolam animam non introibit sapientia*[v].

Unde autem probabimus quod mala et in poenis voluntas perseveret? Certe, ut cetera omittam, nollent
15 omnino puniri. Iustum est autem puniri, qui punienda gesserunt. Nolunt igitur quod iustum est. Sed qui non vult quod iustum est, iusta eius voluntas non est. Eo ergo iniusta, ac per hoc et mala est voluntas, quo iustitiae non

30. t. Eccl. 9, 10 ≠ || u. Matth. 22, 13 ≠
31. v. Sag. 1, 4 ≠

1. Cf. Grégoire le Grand, *Morales sur Job*, 15, 53, 60 (*SC* 221, p. 105) : « Les tourments du châtiment contraindront à la sagesse celui qui, dans l'aveuglement de son orgueil, avait perdu la sagesse. Et pourtant sa sagesse ne lui servira alors de rien, parce que, en ce monde où il aurait dû œuvrer selon la sagesse, il a laissé passer l'heure. »

le avec fermeté, car il n'y a ni œuvre, ni raison, ni sagesse aux enfers où tu te hâtes d'aller[t].» Quant à la puissance qui est donnée par la liberté de bon plaisir, l'Évangile en parle ainsi : «Jetez-le, pieds et mains liés, dans les ténèbres extérieures[u].» Ligoter les mains et les pieds, qu'est-ce, en effet, sinon ôter tout genre de pouvoir?

La volonté mauvaise persévère même dans les tourments : elle ne veut pas être châtiée, comme il est juste

31. Mais quelqu'un dira : «Comment n'y a-t-il pas une certaine sagesse là où les maux qu'on endure contraignent à se repentir de ceux qu'on a commis? Est-il possible à quelqu'un, dans ces tourments-là, de ne pas se repentir? Est-il possible que se repentir du mal ne soit pas sagesse[1]?» Ce serait une bonne objection s'il n'y avait que l'œuvre du péché qui soit châtiée, et non aussi la volonté mauvaise. Car, nul n'en doute, quelqu'un qui est placé dans les tourments ne prend pas plaisir à répéter l'acte du péché. Pourtant, si la volonté mauvaise subsiste même dans les tourments, de quel poids est la renonciation à l'œuvre du péché, et va-t-on estimer sage quelqu'un qui, parce qu'il est maintenant au milieu des flammes, ne se plaît pas à la luxure? Bref, «dans une âme malveillante, la sagesse n'entrera pas[v].»

Mais comment prouverons-nous que la volonté mauvaise persévère même dans les châtiments? Il est certain, pour omettre le reste, que les damnés ne voudraient absolument pas être châtiés. Or il est juste que soient châtiés ceux qui ont accompli des actes qu'il faut châtier. Ils ne veulent donc pas ce qui est juste. Mais celui qui ne veut pas ce qui est juste n'a pas une volonté juste. C'est donc une volonté injuste, et par là même mauvaise, du fait qu'elle ne s'accorde pas à la justice. Deux choses

concordat. Duo sunt quae iniustam comprobant volun-
20 tatem, vel cum peccare, vel cum impune peccasse libet. Quibus ergo peccare libuit quamdiu licuit, et cum iam non possunt, inultum manere volunt quod peccaverunt, quid in hoc verae sapientiae, quid bonae voluntatis apparet? Sed esto, paenitet eos peccasse : numquid non
25 tamen, si optio detur, malint adhuc peccare, quam poenam sustinere peccati? Et tamen illud iniquum est, hoc iustum. Quando vero voluntas bona magis quod iniquum, quam quod iustum est, eligeret? Ceterum non vere paenitent, qui non tam dolent se sibi vixisse, quam hoc ipsum iam
30 non posse. Denique foris ostenditur quid intus agatur. Nam quamdiu corpus vivit in flamma, tamdiu constat in malitia persistere voluntatem. Itaque de similitudine, quae in consilii et item complaciti libertate continetur, apud inferos penitus nihil est nec esse potest, imagine tamen
35 etiam illic per liberum arbitrium immobili permanente.

X. 32. Sed neque in hoc saeculo aeque inveniri uspiam posset similitudo, sed adhuc hic foeda et deformis iacuisset imago, si non evangelica illa mulier lucernam accenderet, id est Sapientia in carne appareret, everteret domum, vide-
5 licet vitiorum, drachmam suam requireret quam perdi-

1. Cf. Thomas d'Aquin, *Somme théologique,* I-II^{ae}, q. 87, a. 3, ad 1um (*RJ* « Le péché », t. 2, p. 184-185) : « On dit de quelqu'un qu'il a péché dans son être éternel, non seulement lorsqu'il a continué l'acte durant toute une vie, mais par le seul fait que, s'il met sa fin dernière dans le péché, c'est qu'il a la volonté de le faire éternellement. D'où cette phrase de S. Grégoire le Grand : 'Voluissent quippe sine fine vivere, ut sine fine potuissent in iniquitatibus permanere', 'Les méchants auraient bien voulu vivre sans fin pour pouvoir sans fin demeurer dans leurs iniquités' (*Morales sur Job,* 34, 19, 36, *CCL* 143 B, p. 1759). »

2. Le temps des verbes à partir de celui-ci indique que l'action de la Sagesse dure encore et toujours. Ce n'est pas fortuit chez Bernard : cf. *NBMV* 10 (*SBO* V, 282, l. 16) où *Jn* 1, 14 est mis à l'indicatif présent : « Verbum caro factum est et habitat iam in nobis. »

3. Cf. *supra,* « Introd. », p. 200 ; Bernard utilise une source reconnaissable : Grégoire le Grand, *Homélies sur les Évangiles,* 34, 6 (*PL* 76, 1249). Il y

prouvent que la volonté est injuste : elle se plaît soit à pécher, soit à avoir impunément péché. Des gens ont pris plaisir à pécher aussi longtemps qu'il leur était permis de le faire et veulent maintenant, alors qu'ils ne le peuvent plus, que leurs péchés demeurent impunis. Y a-t-il en cela trace de vraie sagesse, trace de volonté bonne? Mais soit! ils se repentent d'avoir péché. Est-ce que pour autant, si, le choix leur en était donné, ils ne préféreraient pas pécher encore plutôt que souffrir la peine due au péché? Et cependant le premier choix est inique, le second est juste. Mais une volonté bonne choisirait-elle jamais ce qui est inique plutôt que ce qui est juste? D'ailleurs, ils ne se repentent pas vraiment, ceux qui se plaignent non pas tant d'avoir vécu pour eux-mêmes que de ne plus pouvoir le faire[1]. En définitive, ce qui se passe au-dedans paraît au-dehors. Car aussi longtemps que le corps vit dans la flamme, il est certain que la volonté persiste dans la malice. C'est pourquoi, de la ressemblance contenue dans la liberté de conseil et de même dans celle de bon plaisir, il n'y a absolument rien et il ne peut rien y avoir en enfer, tandis que l'image, même là, par le libre arbitre, poursuit sans fin ni changement son existence.

X. 32. Mais en ce monde non plus on ne pourrait trouver nulle part la ressemblance, et l'image aurait été encore à terre, ici-bas, hideuse et déformée, si la femme de l'Évangile n'allumait sa lampe, c'est-à-dire si la Sagesse n'apparaissait[2] dans la chair, ne mettait la maison, celle des vices, sens dessus dessous[3], ne recherchait la drachme

a entre eux deux points communs : la femme qui allume sa lampe est une allégorie de la Sagesse «apparue dans l'humanité»; elle met la maison «sens dessus dessous» (*evertere*) au lieu de la balayer (*everrere*) comme en *Luc* 15, 8. Grégoire justifie l'emploi du verbe *evertere* par la présence en certains manuscrits du verbe *mundare*; il commente en disant que la purification des vices s'effectue par la perturbation de la crainte qui amène le retournement de la conscience et la restauration de la ressemblance.

derat[w], hoc est imaginem suam, quae nativo spoliata decore, sub pelle peccati sordens, tamquam in pulvere latitabat, inventam tergeret et tolleret de regione dissimilitudinis, pristinamque in speciem reformatam, *similem* 189 10 *faceret illam in gloria sanctorum*[x], immo sibi ipsi per omnia redderet quandoque conformem, cum illud Scripturae videlicet impleretur : *Scimus quia cum apparuerit, similes ei erimus, quoniam videbimus eum sicuti est*[y].

Et revera cui potius id operis congruebat, quam Dei 15 Filio, qui *cum sit splendor et figura substantiae* Patris, *portans verbo* universa[z], ex utroque facile munitus apparuit, et unde reformaret deformem, et unde debilem confortaret, dum et de splendore figurae, fugans tenebras peccatorum, redderet sapientem, et ex virtute verbi contra 20 tyrannidem daemonum potentem efficeret?

33. Venit ergo ipsa forma, cui conformandum erat liberum arbitrium, quia ut pristinam reciperet formam, ex illa erat reformandum, ex qua fuerat et formatum. Forma autem, sapientia est, conformatio, ut faciat imago in 5 corpore, quod forma facit in orbe. Porro illa *attingit a*

32. w. Cf. Lc 15, 8 || x. Sir. 45, 2 ≠ || y. I Jn 3, 2 ≠ || z. Hébr. 1, 3 ≠

1. Bernard forge cette expression à partir de *Gen.* 27, 16 et de *Rom.* 8, 3. Comme Jacob, sous une peau de bouc, est devenu semblable à Ésaü, ainsi le Christ a pris «la ressemblance de la chair de péché». La peau de bouc qui signifie le péché est reliée aux tuniques de peaux dont Dieu revêtit nos premiers parents pécheurs (cf. *Tpl* 13, *SBO* III, 226, l. 17-20) et *SCt* 28, 2 (*SBO* I, 193, l. 9 et 24). C'est pourquoi, R. Javelet commente ainsi le présent passage du *De gratia* : «La poussière symbolise 'la peau du péché' ... et la peau est une allusion à Ésaü. La restauration, en ce cas, se présente sous l'aspect d'une purification plus que d'une illumination» (*Image et ressemblance,* t. I, p. 258). – Pour la signification des «tuniques de peaux» dans la patristique, cf. J. DANIÉLOU, *Platonisme et théologie mystique,* Aubier 1944, p. 56-60 ; AUG., *Conf.*, 13, 15, 16 (*BA* 14, p. 454, note 1).

qu'elle avait perdue[w], autrement dit son image qui, dépouillée de sa beauté native, souillée sous une «peau de péché»[1], persistait à se cacher pour ainsi dire dans la poussière. Il en serait encore de même si, après l'avoir retrouvée, elle ne l'essuyait, ne la retirait de la région de la dissemblance[2], ne la re-formait en sa beauté primitive et «ne lui donnait une gloire semblable à celle des saints[x]», bien mieux, ne la rendait un jour conforme[3] en tout à elle-même quand s'accomplira la parole de l'Écriture: «Nous savons que, lorsqu'il apparaîtra, nous lui serons semblables parce que nous le verrons tel qu'il est[y].»

Or à qui, en vérité, cette œuvre convenait-elle mieux qu'au Fils de Dieu, «puisqu'il est la splendeur et l'image de la substance du Père, soutenant tout par sa parole[z]»? Par l'un et l'autre de ces titres, il apparut incontestablement[4] pourvu de ce qu'il fallait à la fois pour re-former celle qui était déformée et pour fortifier celle qui était sans force jusqu'à ce que, chassant par la splendeur de sa face les ténèbres du péché, il la rende sage, et que par la force de sa parole, il la constitue puissante contre la tyrannie des démons.

33. Elle est donc venue, cette forme à laquelle le libre arbitre devait être conformé, car, pour recouvrer la forme primitive, il fallait qu'il soit re-formé d'après celle-ci, oui, d'après la forme selon laquelle il avait aussi été formé. La Forme, c'est la Sagesse. La «conformation», c'est que l'image fasse dans le corps ce que la Forme fait dans le monde. Or, la Sagesse «atteint d'une extrémité à l'autre

2. Il n'est pas exclu que l'expression, ici, soit une allusion à la parabole de l'enfant prodigue. Cf. *supra* «Introd.», p. 200, note 85.

3. Ce mot appartient au vocabulaire technique de «l'image», à la suite de *Rom.* 8, 29. Cf. AUG., *Trin.*, 15, 16, 22 (*BA* 16, p. 404; *CCL* 50 A, p. 451 s.).

4. Cf. FREUND, *op. cit.*: *facile*.

fine usque ad finem fortiter, et disponit omnia suaviter[a]. *Attingit a fine usque ad finem*[b], hoc est *a summo caelo usque ad*[c] *inferiores partes terrae*[d], a maximo angelo usque ad minimum vermiculum. *Attingit* autem *fortiter*[e], non
10 quidem mobili discursione, vel locali diffusione, vel subiectae creaturae tantum officiali administratione, sed substantiali quadam et ubique praesenti fortitudine, qua utique universa potentissime movet, ordinat, administrat. Et haec omnia nulla sui cogitur facere necessitate. Nec
15 enim aliqua in his laborat difficultate, sed *disponit omnia suaviter*[f] placida voluntate. Vel certe *attingit a fine usque ad finem*[g], hoc est ab ortu creaturae usque ad finem destinatum a Creatore, sive in quem urget natura, sive quem accelerat causa, sive quem concedit gratia. *Attingit*
20 *fortiter*[h], dum nil horum evenit, quod non, *prout vult*[i], potenti praeordinet providentia.

34. Sic ergo et liberum arbitrium suo conetur praeesse corpori, ut praeest sapientia orbi, *attingens* et ipsum *a fine usque ad finem fortiter*[j], imperans scilicet singulis sensibus et artubus tam potenter, quatenus non sinat *regnare*
190 5 *peccatum in* suo *mortali corpore*[k], *nec membra* sua det *arma iniquitati, sed exhibeat servire iustitiae*[l]. Et ita iam non erit homo *servus peccati*[m], cum peccatum non fecerit, a quo utique liberatus, iam libertatem recuperare consilii, iam suam vindicare incipiet dignitatem, dum divinae in
10 se imagini condignam vestierit similitudinem, immo antiquam reparaverit venustatem.

33. a. Sag. 8, 1 || b. Sag. 8, 1 || c. Ps. 18, 7 ≠ || d. Éphés. 4, 9 ≠ || e. Sag. 8, 1 ≠ || f. Sag. 8, 1 || g. Sag. 8, 1 || h. Sag. 8, 1 || i. I Cor. 12, 11

34. j. Sag. 8, 1 ≠ || k. Rom. 6, 12 ≠ || l. Rom. 6, 13 ≠ || m. Jn 8, 34 ≠; Rom. 6, 17 ≠

avec force et dispose toutes choses avec douceur[a].» «Elle atteint d'une extrémité à l'autre[b]», c'est-à-dire «du plus haut des cieux jusqu'aux[c]» «parties inférieures de la terre[d]», de l'ange le plus grand jusqu'au plus petit vermisseau. «Elle atteint avec force[e]», non certes par un déplacement ou une diffusion locale, ou seulement par son gouvernement au service de la création qui lui est soumise, mais par une force substantielle et présente en tout lieu, par laquelle, très puissamment, elle meut, ordonne et gouverne l'univers. Aucune nécessité interne ne la contraint à tout cela. Elle n'y rencontre, en effet, ni labeur, ni difficulté, mais «elle dispose toutes choses avec douceur[f]» par sa paisible volonté. Ou encore, «elle atteint d'une extrémité à l'autre[g]», c'est-à-dire depuis la naissance de la créature jusqu'au terme fixé par le Créateur, que ce soit la nature qui l'impose, ou un événement qui l'accélère, ou la grâce qui l'accorde. «Elle atteint avec force[h]», rien de tout cela n'arrivant qu'elle ne l'ait au préalable réglé, «comme elle le veut[i]», dans sa puissante providence.

34. Ainsi doit-il en être du libre arbitre : qu'il s'efforce de gouverner le corps comme la Sagesse gouverne l'univers, et d'«atteindre, lui aussi, d'une extrémité à l'autre avec force[j]», c'est-à-dire de maîtriser chacun de ses sens et de ses membres avec une telle puissance qu'il ne laisse plus «le péché régner dans son corps mortel[k]», «ne livre plus ses membres comme armes à l'iniquité, mais les offre au service de la justice[l].» Ainsi l'homme ne sera plus «l'esclave du péché[m]», puisque ne le commettant plus : libéré du péché, il commencera dès lors à recouvrer la liberté de conseil, à revendiquer dès lors aussi sa dignité quand il aura revêtu la ressemblance appropriée à l'image divine qui est en lui ; bien mieux, quand il aura réparé l'ancienne beauté.

Curet autem haec agere non minus suaviter quam fortiter[n], hoc est *non ex tristitia aut ex necessitate*[o], quod est *initium*, non plenitudo *sapientiae*[p], sed prompta et
15 alacri voluntate, quod facit acceptum sacrificium, quoniam *hilarem datorem diligit Deus*[q]. Sicque per omnia imitabitur sapientiam, dum et vitiis resistet fortiter, et in conscientia requiescet suaviter.

35. Verum cuius ad talia provocamur exemplo, indigemus et adiutorio, quo ipsi videlicet per ipsam conformemur, atque *in eamdem imaginem transformemur a claritate in claritatem, tamquam a Domini Spiritu*[r]. Ergo si
5 a Domini Spiritu, iam non a libero[s] arbitrio. Nemo proinde putet ideo dictum liberum arbitrium, quod aequa inter bonum et malum potestate vel facilitate versetur, cum cadere quidem per se potuerit, non autem resurgere, nisi per Domini Spiritum. Alioquin nec Deus, nec angeli sancti,
10 cum ita sint boni, ut non possint esse et mali, nec praevaricatores item angeli, cum ita sint mali, ut iam non valeant esse boni, liberi arbitrii esse dicentur. Sed et nos illud post resurrectionem amissuri sumus, quando utique inseparabiliter alii bonis, alii malis admixti fuerimus.

15
Quod nec Deus, nec diabolus libero arbitrio careat

Ceterum nec Deus caret libero arbitrio, nec diabolus, quoniam quod ille esse non potest malus, non infirma

n. Cf. Sag. 8, 1 || o. II Cor. 9, 7 || p. Ps. 110, 10 ≠ || q. II Cor. 9, 7
35. r. II Cor. 3, 18 ≠ || s. Cf. II Cor. 3, 17

1. «Et vitiis resistet fortiter, et in conscientia requiescet suaviter »: nous avons dans ces deux membres de phrases trois oppositions croisées sur le sens des mots : *vitiis* et *in conscientia, resistet* et *requiescet, fortiter* et *suaviter*; à cela s'ajoutent trois similitudes de sons.
2. Cf. Aug., *Trin.*, 15, 8, 14 (*BA* 16, p. 459; *CCL* 50 A, p. 480) : «Enfin

Mais qu'il prenne soin de réaliser tout cela avec non moins de douceur que de force[n], c'est-à-dire «non avec tristesse ou par nécessité[o]» – c'est là «le commencement de la sagesse[p]», non sa plénitude –, mais d'une volonté prompte et allègre. Cela fait agréer le sacrifice, car «Dieu aime celui qui donne avec joie[q].» C'est ainsi qu'il imitera en tout la Sagesse quand il résistera avec force aux vices et qu'il goûtera avec douceur le repos de la conscience[1].

35. Mais si l'exemple de la Sagesse nous provoque jusque-là, nous avons besoin de son secours pour être nous-mêmes, grâce à elle, conformés et «transformés en cette même image, de clarté en clarté, comme par l'Esprit du Seigneur[r].» Si c'est par l'Esprit du Seigneur, ce n'est donc plus par le libre[s] arbitre[2]. Par suite, que personne ne pense qu'on l'appelle libre arbitre parce qu'il évoluerait avec un égal pouvoir ou facilité entre le bien et le mal, puisqu'il a pu tomber, certes, par lui-même, mais n'a pu se relever que par l'Esprit du Seigneur[3]. Autrement ni Dieu ni les saints anges, devrait-on dire, n'ont le libre arbitre, puisqu'ils sont si bons qu'ils ne peuvent pas aussi être mauvais; et les anges pécheurs non plus, puisqu'ils sont si mauvais qu'ils ne sont plus capables d'être bons. Et nous-mêmes devrons le perdre après la Résurrection, quand nous aurons été inséparablement réunis, les uns aux bons et les autres aux mauvais.

Ni Dieu ni le diable ne sont dépourvus de libre arbitre

Du reste, Dieu n'est pas dépourvu de libre arbitre, et le diable non plus : que Dieu ne puisse être mauvais, ce

l'addition *comme par l'esprit du Seigneur* (*II Cor.* 3, 18) indique que c'est à la grâce du Seigneur que nous devons le bienfait d'une transformation si souhaitable.»

3. Cf. *supra*, «Introd.», p. 201-202 (Note pascale).

facit necessitas, sed firma in bono voluntas, et voluntaria
20 firmitas; quodque is non valet in bonum respirare, non
aliena facit violenta oppressio, sed sua ipsius in malo
obstinata voluntas ac voluntaria obstinatio. Nunc igitur ex
eo potius liberum dicitur arbitrium, quod sive in bono,
191 sive in malo, aeque liberam faciat voluntatem, cum nec
25 bonus quispiam, nec item malus dici debeat aut esse
valeat, nisi volens. Tali iam ratione non incongrue dicetur
ad bonum se et ad malum habere aequaliter, quod utrobique videlicet par sit ei, non quidem in electione facilitas, sed in voluntate libertas.

XI. 36. Hac sane dignitatis divinae, ut dictum est, praerogativa rationalem singulariter creaturam Conditor insignivit, quod quemadmodum ipse sui iuris erat suaeque
ipsius voluntatis, non necessitatis erat quod bonus erat,
5 ita et illa quoque sui quodammodo iuris in hac parte
exsisteret, quatenus nonnisi sua voluntate, aut mala fieret
et iuste damnaretur, aut bona maneret et merito salvaretur. Non quod ei propria sufficere posset voluntas ad
salutem, sed quod eam nullatenus sine sua voluntate
10 consequeretur. Nemo quippe salvatur invitus.

Quod Deus neminem iudicat salute dignum, nisi quem invenerit voluntarium

Nam quod legitur in Evangelio : *Nemo venit ad me, nisi Pater meus traxerit eum*[t], item in alio loco : *Compelle*
15 *intrare*[u], nihil impedit, quia profecto quantoscumque

36. t. Jn 6, 44 ≠ || u. Lc 14, 23

1. Terme juridique. Cf. *supra,* «Introd.», p. 209.

n'est pas l'effet de la nécessité liée à la faiblesse, mais de sa volonté sans faiblesse et de la non-faiblesse de sa volonté quant au bien; et que le diable ne soit pas capable de «respirer» dans le bien, ce n'est pas l'effet de la violente oppression d'un autre, mais de sa volonté obstinée et de son obstination volontaire quant au mal. En réalité, l'arbitre est qualifié de libre plutôt du fait que, soit dans le bien, soit dans le mal, il rend la volonté également libre, puisque nul ne doit être dit bon ou mauvais – ou n'est capable de l'être – s'il n'est apte à vouloir. Dans ces conditions, on peut dire avec pertinence que le libre arbitre se comporte de la même façon dans le bien et le mal, en ce sens que, dans l'un et l'autre, il a, non certes une égale facilité dans le choix, mais une égale liberté dans la volonté.

XI. 36. Bien certainement, le Créateur a singulièrement marqué la créature raisonnable, comme on l'a dit, de la prérogative de la dignité divine. De même qu'il relevait, lui, de son propre droit[1] et de sa propre volonté, et que c'était par sa volonté, non par nécessité, qu'il était bon, de même, elle aussi, d'une certaine façon, relèverait de son propre droit en ce domaine : ainsi dépendrait-il uniquement de sa volonté, ou bien de se rendre mauvaise et d'être, à juste titre, damnée, ou bien de rester bonne et d'être, à bon droit, sauvée. Ce n'est pas que sa propre volonté pourrait lui suffire pour parvenir au salut, mais que, sans qu'elle entre en jeu, nul ne peut obtenir le salut. Personne, en effet, n'est sauvé malgré soi.

Dieu ne juge personne digne de salut sinon celui qu'il aura trouvé volontaire

Ce qu'on lit dans l'Évangile : «Nul ne vient à moi si mon Père ne l'attire[t]», et de même ailleurs : «Force-les à entrer[u]», ne fait pas difficulté. Car, si grand que soit

trahere vel compellere videatur ad salutem benignus Pater, *qui omnes vult salvos fieri*[v], nullum tamen iudicat salute dignum, quem ante non probaverit voluntarium. Hoc quippe intendit, cum terret aut percutit, ut faciat volun-
20 tarios, non salvet invitos, quatenus dum de malo in bonum mutat voluntatem, transferat, non auferat libertatem. Quamquam tamen non semper inviti trahimur : nec enim caecus aut fessus contristatur cum trahitur. Et Paulus *ad manus tractus est Damascum*[w], utique non invitus. Trahi
25 denique spiritualiter volebat, quae et hoc ipsum magnopere flagitabat in Canticis : *Trahe me,* ait, *post te; in odorem unguentorum tuorum currimus*[x].

37. Deinde quod e regione scriptum est : *Unusquisque tentatur a propria concupiscentia abstractus et illectus*[y], et illud : *Corpus quod corrumpitur, aggravat animam, et*

v. I Tim. 2, 4 ≠ || w. Act. 9, 8 ≠ || x. Cant. 1, 3 ≠
37. y. Jac. 1, 14 (Patr.)

1. Cf. AUG., *Enchir.*, 27, 103 (*BA* 9, p. 289); *Corr.*, 14, 44 (*BA* 24, p. 369). Bernard, ici, se désolidarise discrètement des interprétations augustiniennes de ce verset et de leurs compilations maladroites par les maîtres de l'école de Laon qui avaient provoqué le courroux de Rupert de Deutz, dans les années 1116-1117; cf. O. LOTTIN, *op. cit.*, t. 5, p. 116, n° 153; p. 234, n° 290. Cf. J. GRIBOMONT, Introduction à RUPERT DE DEUTZ, *Les œuvres du Saint-Esprit,* t. 1, *SC* 131, p. 9-11.

2. *Transferat... non auferat*: jeu de mots sur le verbe *ferre.* Bernard voulait conserver le verbe *auferre* qu'on trouve dans le même sens chez Augustin et Cassien. Pour la traduction de *transferre* par « transformer », cf. BLAISE-CHIRAT, *Dictionnaire latin-français des auteurs chrétiens,* Brépols 1954 : *transfero* 6. Le choix de cette traduction se justifie par la citation de *II Cor.* 3, 17-18 au § 35; cf. la note 2 du § 35, p. 319.

3. Ce sont les deux exemples donnés au § 1 à propos du manque de liberté de l'homme sans la grâce. En définitive, la liberté de l'homme aveugle et sans force dans le domaine spirituel est de consentir à se laisser attirer et tirer par la grâce. Celle-ci n'exerce aucune contrainte

le nombre de ceux qu'il paraît attirer ou forcer au salut, le Père plein de tendresse – «qui veut que tous les hommes soient sauvés[v1]» – ne juge cependant personne digne du salut avant de l'avoir éprouvé comme étant volontaire. Son intention en répandant l'effroi ou en frappant, c'est de les rendre volontaires, non de les sauver malgré eux, si bien que, lorsqu'il change la volonté et la fait passer du mal au bien, il n'ôte pas la liberté, mais la transforme[2]. Cependant, il est vrai, nous ne sommes pas toujours tirés malgré nous : l'aveugle et le voyageur fatigué ne sont pas fâchés quand on les tire[3]. Et Paul «que l'on a tiré par la main jusqu'à Damas[w]» ne l'a pas été malgré lui. Enfin, celle-là voulait être spirituellement tirée, qui, dans le Cantique, le demandait instamment : «Tire-moi derrière toi, dit-elle; à l'odeur de tes parfums nous courons[x4].»

37. Ensuite, parce qu'à l'opposé, il est écrit : «Chacun est tenté par sa propre[6] convoitise qui l'attire et le séduit[y]», et ceci : «Le corps, sujet à la corruption, appesantit l'âme, et l'habitation terrestre accable l'esprit de

sur la volonté, au contraire, elle comble ses vœux (cf. *SCt* 47, 6, *SBO* II, 65, l. 13-14 : «Trahe me post te : libenter sequor, libentius fruor»). Puisque Bernard joue avec le verbe *trahere,* emprunté à *Jn* 6, 44, cité plus haut, nous avons tenu à conserver en français le verbe «tirer» qui rappelle la citation.

4. ** L'édition critique de la Vulgate omet «in odorem unguentorum tuorum», que Bernard devait lire au XIIe siècle dans sa bible, chantait au chœur, et qu'il exprime toujours. Quant au présent de *currimus,* qui est isolé chez Bernard et absent de l'ensemble de la tradition, il ressemble fort à une liberté prise par l'auteur vis-à-vis du texte biblique : Bernard gomme le jeu théâtral du Cantique qui s'exprime par le futur *curremus* afin de mieux dire l'action toujours «présente» de Dieu en chaque acte de l'homme.

5. ** A 6 reprises, Bernard écrit *a propria concupiscentia* alors que la Vulgate porte équivalemment *a concupiscentia sua.* Seul Cassien, et aussi Cassiodore (celui-ci au pluriel), ont ce *propria.*

192 *deprimit terrena inhabitatio sensum multa cogitantem*[z], et
5 item illud Apostoli : *Invenio aliam legem in membris meis repugnantem legi mentis meae et captivum me ducentem in legem peccati, quae est in membris meis*[a], haec omnia putari possunt cogere voluntatem et praeripere libertatem. At vero quantislibet quis intus forisve tentationibus
10 urgeatur, libera profecto semper, quantum ad arbitrium spectat, voluntas erit : libere quippe de suo nihilominus consensu iudicabit. Quantum autem pertinet ad consilium sive complacitum, carnis interim concupiscentia vitaeque miseria reluctante, minus quidem se liberam sentit, sed
15 prorsus non malam, dum malo non consentit.

Apostoli sententia conquerentis captivum se trahi in lege peccati

Denique Paulus, qui captivum se in legem trahi peccati[b] conqueritur, haud dubium quin ex minus plena libertate
20 consilii, consensum tamen sanum atque in bono quoque iam ex magna parte se habere liberum gloriatur : *Iam non ego,* inquiens, *operor illud*[c]. Unde hoc confidis[d], o Paule? Quoniam *consentio,* ait, *legi Dei, quoniam bona est*[e], et rursum : *Condelector enim legi Dei secundum inter-*
25 *iorem hominem*[f]. Oculo exsistente simplici, totum corpus lucidum esse[g] praesumit. Sano consensu tractum licet

z. Sag. 9, 15 || a. Rom. 7, 21. 23 ≠ || b. Cf. Rom. 7, 23 || c. Rom. 7, 20 ≠ || d. Cf. Rom. 14, 14 || e. Rom. 7, 16 ≠ || f. Rom. 7, 22 || g. Cf. Matth. 6, 22

1. ** Ici comme en 17 autres endroits, Bernard suit l'ordre du « bon texte » : « Deprimit terrena inhabitatio » ; 5 fois (dont *infra* 41, l. 22-23), il écrit *terr. inh. depr.*, ordre qui va faire loi au XIIIe siècle et que publiera la Vulgate Clémentine. – C'est là un texte privilégié de Bernard (36 emplois) ; ainsi, *infra,* 41, l. 17, le *praegravata* (alourdie), démarquage du *aggravat* biblique, est un clin d'œil discret à ce texte.

2. ** Tout en annonçant « il est écrit... », Bernard fait un amalgame des versets 21 et 23 de ce chapitre de Paul, amalgame que l'on retrouve

multiples pensées[z][1] », et de même ceci par l'Apôtre : « Je trouve en mes membres une autre loi opposée à la loi de mon esprit; comme un captif, elle me conduit sous la loi du péché qui est dans mes membres[a][2] », on peut penser que tout cela contraint la volonté et ravit la liberté. Mais si grandes que soient les tentations intérieures ou extérieures dont on se sent pressé, toujours, en ce qui concerne l'arbitre, la volonté sera libre : car c'est, malgré tout, librement qu'elle décidera de son consentement[3]. Mais sous le rapport du conseil ou du bon plaisir, étant présentement aux prises avec la convoitise de la chair et la misère de la vie, la volonté se sent moins libre, mais elle n'est sûrement pas mauvaise tant qu'elle ne consent pas au mal.

Paradoxe de l'Apôtre qui se plaint d'être captif sous la loi du péché

Enfin, Paul se plaint d'être entraîné captif sous la loi du péché[b], faute sans aucun doute d'avoir pleine liberté de conseil. Mais il se félicite d'être tout de même en état de consentir et d'être déjà aussi, en grande partie, libre dans le bien, et il dit : « Ce n'est plus moi qui le fais[c]. » D'où te vient cette assurance[d], ô Paul? C'est que, dit-il, « je consens à la loi de Dieu parce qu'elle est bonne[e] », et encore : « Je me complais, en effet, dans la loi de Dieu selon l'homme intérieur[f]. » Puisque l'œil se montre simple, il présume que tout le corps est dans la lumière[g]. Étant en état de consentir, il n'hésite pas, bien qu'entraîné au

11 fois au long de son œuvre, d'ordinaire dans des allusions; citations et allusions ont, de plus, une forme floue chez Bernard. *Captivum me ducentem,* « me conduisant comme un captif » (à la place de *captivantem,* « me tenant captif », Vulgate), se trouve 3 fois chez Bernard et très souvent chez les Pères, en particulier Augustin.

3. Le substantif *consensus* revient 3 fois dans ce paragraphe et le verbe *consentire* 2 fois.

peccato, vel captivum miseria, liberum se in bono profiteri non dubitat. Unde et fidens generaliter infert : *Nihil ergo damnationis est his qui sunt in Christo Iesu*[h].

XII. 38. Sed videamus de his, qui poenarum mortisve timore fidem verbotenus negare compulsi sunt, ne forte iuxta hanc assertionem, aut culpa non fuerit, quod vel voce negarunt, aut cogi in culpam et voluntas potuerit, 5 ut vellet videlicet homo quod eum et nolle constiterit, et perierit liberum arbitrium. Quod quia impossibile erat, – velle quippe et nolle idem eodem tempore non poterat –, quaeritur unde malum nequaquam volentibus malum debuit imputari. Neque enim tale est hoc, quale originale 10 peccatum, quo non solum non consentiens, verum plerumque et nesciens, alia ratione constringitur necdum renatus baptismate.

193 Exempli causa, veniat in medium Apostolus Petrus. Ipse quippe visus est negare veritatem contra propriam volun- 15 tatem : siquidem aut negare, aut mori necesse erat. Mori timens, negavit[i]. Negare nolebat, sed magis nolebat mori. Itaque invitus quidem, sed negavit tamen, ne moreretur. Quod si lingua et non voluntate loqui homo compulsus est quod nolebat, non tamen velle aliud quam volebat. 20 Lingua mota est contra voluntatem; sed numquid et mutata voluntas? Quid enim volebat? Prorsus quod erat, Christi esse discipulus. Quid loquebatur? *Non novi hominem*[j]. Cur ita? Mortem volebat evadere. Sed quid istud criminis fuit?

h. Rom. 8, 1 ≠
38. i. Cf. Matth. 26, 70 || j. Matth. 26, 72

---

1. Le contexte est supposé connu : «Si je fais ce que je ne veux pas, ce n'est plus moi qui accomplis l'action, mais le péché qui habite en moi» (*Rom.* 7, 20).

2. Cf. ci-dessus, § 37, la citation de *Rom.* 8, 1.

3. «volebat. Lingua» (Fark.) au lieu de «volebat, lingua». *Ca, Ct, A, M, W, F.*

péché, ou, du moins, captif de la misère[1], à se déclarer libre dans le bien. D'où son assurance encore à tirer la conclusion : «Il n'y a pas de condamnation pour ceux qui sont dans le Christ Jésus[h].»

XII. 38. Mais examinons le cas de ceux qui, par crainte des châtiments ou de la mort, ont été acculés à renier verbalement la foi. D'après l'affirmation ci-dessus[2], il n'y aurait peut-être pas eu de faute parce qu'ils n'ont renié que de bouche; ou bien la volonté aurait même pu être contrainte à la faute, de telle sorte que l'homme veuille ce qu'il est évident qu'il ne voulait pas et que le libre arbitre ait péri. Mais cela étant impossible – la volonté ne pouvait simultanément vouloir et ne pas vouloir la même chose –, on se demande pourquoi on en est venu à imputer le mal à ceux qui ne l'avaient aucunement voulu. En effet, ce n'est pas le même problème que pour le péché originel, par lequel, jusqu'à sa renaissance par le baptême, l'homme est lié d'une autre façon, sans consentement de sa part et même, le plus souvent, à son insu.

A titre d'exemple, que l'Apôtre Pierre comparaisse. Il semble, en effet, avoir nié la vérité à l'encontre de sa propre volonté, car il était dans la nécessité ou de renier ou de mourir. Comme il craignait de mourir, il renia[i]. Renier, il ne le voulait pas, mais surtout il ne voulait pas mourir. C'est pourquoi il renia certes malgré lui, mais renia tout de même afin de ne pas mourir. Si, par la langue et non par la volonté, l'homme a été contraint à dire ce qu'il ne voulait pas, cependant il n'a pas été contraint à vouloir autre chose que ce qu'il voulait[3]. Sa langue a bougé au rebours de sa volonté. Mais sa volonté a-t-elle aussi bougé, changé? Que voulait-il? Bien sûr, être ce qu'il était, disciple du Christ. Que disait-il? «Je ne connais pas cet homme[j].» Pourquoi parlait-il ainsi? Parce qu'il voulait échapper à la mort. Mais en quoi cela a-t-il été un crime?

Culpabilem dicit Petri voluntatem,
25 *qua mentiri quam mori maluit*

Duas Apostoli tenemus voluntates : unam, qua voluit non mori, penitus inculpabilem ; alteram, et multum laudabilem, qua sibi complacebat quod esset christianus. In quo ergo culpabitur ? An in eo quod mentiri quam mori
30 maluit ? Haec plane voluntas reprehensione digna fuit, qua corporis magis quam animae voluit servare vitam. *Os* nempe *quod mentitur, occidit animam*[k]. Et peccavit ergo, et non absque consensu propriae voluntatis, infirmae quidem et miserae, sed plane liberae. Peccavit autem,
35 non spernendo aut odiendo Christum, sed se nimis amando. Nec in hunc perversum amorem sui, voluntatem metus ille subitus compulit, sed esse convicit. Iam tunc procul dubio talis erat, sed nesciebat, quando ab illo quem latere non poterat, audivit : *Priusquam gallus cantet,*
40 *ter me negabis*[l]. Illa itaque voluntatis infirmitas per incussum timorem nota, non orta, notum fecit quatenus se, quatenus Christum amaverit : notum autem non Christo, sed Petro ; nam Christus et ante *sciebat quid esset in homine*[m]. Quatenus ergo Christum diligebat, vim prorsus,
45 quod negandum non est, passa est illa voluntas ut contra se loqueretur ; quatenus vero se, voluntarie procul dubio consensit, ut pro se loqueretur. Si Christum non amasset, non negasset invitus ; verum si se amplius non amasset,
50 non negasset aliquatenus. Fatendum igitur hominem fuisse compulsum, voluntatem propriam etsi non mutare,

k. Sag. 1, 11 ‖ l. Matth. 26, 34 ≠ ‖ m. Jn 2, 25

---

1. Cf. *supra*, « Introd. », p. 205.
2. Cf. ANSELME, *DLA*, c. 5 (éd. M. Corbin, p. 214). L'auteur disserte sur le mensonge pour sauver sa vie, mais ne nomme pas Pierre.
3. La volonté était faible avant l'intervention du choc. Pour le jeu de mots, *nota-orta*, cf. *supra*, « Introd. », p. 215.

Il dit que la volonté de Pierre a été coupable : elle l'a amené à mieux aimer mentir que mourir

Nous voici devant deux volontés[1] de l'Apôtre : l'une absolument sans faute, par laquelle il a voulu ne pas mourir ; l'autre, très louable aussi, par laquelle il se complaisait dans le fait d'être chrétien. De quoi lui fera-t-on grief ? Est-ce d'avoir mieux aimé mentir que mourir[2] ? Oui, cette volonté a été répréhensible : par elle, il a voulu conserver la vie du corps plutôt que celle de l'âme. En effet, « la bouche qui ment tue l'âme[k]. » Il a donc péché, et non sans le consentement de sa propre volonté, faible, certes, et misérable, mais entièrement libre. Il a péché, non par mépris ou haine du Christ, mais par trop d'amour de soi. Ce n'est pas la peur soudaine qui a acculé la volonté à s'engager dans cet amour mauvais de soi-même, mais elle a prouvé qu'il existait. Déjà, à ce moment, sans nul doute, Pierre s'aimait trop, mais il ne le savait pas. C'est alors qu'il entendit de celui dont il ne pouvait se cacher : « Avant que le coq chante, tu me renieras trois fois[l]. » Aussi est-ce le choc de la crainte qui a fait connaître – mais non pas naître[3] – la faiblesse de la volonté. Il a fait connaître dans quelle mesure Pierre s'aimait et dans quelle mesure il aimait le Christ – connaître, non au Christ, mais à Pierre. Car, même auparavant, le Christ « savait ce qu'il y a dans l'homme[m]. » Donc, dans la mesure où il aimait le Christ, sa volonté, c'est indéniable, a souffert violence de sorte qu'il a parlé contre sa pensée ; dans la mesure au contraire où il s'aimait lui-même, on ne peut douter qu'il ait volontairement consenti, de sorte qu'il a parlé dans son intérêt. S'il n'avait pas aimé le Christ, il ne l'aurait pas renié malgré lui ; mais s'il ne s'était pas aimé davantage, il ne l'aurait pas renié du tout. On doit donc avouer que l'homme, même s'il ne fut pas acculé à changer sa propre volonté, le fut à la

194 occultare tamen : compulsum, inquam, non quidem recedere ab amore Dei, cedere tamen aliquantulum amore sui.

39. Quid ergo? Forte dissoluta est tota superior assertio de libertate voluntatis, quia nimirum inventa est cogi potuisse voluntas? Est plane, sed si cogi ab alio potuit quam a seipsa. Quod si sese ipsa coegit, compulsa et 5 compellens, ubi amittere, ibi et recipere visa est libertatem. Vim quippe, quam ipsa sibi intulit, a se pertulit.

Non compulsum consensisse Petrum dicit propriae voluntati, illi dumtaxat qua mori timuit

10 Porro quod a se voluntas pertulit, ex voluntate fuit. Quod ex voluntate fuit, iam non ex necessitate, sed voluntarium fuit. Si autem voluntarium, et liberum. Quem sua denique ad negandum voluntas compulit, compulsus est quia voluit : immo non compulsus est, sed consensit, et 15 non alienae potentiae, sed propriae voluntati, illi utique, qua mortem omnimodis evadere voluit. Alioquin quando vox mulierculae linguam sacram in verba formare nefanda valuisset, si non linguae domina voluntas annuisset? Denique cum se a sui postmodum nimio illo temperavit 20 amore, et Christum coepit, ut debuit, *toto corde, tota anima, tota virtute diligere*[n], nullis iam valuit minis vel poenis extorqueri aliquatenus voluntati dare linguam arma iniquitati[o], sed potius audacter accommodans veritati : *Oboedire,* inquit, *oportet magis Deo quam hominibus*[p].

39. n. Deut. 6, 5 ≠; Mc 12, 30 ≠ || o. Cf. Rom. 6, 13 || p. Act. 5, 29 ≠

1. Cf. *supra,* « Introd. », p. 205.

cacher; acculé, dis-je, non pas certes à se retirer de l'amour de Dieu, mais à s'en écarter un peu par amour de soi.

39. Quoi donc? L'affirmation précédente sur la liberté de la volonté serait-elle, par hasard, tout entière réduite à néant parce que, effectivement, on a trouvé une volonté qui a pu être contrainte? Oui, tout à fait, mais si elle a pu être contrainte par un autre qu'elle-même. Car si elle s'est elle-même contrainte – étant à la fois celle qui force et celle qui est forcée –, là où elle a semblé perdre la liberté, elle l'a aussi retrouvée. La violence, en effet, qu'elle s'est infligée à elle-même, elle l'a subie de sa propre part.

Il dit que Pierre, sans y avoir été acculé, a consenti à sa propre volonté, à celle du moins qui lui faisait craindre de mourir

Or, ce que la volonté a subi de sa propre part est issu de la volonté. Et ce qui est issu de la volonté ne relève plus de la nécessité, mais est volontaire. Et si c'est volontaire, c'est libre aussi. Finalement, celui que sa volonté a acculé à renier, l'a été parce qu'il l'a voulu; bien mieux, il n'a pas été acculé, il a consenti, consenti non à un pouvoir étranger, mais à sa propre volonté, à celle par laquelle il a voulu à tout prix échapper à la mort. Sans cela, la voix d'une femmelette aurait-elle jamais été capable de faire articuler par une langue sacrée des paroles sacrilèges, si la volonté, maîtresse de la langue, n'avait donné son accord? Enfin, il se modéra ensuite de ce trop grand amour de lui-même et commença à «aimer le Christ comme il le devait, de tout son cœur, de toute son âme, de toute sa force[n 16].» Il devint alors impossible d'arracher si peu que ce soit à sa volonté – par des menaces ou des châtiments – et de faire servir sa langue d'arme à l'iniquité[o]. Bien plutôt, il se conforma hardiment à la vérité et dit: «Mieux vaut obéir à Dieu qu'aux hommes[p].»

De gemina compulsione contra liberam voluntatem, passiva videlicet et activa

40. Est sane gemina compulsio, secundum quod aut pati aliquid, aut agere contra propriam cogimur voluntatem. Quarum passiva quidem, – sic enim prior illa recte nominatur –, potest nonnumquam fieri absque consensu 5 voluntario patientis, sed activa numquam. Proinde malum quod fit in nos, sive de nobis, non est imputandum nobis, si tamen invitis. Ceterum quod fit et a nobis, iam non sine culpa est voluntatis. Velle plane convincimur, quod non fieret, si nollemus. Est ergo compulsio quaedam etiam 10 activa; sed non habet excusationem, cum sit et volun- 195 taria.

Cogebatur christianus negare Christum, et quidem dolens, non tamen nisi volens. Volebat nimis gladium vitare ferientis, atque illa talis voluntas intus praesidens 15 os aperiebat, non gladius qui foris apparebat. Porro talem esse illam voluntatem convincebat gladius, non cogebat. Ipsa igitur se in culpam, non gladius impellebat. Denique in quibus sana erat voluntas, occidi poterant, flecti nequibant. Hoc est quod eis praedictum fuerat : *Facient* 20 *in vos quaecumque voluerint*[q], sed in membra, non corda. Non vos facietis quae voluerint, sed ipsi facient ; vos patiemini. Membra cruciabunt, sed voluntatem non mutabunt : saevient in carnem, *animae* autem *non habebunt quid faciant*[r]. Sit licet corpus patientis in

40. q. Mc 9, 12 ≠; cf. Jn 16, 2-3 || r. Lc 12, 4 ≠; cf. Matth. 10, 28

Il y a deux formes de pression contre la volonté libre : l'une passive et l'autre active

40. Il y a, bien certainement, deux formes de pression suivant que nous sommes contraints de subir ou au contraire d'agir au rebours de notre propre volonté. De ces deux pressions, la passive – ainsi nomme-t-on, avec exactitude, la première – peut, à la vérité, s'exercer quelquefois sans le consentement volontaire de celui qui la subit; mais l'active, jamais. Par conséquent, le mal qui se fait contre nous ou prend occasion de nous ne doit pas nous être imputé, si toutefois c'est malgré nous. Mais ce qui se fait aussi par nous n'est plus sans faute de notre volonté. Nous sommes clairement convaincus de vouloir ce qui n'adviendrait pas si nous ne le voulions pas. Il y a donc aussi une certaine forme de pression active, mais elle n'a pas d'excuse, puisqu'elle est aussi volontaire.

Contraint de renier le Christ, le chrétien certes s'en désolait, mais il ne reniait pas sans le vouloir. Il voulait par trop se soustraire au glaive du bourreau, et cette volonté-là qui commandait au-dedans – non le glaive qui se montrait au-dehors – lui ouvrait la bouche. Le glaive, alors, montrait de façon convaincante l'existence de cette volonté, il ne la contraignait pas. Ce n'est donc pas le glaive qui poussait la volonté à la faute, mais elle-même. Somme toute, ceux dont la volonté était saine pouvaient être tués, ils ne pouvaient être fléchis. C'est ce qui leur avait été prédit : « Ils feront contre vous tout ce qu'ils voudront[q] », mais contre vos membres, non contre vos cœurs. Ce n'est pas vous qui ferez ce qu'ils voudront, mais eux qui le feront; vous, vous subirez. Aux membres, ils infligeront des supplices, mais ils ne changeront pas la volonté : ils exerceront leur fureur contre la chair, mais « ne pourront rien contre l'âme[r]. » Bien que le corps du

25 potestate torquentis, sed voluntas est libera. Infirma si fuerit, saeviendo cognoscent; non esse cogent, si non fuerit. Sane infirmitas eius a seipsa est, sanitas non a se, sed a Domini Spiritu. Sanatur autem, cum renovatur.

41. Porro renovatur cum, quemadmodum docet Apostolus, *speculando gloriam Dei, in eamdem imaginem transformatur a claritate in claritatem*[s], hoc est *de virtute in virtutem*[t], *tamquam a Domini Spiritu*[s].

5 *Inter carnem et spiritum medium fore liberum arbitrium*

Inter quem utique divinum Spiritum et carnis appetitum, tenet medium quemdam locum id quod dicitur in homine liberum arbitrium, id est humana voluntas, et 10 tamquam in devexo montis latere admodum ardui inter utrumque pendens, ita in appetitu *infirmatur per carnem*[u], ut nisi sedulo *Spiritus adiuvet infirmitatem*[v] eius per gratiam, non solum non valeat *iustitiae*, quae est, iuxta Prophetam, *sicut montes Dei*[w], *ascendendo de virtute in* 15 *virtutem*[x], apprehendere culmen, sed etiam de vitio semper in vitium suo ipsius pondere devoluta ruat in praeceps, praegravata nimirum non solum lege peccati 196 originaliter membris insita, verum et consuetudine terrenae inhabitationis[y] usualiter affectionibus inolita. Quod 20 humanae voluntatis videlicet utrumque gravamen uno breviter versiculo Scriptura commemorat, dicens : *Corpus quod corrumpitur, aggravat animam, et deprimit terrena*

41. s. II Cor. 3, 18 ≠ || t. Ps. 83, 8 || u. Rom. 8, 3 ≠ || v. Rom. 8, 26 ≠ || w. Ps. 35, 7 ≠ || x. Ps. 83, 6 et 8 ≠ || y. Cf. Sag. 9, 15

1. Cf. AUG., *Conf.*, VIII, 9, 21 (*BA* 14, p. 53; *CCL* 27, p. 126 s.) : « Il n'y a donc pas de prodige monstrueux, dans cette volonté partielle qui veut et ne veut pas, mais c'est une maladie de l'esprit qui ne se dresse pas tout entier, quand la vérité le soulève, parce que l'habitude l'alourdit. »

supplicié soit au pouvoir du tortionnaire, la volonté cependant est libre. Si elle est faible, les bourreaux en exerçant leur fureur le sauront; ils ne la forceront pas à être faible si elle ne l'est pas. Est-elle faible, très certainement cela vient d'elle; est-elle saine, cela ne vient pas d'elle, mais de l'Esprit du Seigneur. Et saine, elle le devient quand elle est renouvelée.

41. Or, elle est renouvelée lorsque, comme l'enseigne l'Apôtre, «en contemplant la gloire de Dieu, elle est transformée en cette même image, de clarté en clarté[s] – c'est-à-dire «de vertu en vertu[t]» – comme par l'Esprit du Seigneur[s].»

Entre la chair et l'Esprit, se placera le libre arbitre

Entre cet Esprit divin et l'appétit de la chair se situe, au milieu, d'une certaine manière, ce qu'on appelle en l'homme le libre arbitre, c'est-à-dire la volonté humaine, suspendue entre les deux comme au flanc d'une montagne particulièrement escarpée. Elle se trouve tellement «affaiblie dans son élan par la chair[u]» que, si «l'Esprit ne s'empressait de venir en aide à sa faiblesse[v]» par la grâce, elle n'aurait pas la force de «monter de vertu en vertu[x]» pour atteindre le sommet de «la justice qui, selon le prophète, est comme les montagnes de Dieu[w].» Tout au contraire, entraînée par son propre poids, elle se précipiterait la tête la première, allant toujours de vice en vice, alourdie[1] qu'elle est, non seulement par la loi du péché implantée originellement dans ses membres, mais aussi par les habitudes de cette demeure terrestre[y], enracinées par l'usage dans ses affections. Ce sont évidemment ces deux fardeaux de la volonté humaine que l'Écriture mentionne brièvement dans un seul verset quand elle dit: «Le corps, sujet à la corruption, appesantit l'âme, et

inhabitatio sensum multa cogitantem[z]. Et haec duo huius mortalitatis mala, sicut non nocent, sed exercent non
25 consentientes, sic non excusant, sed damnant consentientes, ut nec salus, nec damnatio[a] ulla ratione sine praecedenti consensu voluntario possit haberi, ne qua forte ex parte praescribi videatur libertati arbitrii.

XIII. 42. Quamobrem id quod in creatura dicitur liberum arbitrium, aut iuste profecto damnatur, dum ei ad peccatum nulla vi praeiudicetur extrinseca, aut misericorditer salvatur, cui ad iustitiam nulla sufficit sua. Sane in his
5 omnibus cogitet lector originalis peccati prorsus excipi rationem.

De cetero, libero arbitrio nec extra ipsum quaeratur damnationis causa, quod iam non damnat nisi propria culpa, nec ab ipso salutis merita, quod sola salvat mise-
10 ricordia, cuius quippe conatus ad bonum, et cassi sunt, si a gratia non adiuventur, et nulli, si non excitentur. Ceterum, *In malum*, dicente Scriptura, *proni sunt sensus et cogitationes hominis*[b]. Proinde non ei a se, ut dictum est, sed *desursum* potius *a Patre luminum descendere*
15 merita putentur, si tamen inter *data optima et dona perfecta*[c], ipsa merito per quae salus aeterna conquiritur, deputentur.

z. Sag. 9, 15 || a. Cf. Rom. 8, 1
42. b. Gen. 8, 21 || c. Jac. 1, 17 ≠

---

1. ** *Gen.* 8, 21 : Bernard cite (ou fait allusion à) ce texte à 19 reprises. Neuf fois – dont celle-ci –, il le fait en des termes presque identiques, qui diffèrent de la Vulgate. Aucun texte semblable dans *Vetus Latina*, « 2. Genesis », Freiburg 1951-1954, p. 123-124. On peut se demander si Bernard n'aurait pas assemblé, puis mémorisé un texte « à lui ». Dix autres fois, Bernard se rapproche de la Vulgate, ou bien reste très vague. – Ces 19 recours à ce verset, dispersés à travers toute l'œuvre, en des contextes de nature très variable, font de ce passage à résonance philosophique ou anthropologique, un pendant au texte de *Sagesse* 9,

l'habitation terrestre accable l'esprit de multiples pensées[z].» Et, de même que ces deux maux de notre nature mortelle ne nuisent pas à ceux qui n'y consentent pas, mais les exercent, de même ils n'excusent pas ceux qui y consentent, mais les condamnent. Ainsi ne peut-il y avoir ni salut ni condamnation[a], d'aucune façon, sans un consentement volontaire préalable; sinon cela pourrait paraître, dans une certaine mesure, avoir forcé la liberté de l'arbitre.

XIII. 42. Voilà pourquoi ce qu'on appelle dans la créature le libre arbitre est, ou bien damné, en toute justice assurément, étant donné qu'il n'est déterminé au péché par aucune force extrinsèque, ou bien miséricordieusement sauvé, car sa propre force ne lui suffit aucunement pour la justice. Très certainement en tout cela, que le lecteur se le rappelle, la question du péché originel est tout à fait exclue.

Au reste, qu'on ne cherche pas pour le libre arbitre une cause de damnation en dehors de lui-même, car désormais rien ne le condamne, sinon sa propre faute. Qu'on ne cherche pas non plus comme venant de lui les mérites du salut, car seule la miséricorde le sauve, lui dont les efforts vers le bien sont inutiles s'ils ne sont aidés par la grâce, et inexistants si elle ne les éveille. D'ailleurs, au dire de l'Écriture, «Les sens et les pensées de l'homme sont inclinés vers le mal[b1].» Par suite, comme on l'a dit, il ne faut pas penser que les mérites attribués à l'homme viennent de lui, mais bien qu'«ils descendent d'en haut, du Père des lumières, si toutefois on les compte parmi les dons les meilleurs et les présents parfaits[c]», ces mérites par lesquels, à juste titre, on acquiert le salut éternel.

15 (23 emplois); ce dernier, sententieux et moralisant, débouche sur un appel à l'effort moral. Tous deux avaient place dans le *De gratia*.

Quod Deus dona sua in merita divisit et praemia

43. *Deus* namque *rex noster ante saecula*, cum *operatus est salutem in medio terrae*[d], *dona* sua quae *dedit hominibus*[e], in merita divisit et praemia, ut et praesentia per liberam possessionem nostra interim fierent merita, et 5 futura per gratuitam sponsionem exspectaremus, immo expeteremus ut debita. Utraque Paulus commemorans : *Habetis*, inquit, *fructum vestrum in sanctificationem, finem vero vitam aeternam*[f], item : *Et nos ipsi*, ait, *primitias Spiritus habentes, ingemiscimus, adoptionem exspectantes* 197 10 *filiorum Dei*[g], primitias Spiritus vocans sanctificationem, id est virtutes, quibus in praesentiarum sanctificamur a Spiritu, ut merito consequamur adoptionem. Rursum in Evangelio eadem saeculo abrenuntianti promittuntur, ubi dicitur : *Centuplum accipiet, et vitam aeternam possidebit*[h]. 15 Itaque non liberi arbitrii, sed *Domini est salus*[i]; immo ipse salus, ipse et via est ad salutem, qui ait : *Salus populi ego sum*[j], qui item perhibet : *Ego sum via*[k]. Se fecit viam, qui et salus erat et vita, *ut non glorietur omnis caro*[l]. Si igitur bona viae sunt merita, sicut et patriae salus et vita, 20 et verum est quod ait David : *Non est qui faciat bonum,*

43. d. Ps. 73, 12 ≠ ‖ e. Éphés. 4, 8 ≠ ‖ f. Rom. 6, 22 ‖ g. Rom. 8, 23 ≠ ‖ h. Matth. 19, 29 ‖ i. Ps. 3, 9 ‖ j. Ps. 34, 3 (Lit.) ‖ k. Jn 14, 6 ‖ l. I Cor. 1, 29

---

1. Cf. *supra*, « Introd. », p. 207.
2. *Expectaremus-expeteremus*, jeu de mots : une petite différence de voyelles et de sons fait passer de l'attente passive à la demande d'un dû qui sera certainement accordé. – Cf. AUG., *In evang. Ioh.*, 3, 10 (*BA* 71, p. 228) : « Audi Paulum apostolum confitentem gratiam, et postea debitum expetentem », « Écoute l'apôtre Paul proclamant la grâce, puis réclamant un dû. »
3. ** Bernard, qui fait 6 citations textuelles de cette fin de verset, suit 3 fois le Psautier Gallican (*Salus tua ego sum*, « je suis ton salut »)

Dieu a partagé ses dons en mérites et récompenses

43. En effet, quand «Dieu, notre Roi dès avant les siècles, opéra le salut au milieu de la terre[d]», «en faisant aux hommes ses dons[e]», il les partagea en mérites et en récompenses[1]. Ainsi, d'une part, grâce à une libre possession, les dons reçus présentement deviendraient, ici-bas, nos mérites; d'autre part, en raison d'une promesse gratuite, les récompenses à venir seraient attendues, bien mieux, réclamées[2] par nous comme des dûs. Paul mentionne les uns et les autres : «Vous avez pour fruit, dit-il, la sanctification, mais pour fin la vie éternelle[f].» Et de même : «Nous aussi, dit-il, qui avons les prémices de l'Esprit, nous gémissons en attendant l'adoption des fils de Dieu[g].» Il appelle prémices de l'Esprit la sanctification, c'est-à-dire les vertus par lesquelles, présentement, nous sommes sanctifiés par l'Esprit afin d'obtenir, à juste titre, l'adoption. Et encore : dans l'Évangile, la promesse de ces mêmes dons est faite à qui renonce au monde, quand il est dit : «Il recevra le centuple et possédera la vie éternelle[h].» Voilà pourquoi ce n'est pas au libre arbitre, mais «au Seigneur qu'appartient le salut[i]». Bien mieux, il est lui-même le salut, lui-même aussi le chemin conduisant au salut, lui qui dit : «Je suis, Moi, le salut de mon peuple[j][3]», et qui déclare de même : «Moi, je suis le chemin[k].» Il s'est fait chemin, lui qui était le salut et la vie «afin qu'aucune chair ne se glorifie[l]». Donc, si les biens reçus en chemin constituent les mérites, comme aussi ceux de la patrie sont le salut et la vie, et si l'affirmation de David est exacte : «Il n'en est pas un qui fasse

et 3 fois, comme ici, le texte de l'Introït «Salus populi» du XIXe dimanche après la Pentecôte, ainsi que du 3e jeudi de Carême (Graduel cistercien).

non est usque ad unum[m], illum videlicet unum de quo item dicitur : *Nemo bonus, nisi solus Deus*[n], Dei sunt procul dubio munera tam nostra opera quam eius praemia, et qui se fecit debitorem in illis, fecit et nos promeritores
25 ex his. Ad quae tamen condenda merita dignatur sibi adhibere creaturarum ministeria, non quibus egeat, sed quibus per hoc vel de quibus prosit.

De triplici operatione Dei, prima scilicet per quam et sine qua, secunda contra quam, tertia cum qua operatur

44. Operatur ergo illorum salutem, *quorum nomina sunt in libro vitae*[o], aliquando per creaturam sine ipsa, aliquando per creaturam contra ipsam, aliquando per creaturam cum ipsa. Multa profecto fiunt hominibus salubria
5 per insensibilem, et item per irrationalem creaturam, quae idcirco dixi fieri sine ipsa, quod non queat, intellectu carens, esse vel conscia. Multa quoque multorum saluti utilia facit Deus per malos, sive homines, sive angelos, sed quoniam invitos, ideo contra ipsos. Nam dum nocere
10 cupientes iuvant, quantum aliis valet utilis actio, tantum ipsis perversa nocet intentio. Porro per quos et cum

m. Ps. 13, 1 || n. Lc 18, 19
44. o. Phil. 4, 3

---

1. « Non est usque ad unum » : Aug., *In Psalm.* 13, 2 (*CCL* 38, p. 86, l. 11-20), note que ces mots peuvent être compris, soit : « pas même un seul » (ce qui est l'interprétation courante), soit : « sauf un seul » ou « jusqu'à un seul » (le Christ). Cassiodore (*In Psalm.* 13, 1, *CCL* 97, p. 127, l. 47-51) préfère ce dernier sens. Bernard, qui le plus souvent comprend : « pas même un seul », penche ici pour le sens positif : le « seul », c'est le Christ. Il marque par ce verset l'opposition entre l'universalité des hommes et le Christ (cf. *SCt* 48, 4, *SBO* II, 69 : le Fils Unique), ailleurs entre elle et Dieu (*Assp* 5, 9, *SBO* V, 257), et même les saints (*Div* 74, *SBO* VI-1, 313).

le bien, pas un, sinon un seul[m] [1]», – à savoir ce «seul» dont il est dit de même : «Nul n'est bon sinon Dieu seul[n]» –, c'est que, sans aucun doute, nos œuvres bonnes aussi bien que les récompenses divines sont des dons de Dieu. Ainsi Dieu, qui s'est fait débiteur en ses récompenses, nous a fait aussi acquéreurs par le mérite de nos œuvres. Et cependant, pour fonder ces mérites, il daigne s'adjoindre le service des créatures, non qu'il ait besoin d'elles, mais parce que, par là, il leur fait du bien ou fait du bien en se servant d'elles.

Dieu œuvre d'une triple façon : premièrement, par la créature et sans elle ; deuxièmement contre elle ; troisièmement, avec elle

44. Dieu opère donc le salut de ceux «dont les noms sont dans le livre de vie[o]», tantôt par la créature et sans elle ; tantôt par elle et contre elle ; tantôt par elle et avec elle. Nombre de bienfaits arrivent aux hommes, c'est certain, par la créature insensible, et de même par la créature sans raison, aussi ai-je dit qu'ils adviennent sans elle : dépourvue d'intelligence, elle ne peut pas même en être consciente. Dieu fait également nombre de choses utiles au salut de beaucoup par des êtres mauvais[2], que ce soit des hommes ou des anges, mais parce que c'est malgré eux, c'est contre eux. En effet, tandis que, désireux de nuire, ils aident, autant leur action est susceptible d'être utile aux autres, autant leur intention perverse leur

2. Cf. AUG., *Grat.*, 20, 41 (*BA* 24, p. 189) ; *Enchir.*, 26, 101 (*BA* 9, p. 287) : «En effet, Dieu réalise certaines de ses volontés bonnes sans nul doute, par les volontés mauvaises des méchants : c'est ainsi que par la malveillance des Juifs, en vertu de la volonté bonne du Père, le Christ a été mis à mort pour nous.»

quibus operatur Deus, boni sunt angeli vel homines, qui quod vult Deus, et agunt pariter, et volunt. Qui enim bono, quod opere complent, voluntate consentiunt, opus
15 omnino quod per eos Deus explicat, ipsis communicat.
198 Unde Paulus, cum bona plurima, quae Deus per ipsum fecerat, enarrasset : *Non autem ego,* ait, *sed gratia Dei mecum*[p]. Potuit dicere « per me », sed quia minus erat, maluit dicere *mecum* praesumens se non solum operis
20 esse ministrum per effectum, sed et operantis quodammodo socium per consensum.

45. Videamus secundum triplicem Dei operationem, quam posuimus, quid creatura quaeque pro suo ministerio mereatur. Et illa quidem, per quam et sine qua fit quod fit, quid mereri potest? Quid illa contra quam fit,
5 nisi iram? Quid et cum qua fit, nisi gratiam?

Quid unaquaeque creatura mereatur

In prima itaque nulla, in sequenti mala, in ultima bona merita conquiruntur. Nec enim pecudes, cum per eas bonum aut malum quodcumque fit, boni quippiam
10 merentur aut mali : non habent quippe unde bono malove consentiant, multo autem minus lapides, cum nec sentiant. Ceterum diabolus vel homo malus, cum vigeant et vigilent ratione, iam quidem merentur, sed non nisi poenam, pro eo quod a bono dissentiant. Paulus autem
15 qui *volens evangelizat,* ne, *si invitus, dispensatio* tantum ei *credita* sit[q], et quicumque similiter sapiunt, quoniam

p. I Cor. 15, 10 ≠
45. q. I Cor. 9, 16-17 ≠

1. A propos de *I Cor.* 15, 10, cf. AUG., *Grat.,* 5, 12 (*BA* 24, p. 119); GRÉGOIRE LE GRAND, *Morales sur Job,* 16, 25, 30 (*SC* 221, p. 183).

nuit à eux-mêmes. Enfin, ceux par qui et avec qui Dieu œuvre, ce sont les êtres bons, les anges ou les hommes, qui à la fois exécutent et veulent ce que Dieu veut. En effet, comme par la volonté ils consentent au bien qu'ils accomplissent par l'œuvre qu'ils font, Dieu les fait pleinement participants de cette œuvre que, par eux, il déploie. C'est pourquoi, même après avoir relaté les innombrables bonnes choses que Dieu avait faites par lui, Paul déclare : « Mais ce n'est pas moi, c'est la grâce de Dieu avec moi[p]. » Il aurait pu dire « par moi », mais parce que ç'aurait été trop peu, il préféra dire « avec moi »[24], présumant être non seulement le serviteur de l'œuvre par la réalisation, mais même, d'une certaine manière, l'associé du maître d'œuvre par le consentement.

45. Examinons, d'après la triple opération de Dieu que nous avons exposée, ce que chaque créature mérite pour son service. A la vérité, quand ce qui s'est effectué s'est effectué par elle, mais sans elle, que peut-elle mériter? Quand cela s'est effectué contre elle, que mérite-t-elle sinon la colère? Et quand cela s'est effectué avec elle, mérite-t-elle autre chose que la grâce?

Ce que mérite chaque créature

C'est pourquoi la première n'acquiert aucun mérite, la suivante des démérites, la dernière les vrais mérites. En effet, les bêtes ne méritent rien en bien ou en mal quand arrive par elles du bien ou du mal, car elles n'ont pas le moyen de consentir au bien ou au mal; et les pierres bien moins encore, puisqu'elles ne sentent pas. Mais le diable ou l'homme mauvais, étant donné la vigueur et l'éveil de leur raison, méritent alors, mais rien d'autre que le châtiment, parce qu'ils s'opposent au bien. Paul, lui, « évangélise volontairement, car si c'était malgré lui, il craindrait de ne faire que s'acquitter d'une charge[q]. »

quidem ex consensu voluntatis oboediunt, *repositam sibi esse* confidunt *coronam iustitiae*[r].

Utitur ergo Deus in salutem suorum irrationabili, et item 20 insensibili creatura, tamquam iumento vel instrumento, quae iam, expleto opere, nusquam erunt. Utitur creatura rationali, sed malevola, quasi virga disciplinae, quam, correpto filio, in ignem proiciet[s] tamquam sarmentum inutile. Utitur angelis et hominibus bonae voluntatis, tamquam com-25 militonibus et coadiutoribus suis, quos, peracta victoria, amplissime munerabit. Denique et Paulus de se suique similibus audacter pronuntiat : *Coadiutores enim Dei sumus*[t]. Ibi itaque Deus homini merita benigne constituit, ubi per ipsum, et cum ipso, boni quippiam operari 30 dignanter instituit. Hinc *coadiutores Dei*[u], cooperatores Spiritus Sancti, promeritores regni nos esse praesumimus, quod per consensum utique voluntarium divinae voluntati coniungimur.

r. II Tim. 4, 8 ≠ || s. Cf. Ex. 4, 3; 7, 9-12; cf. Prov. 29, 15; cf. Hébr. 12, 6-7 || t. I Cor. 3, 9 ≠ || u. I Cor. 3, 9 ≠

---

1. ** Bernard utilise ici le mot *coadiutor* dans une citation expresse de Paul alors que la Vulgate porte *adiutores* («aides»). Jérôme emploie *cooperatores* («qui travaillent avec»), Ambroise *cooperarii* (même sens) pour ce verset. A travers toutes leurs œuvres, Grégoire le Grand et Augustin n'utilisent jamais ce mot pour ce texte paulinien (mot très rare chez le premier, totalement absent chez le second). Pour notre verset, Grégoire emploie *adiutores*; Augustin, *cooperatores* et, une fois, *cooperarii* (*Thesauri* du CETEDOC); Bernard n'emploie jamais *adiutores*. Bien plus, sur 19 emplois de *coadiutor* dans le corpus bernardin, 16 se réfèrent à *I Cor.* 3, 9 (2 autres citations, 13 allusions); dans ce contexte final du *Gra,* on en comptabilise 5 occurrences : ici même; *supra* l. 24; *infra* l. 29; enfin *infra,* § 51, l. 22 (2 fois). Par ailleurs, Bernard accumule autour de ces *coadiutores* les mots de sens voisin : 1 *promeritores* en cette fin du § 45 et 2 autres à côté des 2 *coadiutorem* du § 51 (*promeritor* se trouve 5 fois dans Bernard; un 4e en *Gra* 43; le 5e dans *Ep* 73, 2 (*SBO* VII, 180, l. 12); forgé sur *promereo(r),* le sens peut être

Et tous ceux qui sont dans cette même disposition ont confiance que «la couronne de justice leur a été réservée[r]» parce que leur obéissance provient du consentement de la volonté.

Donc, pour le salut des siens, Dieu se sert de la créature sans raison et même insensible comme d'une bête de somme ou d'un instrument qui, une fois l'œuvre achevée, disparaîtront. Il se sert de la créature raisonnable, mais malveillante, comme d'une verge de correction : le fils corrigé, il la jettera[s] au feu comme un sarment inutile. Il se sert des anges et des hommes de bonne volonté comme s'ils étaient ses compagnons d'armes et ses coadjuteurs : la victoire remportée, il les récompensera très largement. Enfin, Paul encore, déclare hardiment de lui et de ses semblables : «Nous sommes les coadjuteurs de Dieu[t1].» Ainsi Dieu, dans sa bonté, constitue des mérites pour l'homme là où, dans sa condescendance, il institue qu'il fera du bien par lui et avec lui. C'est pourquoi, nous présumons être «les coadjuteurs de Dieu[u]», les coopérateurs du Saint-Esprit, les acquéreurs méritants du royaume parce que, par un consentement bel et bien volontaire, nous sommes unis à la volonté divine.

«celui qui a un véritable mérite»; il paraît n'appartenir qu'à Bernard; totalement absent d'Augustin et de Grégoire le Grand); 1 *commilitones* (fin du § 45, compagnon de lutte), 1 *cooperatores* (fin du § 45), 2 *consors* (§ 51, participant). – Ainsi, dès l'époque de la composition de *Gra,* Bernard paraît choisir pour ce verset un mot nouveau, en tant que traduction du moins : *coadiutor* résulte de la fusion du *adiutor* de la Vulgate avec le préfixe *co-*, qui calque le préfixe grec de *συν-εϱγοί* et qui était inclus dans les mots *cooperatores, cooperarii* des Vieilles Latines. C'est que *adiutor* risquerait d'évoquer «un aide», au rôle imprécis et très second, interprétable en un sens fataliste; *cooperatores* et *cooperarii,* à l'opposé, semblent mettre l'homme sur le même pied que Dieu. Coadjuteur peut exprimer cette vraie responsabilité en second, mystérieuse, que tend à situer le traité.

199 **XIV. 46.** Quid igitur? Hoc ergo totum liberi arbitrii opus, hoc solum eius est meritum quod consentit? Est prorsus. Non quidem quod vel ipse consensus, in quo omne meritum consistit, ab ipso sit, cum *nec cogitare,* 5 quod minus est quam consentire, *aliquid a nobis quasi ex nobis sufficientes simus*[v].

Quod bona cogitatio a Deo sit, consensus vero et opus ab eodem nihilominus, sed non sine nobis

10 Verba sunt non mea, sed Apostoli, qui omne quod boni potest esse, id est *cogitare, et velle, et perficere pro bona voluntate*[w], attribuit Deo, non suo arbitrio. Si ergo Deus tria haec, hoc est bonum cogitare, velle, perficere, operatur in nobis, primum profecto sine nobis, secundum 15 nobiscum, tertium per nos facit. Siquidem immittendo bonam cogitationem, nos praevenit; immutando etiam malam voluntatem, sibi per consensum iungit; ministrando et consensui facultatem vel facilitatem, foris per apertum opus nostrum internus opifex innotescit. Sane ipsi nos 20 praevenire nequaquam possumus. Qui autem bonum neminem invenit, neminem salvat, quem non praevenit. A Deo ergo sine dubio nostrae fit salutis exordium, nec per nos utique, nec nobiscum. Verum consensus et opus, etsi non ex nobis, non iam tamen sine nobis.

46. v. II Cor. 3, 5 ≠ || w. Phil. 2, 13 ≠; cf. II Cor. 3, 5; cf. Rom. 7, 18

1. Cf. AUG., *Grat.* 17, 33, (*BA* 24, p. 166) : « Ut ergo velimus, sine nobis operatur », « pour que nous voulions, il opère sans nous » ; GRÉGOIRE LE GRAND, *Morales sur Job*, 16, 15, 30 (*SC* 221, p. 183, l. 13-17). – Bernard développe le jeu des prépositions amorcé par Augustin et Grégoire et le poursuit jusqu'au § 49 pour découvrir dans la *re-formatio* la seule occasion de mériter. Au § 46 : sans nous, avec nous,

XIV. 46. Quoi donc? Est-ce là toute l'œuvre du libre arbitre, est-ce là son seul mérite : consentir? Oui, bien sûr. Ce n'est certes pas que le consentement lui-même, en quoi consiste tout le mérite, soit de lui, puisque « nous ne parvenons même pas à penser quelque chose par nous-mêmes comme venant de nous-mêmes[v] » – ce qui est moindre que consentir.

La bonne pensée est de Dieu; le consentement et l'œuvre sont tout autant de lui, mais pas sans nous

Ce ne sont pas là mes paroles, mais celles de l'Apôtre qui attribue à Dieu, non à son propre arbitre, tout ce qui peut exister de bon : « penser, et vouloir et accomplir selon son bienveillant dessein[w]. » Par conséquent, si Dieu opère en nous ces trois choses, c'est-à-dire penser, vouloir et accomplir le bien, il fait la première sans nous, la seconde avec nous et la troisième par nous[1]. Car, en nous envoyant une bonne pensée, il nous pré-vient; en changeant aussi notre volonté mauvaise, il se l'unit par le consentement; et en octroyant au consentement la faculté ou la facilité, l'Ouvrier du dedans se fait connaître au-dehors par notre agir extérieur. Bien certainement, nous ne pouvons, en aucune manière, nous pré-venir nous-mêmes. Mais celui qui ne trouve personne qui soit bon, ne sauve personne sans l'avoir pré-venu. C'est donc par Dieu, sans aucun doute, que le commencement de notre salut s'opère, ce n'est en tout cas ni par nous ni avec nous. Mais le consentement et l'œuvre salutaire, même s'ils ne viennent pas de nous, ne se font cependant plus sans nous.

par nous; § 47 : au-dedans de nous et avec nous; § 49 : à partir de nous ou même en nous, mais non par nous; et encore, § 49 : si la création s'est faite sans nous, la re-formation s'effectue avec nous.

25 *Absque bona voluntate nec consensum, nec opus perficere*

Nec primum itaque, in quo quippe nos nil facimus, nec ultimum, quod et plerumque extorquet aut timor inutilis, aut simulatio damnabilis, sed tantum medium nobis 30 reputatur in meritum. Sola nempe interdum bona voluntas sufficit; cetera non prosunt, si sola defuerit. Non prosunt dixerim, sed agenti, non cernenti. Valet itaque intentio ad meritum, actio ad exemplum, utramque praeveniens cogitatio tantummodo ad excitandum.

47. Cavendum ergo, ne cum haec invisibiliter intra nos ac nobiscum actitari sentimus, aut nostrae voluntati attribuamus, quae infirma est, aut Dei necessitati, quae nulla est, sed soli gratiae, qua plenus est. Ipsa liberum excitat 5 arbitrium, cum seminat cogitatum; sanat, cum mutat affectum; roborat, ut perducat ad actum; servat, ne sentiat defectum. 200 Sic autem ista cum libero arbitrio operatur, ut tantum in primo illud praeveniat, in ceteris comitetur, ad hoc utique praeveniens, ut iam sibi deinceps cooperentur. Ita 10 tamen quod a sola gratia coeptum est, pariter ab utroque perficitur, ut mixtim, non singillatim, simul, non vicissim, per singulos profectus operentur. Non partim gratia, partim liberum arbitrium, sed totum singula opere individuo peragunt : totum quidem hoc, et totum illa, sed ut totum in 15 illo, sic totum ex illa.

1. Cf. *Asc* 4, 2 (*SBO* V, 138, l. 18-20). Cf. ISAAC DE L'ÉTOILE, *Sermon* 25, 1 (*SC* 207, p. 114).

2. Nous avons ici la même dynamique que précédemment (§ 46) : pensée, volonté, acte. Mais *voluntatem* est remplacé par *affectum* car Bernard se contraint à des consonances en *-um*. – Cf. J. MOUROUX, *Sens chrétien de l'homme*, Aubier-Paris 1953, p. 183-184, n. 2-3. L'auteur lie volonté, amour, liberté; il cite, en ce sens, Bergson, Lavelle, S. Thomas d'Aquin qui «appelait encore couramment la volonté *affectus.*»

3. «Cooperentur» (Farkasfalvy) au lieu de «cooperetur» (proposé par Dom Leclercq dans ses corrections) : tous les mss.

Sans la volonté bonne, il n'y a ni consentement ni œuvre à son terme

Aussi n'est-ce pas la première démarche, où, effectivement, nous ne faisons rien, ni la dernière – bien souvent, en effet, une crainte vaine ou une simulation condamnable nous l'arrache –, mais seulement celle du milieu qui nous est comptée comme mérite. Parfois certes, à elle seule, la volonté bonne suffit; tout le reste est inutile si elle seule vient à manquer. Inutile, dirais-je, à qui pose l'acte, mais non à qui en est témoin. Ainsi, l'intention vaut-elle pour le mérite; l'action pour l'exemple; les prévenant toutes deux, la bonne pensée ne sert qu'à les éveiller.

47. Il faut donc prendre garde, lorsque nous sentons ce qui se joue invisiblement au-dedans de nous et avec nous, de ne pas l'attribuer à notre volonté qui est faible, ni à une nécessité qui serait en Dieu, car il n'y en a aucune[1], mais à la seule grâce dont il déborde. C'est elle, en effet, qui éveille le libre arbitre quand elle sème une pensée, le guérit quand elle change la disposition[2], le fortifie pour qu'il parvienne à l'acte, le garde pour qu'il ne sente pas de défaillance.

Et voici comment la grâce œuvre avec le libre arbitre : elle ne le prévient qu'au début et l'accompagne pour le reste, le prévenant précisément pour que, dès lors, aussitôt ils coopèrent[3]. Ainsi ce qui a été commencé par la grâce seule ne s'en achève pas moins avec, en même temps, le concours de l'un et de l'autre : aussi est-ce conjoints et non pas séparés, ensemble et non pas tour à tour, qu'ils opèrent une à une les étapes de leurs progressions. Ce n'est pas en partie la grâce, en partie le libre arbitre, mais ils font l'œuvre tout entière par une seule opération indivise : lui, certes, la fait tout entière, et elle la fait tout entière, mais comme elle la fait tout entière en lui, il la fait tout entière par elle.

48. Credimus placere lectori, quod a sensu Apostoli nusquam recedimus, et quaquaversum evagetur oratio, in eadem paene ipsius verba frequenter recidimus. Quid enim nostra aliud sonant quam illud : *Ergo neque volentis, neque currentis, sed miserentis est Dei*[x]? Quod sane non 5 ideo dicit, quasi quis velle aut currere possit in vanum, sed quod is qui vult et currit, non in se, sed in eo, a quo accepit et velle[y] et currere, debeat gloriari. Denique ait : *Quid habes quod non accepisti*[z]*?*

De triplici Dei operatione, 10 quarum prima creatio est, secunda reformatio, tertia consummatio

Crearis, sanaris, salvaris. Quid horum tibi ex te, o homo? Quid horum non impossibile libero arbitrio? Nec creare 15 qui non eras nec iustificare peccator, nec mortuus poteras teipsum resuscitare, ut cetera praetermittam bona, quae aut sanandis necessaria sunt, aut salvandis reposita.

Quod dicimus, de primo patet et ultimo. Sed et de medio nemo dubitat, nisi qui *ignorans Dei iustitiam et* 20 *suam* volens constituere, *iustitiae Dei non est subiectus*[a]. Quid enim? Agnoscis creantis potentiam, salvantis gloriam, et sanantis ignoras iustitiam? *Sana me,* ait, *et sanabor; salvum me fac, et salvus ero, quoniam laus mea tu es*[b]. Iste Dei iustitiam agnoscebat, a quo aeque sperabat, tam

48. x. Rom. 9, 16 ≠ ‖ y. Cf. Gal. 2, 2 ‖ z. I Cor. 4, 7 ‖ a. Rom. 10, 3 ≠ ‖ b. Jér. 17, 14 ≠

---

1. Le *capitulum* a été corrigé. Il disait par erreur : *formatio* (cf. § 49, etc.).
2. Cf. Aug. *Serm.* 169, 13 (*PL* 38, 923).

48. Nous croyons plaire au lecteur en ne nous écartant aucunement de la pensée de l'Apôtre : où que s'égare l'exposé, nous retombons presque toujours dans ses propres expressions. Les nôtres font-elles entendre autre chose que ceci : « Ce n'est donc au pouvoir ni de celui qui veut ni de celui qui court, mais de Dieu qui fait miséricorde[x] » ? Bien certainement, il ne dit pas cela comme si quelqu'un pouvait vouloir ou courir en vain[y], mais parce que celui qui veut et court doit se glorifier non en lui-même, mais en celui de qui il a reçu à la fois de vouloir et de courir. Car finalement, il dit : « Qu'as-tu que tu n'aies reçu[z] ? »

Les trois œuvres de Dieu : la première, la création ; la seconde, la re-formation[1] ; la troisième, la perfection consommée

Tu es créé, tu es guéri, tu es sauvé. De tout cela qui est pour toi, qu'est-ce qui provient de toi, ô homme ? Rien de tout cela est-il possible au libre arbitre ? Tu ne pouvais te créer, toi qui n'existais pas ; ni, pécheur, te justifier[2] ; ni, mort, te ressusciter toi-même. Sans parler des autres biens, les uns nécessaires à qui doit être guéri, les autres réservés à qui doit être sauvé.

Ce que nous disons est évident dans le premier et le dernier cas. Quant à celui du milieu, personne n'en doute non plus, sinon celui qui, « méconnaissant la justice de Dieu » et voulant établir « la sienne propre, n'est pas soumis à la justice de Dieu[a] ». Quoi donc ? Tu reconnais la puissance du Créateur, la gloire du Sauveur, et tu méconnais la justice de celui qui guérit ? « Guéris-moi, dit-il, et je serai guéri, sauve-moi et je serai sauvé, car tu es ma louange[b]. » Il la reconnaissait, celui-là, la justice de Dieu et il mettait également en Dieu son espérance,

25 sanari a peccato quam a miseria liberari; et ideo laudem illum suam, non se, merito statuebat. Propter hoc et David ingeminans : *Non nobis,* inquit, *Domine, non nobis, sed nomini tuo da gloriam*[c], quod utramque a Deo stolam, et iustitiae scilicet exspectaret, et gloriae[d].

30 *Qui seipsum iustificat, Dei iustitiam ignorat*

201 Quis est qui ignorat Dei iustitiam? Qui seipsum iustificat[e]. Quis est qui seipsum iustificat? Qui merita sibi aliunde praesumit quam a gratia. Ceterum qui fecit quod salvaret, etiam dat unde salvet. Ipse, inquam, merita donat, 35 qui fecit quibus donaret. *Quid retribuam,* inquit, *Domino, pro omnibus,* non «quae tribuit», sed *quae retribuit mihi?*[f] Et quod est, et quod iustus est, a Deo confitetur, ne, si utrumlibet negaret, utrumque perderet, amittendo utique unde iustus est, et sic damnando quod est. Sed si vel 40 tertio loco invenit quod vicissim rependeret : *Calicem,* ait, *salutaris accipiam*[f]. Calix salutaris, sanguis est Salvatoris. Ergo si deest tibi omnino de tuo, quod vel secundis Dei donis retribuas, unde tibi salutem praesumis? *Nomen,* inquit, *Domini invocabo*[g], quod nimirum *quicumque invo-* 45 *caverit, salvus erit*[h].

49. Igitur qui recte sapiunt, triplicem confitentur operationem, non quidem liberi arbitrii, sed divinae gratiae in ipso, sive de ipso : prima, creatio; secunda, reformatio;

c. Ps. 113, 9 || d. Cf. Gen. 45, 22; cf. Sir. 45, 9 || e. Cf. Rom. 10, 3 || f. Ps. 115, 3 || g. Ps. 115, 4 || h. Act. 2, 21 ≠

1. Cf. AUG. *Serm.* 131, 5 (*PL* 38, 731) : «Ubi superbis, ibi quod acceperas perdis», «Là où tu fais l'orgueilleux, là aussi tu perds ce que tu as reçu.»

2. Nous n'avons pas retenu la leçon «rependeret?» proposée par Farkasfalvy : *A, Ct, Ca, B* ont un point d'interrogation; *F* et *M* n'en ont pas; *W* s'arrête au § 47 (cf. *SBO* III, 199).

tant pour être guéri du péché que pour être affranchi de la misère. Voilà pourquoi, à juste titre, il considérait Dieu comme sa louange – non lui-même. Pour cette raison, David aussi dit deux fois : « Non pas à nous, Seigneur, non pas à nous, mais à ton nom rapporte la gloire[c] », car les deux robes, celle de la justice puis celle de la gloire[d], il les attendait de Dieu.

Celui qui se justifie lui-même méconnaît la justice de Dieu

Quel est celui qui méconnaît la justice de Dieu ? Celui qui se justifie lui-même[e]. Quel est celui qui se justifie lui-même ? Celui qui s'attribue des mérites venant d'ailleurs que de la grâce. Or celui qui a créé ce qu'il allait sauver pourvoit au moyen de le sauver. Oui, celui qui donne des mérites est aussi celui qui a créé ceux auxquels il les donnerait. « Que rendrai-je au Seigneur, dit-il, pour tous les biens », non pas : « qu'il m'a donnés », mais : « qu'il m'a rendus[f] ? » Exister et être juste, il confesse tenir l'un et l'autre de Dieu. S'il niait l'un ou l'autre, il craindrait de perdre les deux[1] en abandonnant la source de sa justice et en condamnant ainsi ce qu'il est. Mais si du moins il a trouvé en troisième lieu de quoi payer en retour, il dit[2] : « Je prendrai le calice du salut[f]. » Le calice du salut, c'est le sang du Sauveur. Donc si tu n'as absolument pas en toi de quoi faire retour à Dieu, du moins pour ses deuxièmes dons, d'où vient que tu te promettes pour toi le salut ? « J'invoquerai le nom du Seigneur[g] », dit-il, parce que, incontestablement, « quiconque l'invoquera sera sauvé[h] ».

49. Les hommes vraiment sages confessent donc une triple opération, non pas du libre arbitre, mais de la grâce divine en lui ou à partir de lui : la première est la création ; la deuxième, la re-formation ; la troisième, l'état

tertia est consummatio. Primo namque *in Christo creati*[i]
5 in libertatem voluntatis, secundo reformamur per Christum in spiritum libertatis[j], cum Christo deinde consummandi in statum aeternitatis. Siquidem quod non erat, in illo creari oportuit qui erat[k], per formam reformari deformem, membra non perfici nisi cum capite. Quod utique tunc
10 complebitur, cum *omnes occurrerimus in virum perfectum, in mensuram aetatis plenitudinis Christi*[l], quando, *apparente Christo vita nostra, apparebimus et nos cum ipso in gloria*[m]. Cum igitur consummatio fieri habeat de nobis, sive etiam in nobis, non autem a nobis, creatio vero facta
15 sit et sine nobis, sola, quae nobiscum quodammodo fit propter consensum voluntarium nostrum, in merita nobis reputabitur reformatio.

De intentione, affectione et memoria

Ipsa sunt ieiunia nostra, vigiliae, continentia et opera
20 misericordiae ceteraque virtutum exercitia, per quae utique constat *interiorem nostrum hominem renovari de die in*
202 *diem*[n], dum et intentio terrenis incurvata curis, de imis paulatim ad superna resurgit, et affectio circa carnis desideria languens, sensim in amorem spiritus convalescit, et
25 memoria veterum operum turpitudine sordens, novis

49. i. Éphés. 2, 10 ≠ || j. Cf. II Cor. 3, 17-18 || k. Cf. Jn 1, 3 || l. Éphés. 4, 13 ≠ || m. Col. 3, 4 ≠ || n. II Cor. 4, 16 ≠

---

1. Expression bernardine forgée à partir de *II Cor.* 3, 17. Cf. A. DIMIER, «Pour la fiche *Spiritus libertatis*», *Revue du moyen âge latin*, 3 (1947), p. 56-60.

2. * Ce thème des «œuvres de miséricorde» (*Matth.* 25, 35-36 et 26, 10) est extrêmement répandu dans la première moitié du XIIe siècle, en particulier sous la plume des maîtres des écoles urbaines et des chanoines réguliers. Les *sex opera misericordiae* apparaissent souvent dans les commentaires bibliques inspirés par Anselme de Laon, et en particulier à propos des six ailes des animaux de *Apoc.* 4, 8 (voir aussi les *Enarrationes in Matthaeum* du Ps.-ANSELME, *PL* 162, 1249 A).

de perfection consommée. En effet, d'abord «créés dans le Christ[i]» pour parvenir à la liberté de la volonté, nous sommes en second lieu re-formés par le Christ pour parvenir à l'esprit de liberté[j][1]; puis avec le Christ, nous parviendrons à la perfection consommée, dans l'état qui sera le nôtre pour l'éternité. Il a fallu, en effet, que ce qui n'existait pas soit créé en Celui qui existait[k]; que, par la forme, soit re-formé ce qui était déformé; que les membres n'atteignent la perfection qu'avec la tête. Alors, cela s'accomplira bel et bien quand «nous aurons tous atteint l'état d'homme parfait, à la mesure de l'âge de la plénitude du Christ[l]», lorsque «le Christ, notre vie, apparaissant, nous apparaîtrons nous aussi avec lui dans la gloire[m].» Donc, puisque la consommation doit se faire à partir de nous ou même en nous, mais non par nous, puisque la création, au contraire, s'est faite même sans nous, seule, l'œuvre qui se fait d'une certaine manière avec nous en raison de notre consentement volontaire – la re-formation – nous sera comptée à mérites.

L'intention, l'affection, la mémoire

Ces mérites, ce sont nos jeûnes, nos veilles, la continence, les œuvres de miséricorde[2] et tous les autres exercices des vertus par lesquels, c'est tout à fait certain, «notre homme intérieur se renouvelle de jour en jour[n]». Dès lors, l'intention, courbée par les soucis terrestres, se redresse: du plus bas, peu à peu, elle s'élève aux choses d'en haut; l'affection, affaiblie dans les désirs de la chair, insensiblement[3] se rétablit dans l'amour spirituel; la mémoire, souillée par la turpitude des vieilles œuvres[4], retrouve la

3. *Paulatim... sensim,* cf. ci-dessus § 12, les mêmes adverbes employés dans le même ordre sur le même sujet de la rénovation intérieure; cf. *Dil* 39.

4. Expression décalquée sur *vetus homo* de *Éphés.* 4, 22.

bonisque actibus candidata in dies hilarescit. In his nempe tribus interior renovatio consistit, rectitudine scilicet intentionis, puritate affectionis, recordatione bonae operationis, per quam bene sibi conscia memoria enitescit.

50. Verum haec cum certum sit divino in nobis actitari Spiritu, Dei sunt munera ; quia vero cum nostrae voluntatis assensu, nostra sunt merita. *Non enim vos estis,* ait, *qui loquimini, sed Spiritus Patris vestri qui loquitur in* 5 *vobis*[o] ; et Apostolus : *An experimentum quaeritis,* inquit, *eius qui in me loquitur Christus*[p] *?* Si ergo Christus vel Spiritus Sanctus loquitur in Paulo, non etiam itidem operatur in ipso? Non enim loquor, ait, quae per me non efficit Deus[q]. Quid igitur? Si non Pauli, sed Dei loquentis 10 in Paulo vel operantis per Paulum, et verba sunt et opera, ubi iam Pauli merita? Ubi est quod tam fidenter aiebat : *Bonum certamen certavi, cursum consummavi, fidem servavi; de reliquo reposita est mihi corona iustitiae, quam reddet mihi Dominus in illa die iustus* 15 *iudex*[r] *?* An in eo forte confidit sibi coronam esse repositam, quod per ipsum illa fiebant? Sed multa per malos, sive angelos, sive homines, fiunt bona, nec tamen reputantur illis in merita. An quia potius et cum ipso, hoc est cum eius bona voluntate, fiebant? *Nam si invitus,* 20 inquit, *evangelizavero, dispensatio mihi credita est; si autem volens, gloria est mihi*[s].

51. Ceterum si vel ipsa voluntas, de qua omne meritum pendet, ab ipso Paulo non est, quo pacto eam quam sibi

50. o. Matth. 10, 20 || p. II Cor. 13, 3 ≠ || q. Cf. Rom. 15, 18 || r. II Tim. 4, 7-8 ≠ || s. I Cor. 9, 16-17 ≠

blancheur d'actes nouveaux et bons : elle est de jour en jour plus joyeuse. La rénovation intérieure consiste, en effet, en ces trois choses : la droiture de l'intention, la pureté de l'affection, le souvenir des bonnes actions, grâce auquel la mémoire, ayant bonne conscience, devient lumineuse.

50. Et puisqu'il est certain que tout cela se joue en nous par l'Esprit divin, ce sont là des dons de Dieu ; mais, parce que c'est avec l'assentiment de notre volonté, ce sont nos mérites. « Ce n'est pas vous qui parlez, dit-il, mais c'est l'Esprit de votre Père qui parle en vous[o] » ; et l'Apôtre : « Voulez-vous la preuve, dit-il, que le Christ parle en moi ?[p] » Si donc le Christ ou l'Esprit-Saint parle en Paul, n'œuvre-t-il pas aussi pareillement en lui ? En effet, dit-il, je ne parle pas de ce que Dieu ne fait pas par moi[q]. Quoi donc ? Si les paroles aussi bien que les œuvres de Paul ne sont pas de Paul, mais de Dieu parlant ou faisant son œuvre par Paul, où sont alors les mérites de Paul ? Où est donc ce qu'il disait avec tant de confiance : « J'ai combattu le bon combat, j'ai achevé ma course, j'ai gardé la foi. Il me reste à recevoir la couronne de justice qui m'est réservée et que le Seigneur, le juste juge, me rendra en ce jour-là[r] » ? Peut-être a-t-il confiance que la couronne lui est réservée parce que tout se faisait par lui ? Mais nombre de bonnes choses adviennent par des êtres mauvais, que ce soit des anges ou des hommes ; elles ne leur sont pourtant pas comptées comme mérites. Ou bien est-ce plutôt parce que tout se faisait aussi avec lui, c'est-à-dire avec sa volonté bonne ? « Car, dit-il, si j'évangélise malgré moi, je ne fais que m'acquitter d'une charge ; mais si c'est volontairement, j'en aurai la gloire[s]. »

51. Mais si même la volonté d'où dépend tout le mérite ne vient pas de Paul, de quel droit, cette couronne qu'il prétend lui être réservée, la nomme-t-il couronne de

repositam praesumit, coronam vocat iustitiae[t]? An quoniam iuste, iam ex debito requiritur, quodcumque vel gratis
5 promittitur?

Quod corona quam Paulus exspectat, Dei iustitiae sit, non suae

Denique ait : *Scio cui credidi, et certus sum quia potens*
203 *est depositum meum servare*[u]. Dei promissum, suum
10 appellat depositum; quia credidit promittenti, fidenter promissum[v] repetit : promissum quidem ex misericordia, sed iam ex iustitia persolvendum. Est ergo quam Paulus exspectat, corona iustitiae[w], sed iustitiae Dei, non suae. Iustum quippe est ut reddat quod debet; debet autem
15 quod pollicitus est. Et haec est iustitia, de qua praesumit Apostolus, promissio Dei, ne si *hanc* contemnens, *suam velit statuere, iustitiae Dei non sit subiectus*[x], cuius tamen suae iustitiae Deus ipsum voluit habere consortem, ut et coronae faceret promeritorem. In eo enim sibi iustitiae
20 consortem, et coronae statuit promeritorem, cum operum, quibus illa erat repromissa corona, habere dignatus est coadiutorem. Porro coadiutorem[y] fecit, cum fecit volentem[z], hoc est suae voluntati consentientem. Itaque voluntas in auxilium, auxilium reputatur in meritum. Si
25 igitur a Deo voluntas est, et meritum. Nec dubium quod a *Deo* sit *et velle, et perficere pro bona voluntate*[a]. Deus ergo auctor est meriti, qui et voluntatem applicat operi,

51. t. Cf. II Tim. 4, 8 || u. II Tim. 1, 12 || v. Cf. Hébr. 11, 11 || w. Cf. II Tim. 4, 8 || x. Rom. 10, 3 ≠ || y. Cf. I Cor. 3, 9 || z. Cf. I Cor. 9, 17 || a. Phil. 2, 13 ≠

1. ** Cf. *supra,* p. 344, note 1.

2. Il ne s'agit pas, c'est bien évident, de volontarisme, mais de l'accomplissement de la liberté humaine qui trouve son bon plaisir dans la volonté de Dieu. La mystique bernardine est une mystique de la volonté, de ce qu'il y a de plus profond dans l'être. Le mariage spirituel, l'*unus spiritus* est dans l'unité des vouloirs (cf. *SCt* 1, 11, *SBO* I, 8, l. 1).

justice[t]? Est-ce parce qu'il est juste de réclamer désormais comme un dû, même ce qui a été gratuitement promis?

La couronne que Paul attend relève de la justice de Dieu, non de la sienne

Finalement, il dit: «Je sais en qui j'ai cru et qu'il est assez puissant pour garder mon dépôt[u].» Ce que Dieu a promis, voilà ce qu'il appelle mon dépôt. Parce qu'il a cru en celui qui a promis, il réclame avec confiance ce qui a été promis[v]. Car ce qui a été promis en vertu de la miséricorde, doit être maintenant acquitté en vertu de la justice. Donc ce que Paul attend, c'est la couronne de justice[w], mais de la justice de Dieu, non de la sienne. Il est juste, en effet, que Dieu rende ce qu'il doit; or il doit ce à quoi il s'est engagé. Et la justice à laquelle l'Apôtre prétend, c'est la promesse de Dieu. S'il la méprisait et «voulait établir la sienne propre, il craindrait de ne pas être soumis à la justice de Dieu[x]», lui que Dieu a pourtant voulu rendre participant de sa propre justice afin de le faire aussi «acquéreur méritant» de la couronne. C'est ainsi que Dieu a décidé de le faire participant de sa justice et «acquéreur méritant» de la couronne quand il a daigné l'avoir pour coadjuteur des œuvres auxquelles avait été promise la couronne. Par suite, Dieu a fait de lui son coadjuteur[y 1] quand il l'a rendu volontaire[z], c'est-à-dire consentant à sa propre volonté[2]. C'est pourquoi le bon vouloir est compté comme apport auxiliaire, l'apport auxiliaire comme mérite. Si donc le bon vouloir vient de Dieu, le mérite aussi. Et il n'y a pas de doute que viennent, «de Dieu, et de vouloir et d'accomplir selon son bienveillant dessein[a].» Dieu est donc l'auteur du mérite, car c'est lui qui applique la volonté à l'œuvre,

et opus explicat voluntati. Alioquin si proprie appellentur ea, quae dicimus nostra merita, spei sunt quaedam semi-
30 naria, caritatis incentiva, occultae praedestinationis indicia, futurae felicitatis praesagia, via regni, non causa regnandi. Denique *quos iustificavit*, non quos iustos invenit, *hos et magnificavit*[b].

b. Rom. 8, 30 (Patr.)

1. «Nostra merita» (Farkasfalvy) au lieu de «nostra, merita »: bien qu'on ne puisse pas toujours être sûr des virgules des mss, ils offrent tous dans ce cas précis un genre d'arrêt après *merita* mais aucun entre *nostra* et *merita*.

lui encore qui déploie l'œuvre offerte à la volonté. D'ailleurs, si on appelle de leurs propres noms ce que nous nommons nos mérites[1], ce sont des semences d'espérance, des stimulants de la charité, des indices de la prédestination cachée, des présages de la félicité à venir; ils sont le chemin du royaume, non un titre à la royauté. Bref, «ceux que Dieu a justifiés» – non pas ceux qu'il a trouvés justes –, «il les a aussi magnifiés[b2].»

2. ** Ici, comme en 8 autres endroits, Bernard utilise pour ce verset le *magnificavit* des Pères et de plusieurs manuscrits Vulgate, alors qu'en 4 autres endroits il écrit *glorificavit* avec la Vulgate.

INDEX

Les chiffres des colonnes de droite renvoient à la numérotation des paragraphes en chiffres arabes sans tenir compte des chiffres romains.

Dans les index scripturaires, les chiffres en caractères droits correspondent à des citations littérales et les chiffres en italique à des allusions bibliques.

L'AMOUR DE DIEU

Index scripturaire

Index des noms de personnes

Index thématique

LA GRÂCE ET LE LIBRE ARBITRE

INDEX SCRIPTURAIRE

Index des noms de personnes

Index thématique

TABLE DES MATIÈRES

TABLE DES MATIÈRES

L'AMOUR DE DIEU

LA GRÂCE ET LE LIBRE ARBITRE

INTRODUCTION

INDEX

SOURCES CHRÉTIENNES

Dans la liste qui suit, dite «liste alphabétique», tous les ouvrages sont rangés par nom d'auteur ancien, les numéros précisant pour chacun l'ordre de parution depuis le début de la collection. Pour une information plus complète, on peut se procurer deux autres listes au secrétariat de «Sources Chrétiennes» – 29, rue du Plat, 69002 Lyon (France) – Tél. : 78 37 27 08 :

1. la «liste numérique», qui présente les volumes et leurs auteurs actuels d'après les dates de publication; elle indique les réimpressions et les ouvrages momentanément épuisés ou dont la réédition est préparée.
2. la «liste thématique», qui présente les volumes d'après les centres d'intérêt et les genres littéraires : exégèse, dogme, histoire, correspondance, apologétique, etc.

LISTE ALPHABÉTIQUE (1-393)

SOUS PRESSE

ATHANASE D'ALEXANDRIE : **Vie de saint Antoine.** G. Bartelink.
ÉVAGRE LE PONTIQUE : **Scolies à l'Ecclésiaste.** P. Géhin.
JEAN CHRYSOSTOME : **L'égalité du Père et du Fils.** (hom. VII-XII, contre les anoméens). A.-M. Malingrey.
JONAS D'ORLÉANS : **L'Institution royale.** A. Dubreucq.
TERTULLIEN : **La Pudicité.** C. Micaelli, C. Munier.

PROCHAINES PUBLICATIONS

BASILE DE CÉSARÉE : **Homélies morales.** Tome I. P. Rouillard (†), M.-L. Guillaumin.
CÉSAIRE D'ARLES : **Œuvres monastiques.** Tome II. J. Coureau, A. de Vogüé.
GRÉGOIRE DE NAZIANZE : **Discours 6-12.** M.-A. Calvet.
Livre d'heures ancien du Sinaï. M. Ajjoub.

Également aux Éditions du Cerf :

LES ŒUVRES DE PHILON D'ALEXANDRIE
publiées sous la direction de
R. ARNALDEZ, C. MONDÉSERT, J. POUILLOUX.
Texte original et traduction française.

1. **Introduction générale, De opificio mundi.** R. Arnaldez.
2. **Legum allegoriae.** C. Mondésert.
3. **De cherubim.** J. Gorez.
4. **De sacrificiis Abelis et Caini.** A. Méasson.
5. **Quod deterius potiori insidiari soleat.** I. Feuer.
6. **De posteritate Caini.** R. Arnaldez.

7-8. **De gigantibus. Quod Deus sit immutabilis.** A. Mosès.

9. **De agricultura.** J. Pouilloux.
10. **De plantatione.** J. Pouilloux.

11-12. **De ebrietate. De sobrietate.** J. Gorez.

13. **De confusione linguarum.** J.-G. Kahn.
14. **De migratione Abrahami.** J. Cazeaux.
15. **Quis rerum divinarum heres sit.** M. Harl.
16. **De congressu eruditionis gratia.** M. Alexandre.
17. **De fuga et inventione.** E. Starobinski-Safran.
18. **De mutatione nominum.** R. Arnaldez.
19. **De somniis.** P. Savinel.
20. **De Abrahamo.** J. Gorez.
21. **De Iosepho.** J. Laporte.
22. **De vita Mosis.** R. Arnaldez, C. Mondésert, J. Pouilloux, P. Savinel.
23. **De Decalogo.** V. Nikiprowetzky.
24. **De specialibus legibus.** Livres I-II. S. Daniel.
25. **De specialibus legibus.** Livres III-IV. A. Mosès.
26. **De virtutibus.** R. Arnaldez, A.-M. Vérilhac, M.-R. Servel, P. Delobre.
27. **De praemiis et poenis. De exsecrationibus.** A. Beckaert.
28. **Quod omnis probus liber sit.** M. Petit.
29. **De vita contemplativa.** F. Daumas et P. Miquel.
30. **De aeternitate mundi.** R. Arnaldez et J. Pouilloux.
31. **In Flaccum.** A. Pelletier.
32. **Legatio ad Caium.** A. Pelletier.
33. **Quaestiones in Genesim et in Exodum. Fragmenta graeca.** F. Petit.

34 A. **Quaestiones in Genesim,** I-II (e vers. armen.). C. Mercier.
34 B. **Quaestiones in Genesim,** III-IV (e vers. armen.) Ch. Mercier et F. Petit.
34 C. **Quaestiones in Exodum,** I-II (e vers. armen.) A. Terian.

35. **De Providentia,** I-II. M. Hadas-Lebel.
36. **Alexander (De animalibus)** (e vers. armen.) A. Terian.

Photocomposition laser
Abbaye de Melleray
C.C.S.O.M.
44520 Moisdon-la-Rivière

Achevé d'imprimer par
Corlet, Imprimeur, S.A.
14110 Condé-sur-Noireau (France)
en octobre 1993

N° d'Éditeur : 9800
N° d'Imprimeur : 991
Dépôt légal : octobre 1993

Imprimé en C.E.E.